Souvenirs d'autrefois

Catalogage avant publication de Bibliothèque et Archives nationales
du Québec et Bibliothèque et Archives Canada

Laberge, Rosette
Souvenirs d'autrefois
Sommaire : t. 1. 1916
ISBN 978-2-89585-663-4 (vol. 1)
I. Titre.
PS8623.A24S682 2015   C843'.6   C2015-941491-1
PS9623.A24S682 2015

Les Éditeurs réunis bénéficient du soutien financier de la SODEC
et du Programme de crédit d'impôt du gouvernement du Québec.

Nous remercions le Conseil des Arts du Canada
de l'aide accordée à notre programme de publication.

Financé par le gouvernement du Canada
Funded by the Government of Canada  Canada

Édition :
LES ÉDITEURS RÉUNIS
www.lesediteursreunis.com

Distribution au Canada :
PROLOGUE
www.prologue.ca

Distribution en Europe :
DNM
www.librairieduquebec.fr

 Suivez Les Éditeurs réunis et Rosette Laberge sur Facebook.

Pour communiquer avec l'auteure : rosette.laberge13@gmail.com

Visitez le site Internet de l'auteure : www.rosettelaberge.com

Imprimé au Canada

Dépôt légal : 2015
Bibliothèque et Archives nationales du Québec
Bibliothèque nationale du Canada
Bibliothèque nationale de France

ROSETTE LABERGE

Souvenirs d'autrefois

Tome 1
1916

LES ÉDITEURS RÉUNIS

Chapitre 1

— Aidez-vous un peu, ordonne Gertrude en prenant sa mère par le bras d'un geste brusque, je n'y arriverai pas toute seule.

— Depuis le temps, riposte Lucille d'une voix plaintive, tu devrais savoir que je ne peux pas… je suis malade.

— Arrêtez-moi ça tout de suite, la mère, vous n'êtes pas plus malade que moi, et je me passerais bien de vos doléances aujourd'hui. Faites comme moi, retroussez vos manches et avancez. J'ai bien d'autres choses à faire que de vous remonter le moral à chaque jour que le Bon Dieu amène.

— Si seulement je pouvais, j…

Mais Gertrude ne la laisse même pas finir sa phrase, elle connaît déjà la suite par cœur et ses moindres variantes aussi. Difficile d'en être autrement, puisque c'est ainsi que commencent toutes ses journées, et ce, depuis tellement longtemps qu'elle n'arrive pas à se souvenir si les réveils de sa mère ont déjà été moins pénibles.

— Ça suffit maintenant ! siffle-t-elle en serrant le bras de sa mère un peu plus fort pour l'inciter à sortir de son lit. J'en ai assez entendu. Levez-vous et venez déjeuner.

Gertrude n'avait pas encore terminé sa troisième année quand sa mère a décidé de la retirer de l'école pour qu'elle s'occupe de la maison avec elle. Contrairement à bien des enfants de son âge, Gertrude adorait aller à l'école, et elle réussissait mieux que quiconque dans la famille. Chaque fois qu'elle ramenait un bulletin à la maison, ses notes oscillaient entre 95 et 100 %. Mais c'est elle que sa mère avait choisie. Alors qu'une peine immense lui oppressait la poitrine, elle s'était contentée de ranger précieusement ses cahiers sous son oreiller et de jouer le rôle qu'on venait de lui imposer sans rechigner. Ce n'est un secret pour personne dans la famille, lorsque Lucille commande, tout le monde s'incline. Il faut dire que son attitude du matin n'a rien à voir avec l'image qu'elle projette après que Gertrude l'a extirpée de son lit. En dehors de sa famille immédiate, tous lui prêtent la réputation de guerrière, et avec raison.

Pendant des mois, Gertrude s'endormait en pleurant et rêvait qu'elle allait à l'école et qu'elle devenait institutrice. Elle se réveillait en pleurant matin après matin, et sa peine redoublait immanquablement d'ardeur lorsque sa sœur Marcella partait pour l'école à reculons. Lorsque cette dernière revenait de l'école, Gertrude lui arrachait son sac des mains et elle allait s'enfermer dans leur chambre jusqu'à ce qu'elle ait passé au travers de tout ce qu'elle avait appris pendant la journée.

— Mais je n'arrive même pas à me tenir sur mes jambes, argumente Lucille d'une voix où commence à jaillir un brin de colère.

— Là ça va faire, explose Gertrude. Je compte jusqu'à trois et c'est moi qui vais vous mettre debout. Un, deux…

La porte de la cuisine s'ouvre sur Adrien au moment où Gertrude prononce son dernier nombre. Fidèle à ses habitudes, il vient déjeuner avec ses parents et sa sœur au lieu d'aller manger avec les siens alors qu'il n'aurait qu'un escalier à monter. Sa femme, Marie-Paule, a tout essayé pour le faire changer d'idée, mais devant son entêtement inébranlable, elle a fini par battre en retraite. Ce n'est pas tant le fait que son mari mange avec ses parents qui la dérange, c'est tout ce qui se passe autour de la table pendant le repas qui la contrarie, et c'est peu dire. Lorsqu'ils habitaient avec les parents d'Adrien, elle pouvait au moins mettre son grain de sel de temps en temps, alors que maintenant même les décisions qui la concernent sont prises sous ses pieds et elle doit faire avec elles, peu importe les conséquences qu'elles entraînent dans sa vie.

Adrien salue son père et vient s'asseoir sur la chaise berçante près de la sienne. Joseph, qui est occupé à bourrer sa pipe, se contente de jeter un regard furtif à son fils pour toute salutation.

— Il va falloir que vous veniez me donner un coup de main, lui dit Adrien, je suis inquiet pour notre vache brune. Ça fait deux jours qu'elle refuse de manger et elle n'est pas supposée vêler avant deux bonnes semaines.

Joseph hoche la tête en guise de réponse, en tirant sur sa pipe.

Pendant ce temps-là, le ton a encore monté dans la chambre de Lucille. Bien qu'il ait droit au même spectacle depuis sa plus tendre enfance, Adrien ne s'habitue pas à la manière dont Gertrude traite leur mère. Il a pris sa défense autant comme autant, mais il s'est fait rabrouer par sa sœur chaque fois.

— Tu n'as qu'à prendre ma place, si tu crois que tu peux faire mieux, lui sert-elle lorsqu'il ose parler. Je fais ce que je peux et, crois-moi, je me passerais bien de cette petite activité quotidienne.

Adrien respire mieux lorsque sa sœur fait enfin son entrée dans la cuisine avec Lucille à sa suite.

— Bonjour la mère, dit-il gentiment. Comment allez-vous aujourd'hui ?

L'œil pétillant, Lucille regarde son fils et lui sourit :

— Bien ! Très bien même.

C'est inutile, Gertrude ne s'habituera jamais au changement draconien d'attitude de sa mère. Il lui suffit de poser un pied par terre pour que le bonheur l'envahisse. Alors que Gertrude est épuisée par la bataille qu'elle vient de livrer, Lucille brille de mille feux.

— Viens t'asseoir à table mon garçon, ajoute Lucille, Gertrude va nous servir, et donne-moi des nouvelles des petits.

— Tout ce que je peux vous dire, c'est que Michel a tenu Marie-Paule éveillée une bonne partie de la nuit. Il venait juste de s'endormir quand je suis sorti pour aller traire les vaches. Et André, le petit maudit, pétait le feu hier soir, il est toujours fourré partout. J'espère qu'il va se calmer en vieillissant parce qu'on va y goûter.

— Gertrude montera les voir après le déjeuner, lance Lucille d'un ton autoritaire.

Occupée à faire cuire des œufs et des tranches de pain de ménage sur le poêle, Gertrude ne perd pas un seul mot de la conversation. Sa mère est encore en train de planifier sa journée comme elle le fait tout le temps. Bien qu'elle soit tentée de rouspéter qu'elle a d'autres plans, elle n'en fait rien. La vie lui a appris qu'il vaut mieux qu'elle soit seule avec sa mère si elle veut avoir une petite chance d'être entendue. Gertrude se marie dans moins d'un mois et elle a encore une foule de choses à préparer d'ici là. Alors qu'elle croyait que l'annonce de son mariage enchanterait tout le monde, celle-ci n'a soulevé que des inquiétudes concernant la continuité des choses.

— J'espère que tu n'as pas l'intention de t'en aller vivre au bout du monde, lui a dit Adrien, parce que jamais Marie-Paule n'acceptera de revenir vivre dans la maison paternelle.

— Tu peux dormir sur tes deux oreilles, le frère, lui a répondu Gertrude d'un ton irrité, je connais ma place.

— Tant mieux! C'est à toi de t'occuper d'elle et j'espère que tu ne l'oublieras pas.

Gertrude aurait tellement aimé que les siens soient contents pour elle. En réalité, la personne qui lui a manifesté le plus d'attention, c'est Marie-Paule.

— Je suis très contente pour toi, lui avait-elle dit, en la serrant dans ses bras. Toi aussi, tu as droit à un peu de bonheur.

— Mais est-ce vraiment le bonheur, de s'installer chez ses parents avec son mari?

Marie-Paule en aurait long à raconter sur le sujet. Le soir même de son mariage, elle a emménagé dans la maison familiale des Pelletier pour n'en ressortir que l'année dernière. Elle ne peut pas dire qu'elle a été maltraitée pendant son séjour, mais il y avait longtemps qu'elle rêvait de se retrouver dans ses affaires avec les siens. Son plus grand regret demeure de ne pas avoir eu de lune de miel. Il faut dire qu'il n'y a aucune place pour la sensiblerie chez les Pelletier, et encore moins pour les démonstrations amoureuses, qui sont considérées comme l'œuvre du diable. Tout se passe à la noirceur, sous les couvertures. Marie-Paule a fait de nombreuses tentatives au début de leur mariage, mais elle s'est vite fait remettre à sa place, parfois tellement brusquement qu'elle a fini par battre en retraite. Aujourd'hui, Adrien et elle ont l'air d'un vieux couple à la veille de fêter son cinquantième anniversaire de mariage, alors que leur plus vieux n'a même pas six ans.

— Mais tu pourrais partir…

— Pour aller vivre chez ma belle-famille? Non merci! Ici au moins, je suis en terrain connu. Reste maintenant à savoir comment ça va se passer une fois que je serai mariée.

Gertrude remplit les assiettes et les apporte sur la table. Tous se dépêchent de prendre une bouchée aussitôt qu'ils sont servis.

— Va chercher le sel, commande Lucille.

Autant elle était dépourvue de ses moyens avant de mettre un pied à terre, autant elle a repris du poil de la bête en un claquement de doigts. La maladie dont souffre Lucille à son réveil n'est un secret pour personne de sa famille immédiate. Les rares fois où Gertrude a osé dire que sa mère souffrait d'un mal imaginaire devant la visite, elle s'est fait rabrouer sans ménagement. D'ailleurs, qui pourrait croire que derrière cette force de la nature se cache un être d'une telle fragilité s'il n'en a pas été lui-même témoin ?

Perdue dans ses pensées, Gertrude n'a pas entendu sa mère.

— Est-ce que je vais devoir aller le chercher moi-même ? lance Lucille d'une voix bourrue. C'est maintenant que je veux le sel, pas la semaine prochaine.

Gertrude va chercher la salière et la remet à sa mère sans dire un mot.

— Partez-vous dans le bois comme prévu ? demande Adrien à son père.

— Demain matin à la première heure.

Adrien ne s'attarde pas sur le sujet plus qu'il le faut depuis que son père l'exempte d'aller bûcher. Contrairement à son frère Arté, qui travaille avec lui à la ferme, il n'a aucune prédisposition pour ce métier. D'abord, il gèle à rien. Ensuite, il déteste dormir dans la même pièce que le cheval, au point qu'il revient la plupart du temps dormir à la maison au beau milieu de la nuit sans aviser personne. Enfin, il n'a aucune aptitude pour bûcher. Il fait ce qu'il a à faire, mais sans plus. Aux dires de Joseph, il est même dangereux pour ceux qui travaillent avec lui. Il s'est entaillé la main avec sa hache, la dernière fois qu'il est monté au lac. C'est ce jour-là que son père lui a dit que sa carrière de bûcheron venait de prendre fin.

— As-tu lu le journal ? demande Joseph à Adrien. Le fameux impôt de guerre que le fédéral a voté l'année passée commence à en fatiguer plusieurs.

— C'est normal, plus la guerre dure, plus la vie est difficile même pour nous autres. L'argent est rare comme ça ne se peut pas.

— Le pire, réplique Joseph, c'est que ce n'est même pas notre guerre. C'est rendu que les nôtres s'enrôlent comme des mouches. Je ne les comprends pas.

— Et ce n'est pas encore assez pour notre bon gouvernement, raille Adrien. Mais vous ne devinerez pas ce qu'Arté m'a dit ce matin, il paraît que le cousin Gaétan est allé donner son nom, l'innocent.

— Moi, ajoute Joseph, même si j'étais obligé de vous attacher ou de vous cacher dans le fond des bois, jamais je ne permettrais à un de mes fils d'aller se faire tuer au front pour des étrangers. En tout cas, j'espère qu'elle va finir au plus sacrant, cette maudite guerre ! La vie est déjà assez difficile sans qu'on soit obligé de se tirer dessus pour des chicanes de politiciens.

Adrien a beau ne pas avoir fini sa sixième année, il lit religieusement le journal auquel Joseph est abonné – même s'il ne sait pas lire – d'un bout à l'autre. C'est Gertrude qui lit à leur père les articles qui l'intéressent après le souper. De cette manière, il peut discuter avec Adrien et la visite de tout ce qui se passe ici et ailleurs.

— D'après ce que j'ai lu, elle n'est pas près de finir, dit Adrien. Pour revenir à Gaétan, il paraît que mon oncle était furieux quand il a appris la nouvelle, au point qu'il l'a mis dehors de sa maison.

— Ça ne me surprend pas de ton oncle, lance Lucille, et de ton cousin non plus. Il a toujours été un peu bizarre, son Gaétan. Voir si ça a du bon sens de traverser de l'autre bord de l'océan pour aller se faire tuer.

— Tant qu'à parler de guerre, ajoute Joseph, réalisez-vous que ça fait déjà presque un an que le fédéral a voté son impôt de guerre ? Plus elle dure, plus l'argent est rare, même ici, et plus l'impôt est difficile à payer.

— Je peux me tromper, renchérit Adrien, mais j'ai l'impression qu'elle n'est pas prête de finir. Je pourrais avoir d'autre café ? demande poliment Adrien en se levant de sa chaise.

— Tu n'as qu'à te servir en passant ! l'intime Gertrude.

Évidemment, Adrien fait la sourde oreille. Servir le café n'est pas la tâche d'un homme, mais bien le travail des femmes. Il va chercher une lettre dans la poche de son manteau et revient s'asseoir.

— Alors, est-ce qu'il vient, ce café ? demande-t-il à nouveau en cognant cette fois sa tasse sur la table. Avez-vous su ce qui est arrivé à la gare Bonaventure ?

— Non ! répond Joseph.

— Elle a brûlé de fond en comble.

— J'espère qu'ils la feront en brique, cette fois. Le bois, c'est bien beau, mais ça prend juste une étincelle pour le réduire en cendres.

Gertrude saisit la tasse de son frère sans tenir compte que son index est passé dans l'anse.

— Hey ! Fais attention, tu as manqué de m'arracher le doigt.

— Tu n'as qu'à y aller toi-même, si tu n'es pas content. Je ne suis pas ta bonne, je suis ta sœur.

Adrien ne fait pas attention aux paroles de Gertrude, car elle a beau bougonner, elle finit toujours par le servir.

— Tenez, dit Adrien, en tendant une enveloppe à sa mère, c'est une lettre de votre Adjutor.

Le visage de Lucille s'illumine instantanément. Ce n'est un secret pour personne dans la famille, Adjutor est de loin son préféré. Toute la famille s'est serré la ceinture pour lui payer des études au collège, et il a finalement été ordonné prêtre, à la grande fierté de sa mère. Depuis l'année dernière, il s'occupe de la paroisse de Saint-Irénée dans Charlevoix, ce qui fait qu'ils entretiennent une correspondance pour le moins assidue. Lucille ouvre l'enveloppe avec soin, sort la lettre et la tend à Gertrude pour qu'elle la lise.

Chère maman,

Ici, l'hiver ne finit plus de finir, au point qu'il m'arrive de me demander s'il y aura un autre été. Autrement, je vais bien. Deux nouvelles familles se sont installées aux limites du village. À elles seules, elles font augmenter la population de trente-six personnes, ce qui est loin d'être négligeable, compte tenu de tout ce qu'il y a à faire.

Ma bonne, Béatrice, ne cesse de m'épater par sa cuisine. Heureusement que je porte la soutane, parce que mes pantalons sont si serrés que je ne peux plus en attacher le dernier bouton. J'ai beau la supplier d'arrêter de m'engraisser, elle s'acharne à me faire plaisir. Je ne vous cacherai pas que tous ceux qui ont la chance de s'asseoir à ma table m'envient. L'autre jour, un de mes visiteurs lui a même offert le double de ses gages pour qu'elle aille travailler pour lui. Heureusement pour moi, elle a décliné son offre. Elle lui a dit que rien n'égalerait jamais d'être au service du Seigneur.

Dites à Gertrude que je viendrai célébrer son mariage comme prévu. J'ai réussi à trouver quelqu'un pour me remplacer, mais je ne pourrai pas rester plus d'une journée. Ici, ce n'est pas le travail qui manque. Mes jours s'écoulent doucement entre un baptême, un mariage et des funérailles. Mettre un enfant en terre demeure ce qui me trouble le plus. Malgré ma foi inébranlable en Dieu, je ne comprends pas comment des êtres aussi purs qu'eux peuvent mériter la mort alors qu'ils ont à peine commencé leur vie. Les desseins du Seigneur sont impénétrables…

J'ai hâte de vous voir.

Votre fils aimé,

L'abbé Adjutor

Peu de choses émeuvent Lucille, sauf les lettres de son fils. Sa vue s'embrouille chaque fois qu'elle en reçoit une. Elle ressent une telle fierté que ça la bouleverse à tout coup.

— Ça paraît qu'il est instruit, gémit Lucille.

— J'espère, laisse tomber Gertrude d'un ton acerbe, après tout le temps qu'il a passé à l'école…

Ce n'est pas que Gertrude soit jalouse de son frère. C'est connu, dans sa famille comme dans toutes les autres d'ailleurs, il n'y en a que pour les garçons. En réalité, ce qui la fâche, c'est que sa mère ne voit que lui. Lucille voulait avoir un prêtre et maintenant qu'elle l'a, elle ne jure que par lui. Le jour de son ordination, elle a balayé du revers de la main tout ce que son Adjutor lui avait fait endurer à cause de sa petite constitution. Elle a oublié les nombreuses nuits blanches qu'il lui a fait passer ainsi que tous les jours d'école qu'il a manqués parce qu'il était malade, mais surtout les incalculables subterfuges qu'elle a dû utiliser pour qu'on l'accepte finalement au collège. Son état de santé s'est curieusement métamorphosé à partir du jour où il y a mis les pieds. Il est encore fragile aux refroidissements, mais outre cette petite faiblesse, Adjutor est aussi fort que ses autres enfants. Lucille a répété et répète encore à qui veut l'entendre que son fils est un miraculé et que c'est parce que Dieu le voulait vraiment à son service qu'il lui a redonné la santé.

— Vas-tu en revenir? lui demande Adrien.

— De quoi veux-tu que je revienne? le questionne Gertrude. Tout ce que j'ai dit, c'est que notre frère est allé longtemps à l'école, en tout cas pas mal plus longtemps que moi.

— Mais les femmes n'ont pas besoin d'être instruites, argumente Adrien, à moins qu'elles veuillent être maîtresses d'école ou religieuses.

— Alors, explique-moi pourquoi Marcella a fait sa septième année. Ma chère sœur ne fait absolument rien avec son savoir, puisqu'elle élève ses enfants et sert son mari comme la plupart d'entre nous, à ce que je sache.

— Ça suffit, Gertrude ! s'écrie Lucille en levant la main. Laisse ta sœur en dehors de ça, ce qui est passé est passé.

Gertrude jette un regard noir à sa mère et pique sa fourchette dans son œuf sans prendre la peine de le couper.

— Est-ce que c'est aujourd'hui que le cousin Ernest arrive ? demande Adrien pour changer de sujet.

— Oui, confirme Lucille, sa chambre est prête.

— Est-ce qu'il s'installe ici pour longtemps ? s'informe Adrien.

— Le temps qu'il faudra, répond Lucille sans aucune hésitation.

— En tout cas, ajoute Gertrude, une chose est certaine, il est mieux de ne pas compter sur moi pour le servir parce que je ne peux pas le sentir.

— Où est donc passée ta charité chrétienne, ma fille ? Que je ne te vois pas lui faire de la misère parce que tu vas avoir affaire à moi ! Aux dernières nouvelles, les Pelletier savaient recevoir et ce n'est pas aujourd'hui que ça va changer.

— S'il n'en tenait qu'à moi, dit Joseph, jamais je n'aurais accepté qu'il vienne habiter chez nous, même pas pour une journée. Pour tout vous dire, j'aimerais mieux héberger le quêteux pendant un mois qu'Ernest pendant vingt-quatre heures, parce que moi non plus je ne peux pas le blairer. Une fois que c'est dit, je vais faire avec.

Gertrude sauterait au cou de son père et l'embrasserait sur les joues, si elle ne se retenait pas. Il est si rare qu'il donne son avis sur des choses du quotidien.

— Vous devriez aller vous confesser au plus vite, tous les deux, plaide Lucille d'un ton sévère.

— Je suis assez vieux pour m'arranger avec le Bon Dieu tout seul, réplique Joseph. Et ne viens surtout pas me dire de me confesser à Adjutor quand il viendra, parce que c'est peine perdue.

— Je ne te comprends pas, s'exclame Lucille. Le Bon Dieu vient jusque dans ta maison et tu refuses de lui parler. Tu devrais être fier de ce que ton fils est devenu.

— Être fier ne veut pas dire que je dois me confesser à lui. Fais-le si tu veux, mais laisse-moi tranquille avec mes péchés.

Il est rare que Joseph et Lucille étalent leurs croyances devant leurs enfants. À vrai dire, tout ce qui concerne Adjutor réussit à les soulever l'un contre l'autre à la première occasion. Ce n'est pas que Joseph en ait contre son fils, mais contrairement à sa femme, jamais il ne s'agenouillera devant lui, et ce, même s'il devenait évêque un jour. En bon chrétien, Joseph va se confesser, mais c'est chaque fois un supplice pour lui. Il a pour son dire qu'il travaille tellement fort qu'il n'a pas le temps de pécher.

Aussitôt qu'il a fini de manger, Adrien se lève de table et enfile son manteau.

— Je vais vous attendre à l'étable, dit-il à son père avant de sortir.

Chapitre 2

Marcella vient plus souvent voir Gertrude que l'inverse. Sans être inséparables, elles sont toujours heureuses de se retrouver. Au début du mariage de sa sœur avec Léandre, Gertrude débarquait à l'improviste, mais elle s'est très vite aperçue que ses visites contrariaient son cher beau-frère. Son air sévère et son manque de façon à son égard ont suffi à refroidir ses ardeurs. Marcella a eu beau lui dire qu'il n'avait rien contre elle, et que c'était dans sa nature, mais Gertrude est restée sur ses positions.

— Tu devrais voir le manteau de vison que Léandre m'a acheté, s'exclame Marcella, je n'ai jamais rien vu d'aussi beau.

— Du vison ? s'écrie Gertrude d'une voix forte, on ne rit plus !

— Il ne faut pas que tu oublies qu'il travaille pour un fourreur. Il a refusé de me dire le prix qu'il l'avait payé, mais c'est certain que ce n'est pas le même que pour les clients.

— Mais le moins qu'on puisse dire, c'est qu'on n'a pas les mêmes moyens. Moi, c'est à peine si j'ai de quoi payer ma robe de mariée. Heureusement que le père m'a donné un peu d'argent, parce que j'aurais dû me contenter de porter ma robe du dimanche qui commence sérieusement à être usée.

Marcella connaît suffisamment leur mère pour savoir qu'elle ne lèvera pas le petit doigt pour l'aider. Non seulement Lucille ne veut pas que Gertrude se marie, mais en plus, elle n'est pas d'accord avec celui que sa fille a choisi.

— J'ai un cadeau pour toi, ajoute Marcella en lui tendant une petite enveloppe.

Gertrude se dépêche de l'ouvrir. Elle saute au cou de sa sœur et la remercie à la vue des billets de banque.

— Ce n'est pas grand-chose, mais c'est de bon cœur.

— C'est bien plus que tu penses. Mais es-tu certaine que Léandre ne sera pas fâché après toi?

— Ne t'inquiète pas, il n'est pas au courant. Et si jamais ça venait à ses oreilles un jour, je m'arrangerai avec lui. C'est l'argent que j'ai réussi à économiser pendant les quelques mois où j'ai travaillé pour le notaire. Comme les parents ont tout payé pour mon mariage, je l'ai toujours gardé pour toi. Mon petit doigt me disait que la mère ne ferait rien pour te faciliter les choses.

Cette fois, Gertrude est émue plus qu'elle ne voudrait le montrer. Le regard voilé, elle sourit à sa sœur.

— Tu n'as pas idée à quel point cet argent me soulage. Mais qu'est-ce que je vais pouvoir dire aux parents, s'ils me posent des questions?

— Que c'est Camil qui a payé… Peut-être que ça l'aidera à marquer des points auprès de la mère.

L'une comme l'autre savent très bien que peu importe ce que Camil pourrait faire, il n'arrivera pas à toucher Lucille, ni maintenant ni jamais. Il aurait beau se transformer en prince charmant, elle ne le porterait pas plus dans son cœur pour la simple et unique raison qu'elle lui en veut de toutes ses forces de venir perturber sa vie.

— Permets-moi d'en douter, réagit Gertrude. Comme le dit si bien oncle Conrad: *Lucille n'est heureuse que lorsque tout lui passe par la raie.* Et je ne l'ai pas consultée avant de dire «oui». Merci, ma sœur!

— Ça te dirait de jouer un air ou deux avec moi?

Pendant toutes les années où elle a suivi des cours de piano, Marcella n'a jamais manqué de montrer ce qu'elle apprenait à sa sœur. Tant et aussi longtemps que les filles pianotaient ensemble, Lucille ne disait rien. Mais dès que Gertrude voulait toucher au piano en l'absence de Marcella, elle se faisait retourner comme une crêpe. Gertrude a bien appris quelques notions, mais comme elle n'a jamais pu les pratiquer, eh bien, elle a quasiment tout oublié.

Les deux sœurs prennent place sur le banc et choisissent ensuite une pièce au hasard. N'eût été l'entrée subite de Lucille dans la maison, qui sait combien de temps elles auraient joué. Alors que les pas de leur mère se rapprochent de plus en plus du salon double où trône le fameux piano, Gertrude aperçoit l'enveloppe que lui a donnée Marcella sur le dessus de celui-ci. Elle ne fait ni une ni deux et s'empresse de la déposer dans le piano.

— Quand est-ce que tu vas arrêter de perdre ton temps à jouer avec ta sœur ? demande Lucille à Marcella. Tu vois bien qu'elle ne sait pas jouer…

— Comment voulez-vous que j'apprenne ? réplique Gertrude. Je n'ai même pas le droit d'y toucher, à votre maudit piano !

Lucille ne se donne même pas la peine de répondre à Gertrude. Elle s'approche de ses filles et met la main sur l'épaule de Marcella avant d'ajouter :

— Joue-moi quelque chose maintenant.

Au lieu de s'exécuter, Marcella se lève.

— Désolée, mais ce ne sera pas possible aujourd'hui, il faut que j'aille chercher les petits chez ma belle-mère.

Ce n'est pas la première fois qu'elle refuse de jouer pour sa mère, et ça ne risque pas d'être la dernière non plus. Elle refuse de lui faire plaisir quand elle traite Gertrude de la sorte. Sa mère a toujours été injuste avec elle, et ça l'enrage de la voir agir ainsi alors que sa sœur lui a consacré sa vie.

— Si tu as besoin de moi pour quoi que ce soit, dit Marcella en se tournant vers sa sœur, tu sais où me trouver. Je suis certaine que tu vas faire une très belle mariée.

Marcella sort du salon avant même que sa mère n'ait le temps de répliquer. Vexée par l'attitude de sa fille, Lucille se tord les doigts.

— Ferme le piano et sors du salon… tu n'es pas de la visite, à ce que je sache.

Même si Gertrude a vraiment envie de rouspéter, elle s'exécute et disparaît dans sa chambre, elle viendra récupérer son enveloppe plus tard. Lucille ne manque pas de se manifester avant qu'elle ait le temps de fermer sa porte.

— Viens m'aider à préparer le souper.

En entendant ça, Gertrude revient docilement sur ses pas et met son tablier en pensant à son fiancé, ce qui la fait sourire.

— Je ne vois pas ce qu'il y a de si drôle à mettre un tablier… maugrée Lucille.

Au lieu d'effacer son sourire de ses lèvres, Gertrude éclate de rire et dit :

— Vous devriez essayer, la mère, ça fait vraiment du bien.

* * *

Comme tous les dimanches depuis que Marie-Paule ne vit plus avec sa belle-famille, sa mère, Alida, vient passer la journée chez elle.

— Tu es tellement rendue grosse que ça ne me surprendrait pas que tu attendes des jumeaux, dit-elle en mettant la main sur la bedaine de sa fille.

— C'est parce que vous ne vous en souvenez pas, parce que je suis exactement comme lorsque je portais les deux gars.

— Dommage, j'ai toujours rêvé d'avoir des jumeaux.

— J'ai l'impression que c'est plus beau chez le voisin. En tout cas, moi je me vois mal avec deux bébés en même temps. N'oubliez pas que Michel n'est pas si vieux. Puis, je ne saurais même pas où le coucher.

— Tant qu'à ça, on ne peut pas dire que tu aies gagné au change en déménageant ici.

— J'ai gagné bien plus que vous pensez, maman.

— Oui, mais vous êtes déjà tassés l'un sur l'autre.

— Suivez-moi, je vais vous montrer quelque chose. Depuis qu'on est ici que je me demande comment je pourrais agrandir par en dedans et je pense que j'ai enfin trouvé la solution.

Une fois dans la grande pièce attenante à leur appartement, Marie-Paule ajoute :

— J'ai pensé à faire une sorte de dortoir pour les enfants ici.

— Mais ils vont geler comme des rats l'hiver et ils vont mourir de chaleur l'été.

— Pas si je recouvre les murs de carton épais.

— Pourquoi tu ne demandes pas à Adrien d'isoler la pièce ?

— Je lui en ai parlé, mais il m'a dit qu'il était hors de question qu'il dépense un seul sou pour ça. Pour lui, on est assez grandement. J'ai eu beau lui faire valoir tous les arguments possibles, il n'a rien voulu entendre. Alors, je suis allée dans le hangar et j'ai trouvé une grosse pile de sacs de grains vides et des grands cartons très épais. Après tout, je ne risque pas grand-chose, à part de perdre un peu de temps.

— Et Adrien ?

Marie-Paule hausse aussitôt les épaules.

— Il va faire sa crise, et après ? Ce ne sera pas la première et sûrement pas la dernière. Si je l'avais écouté, on resterait encore avec ses parents alors que le haut de la maison était vide.

— Puisque c'est ainsi, je viendrai t'aider, mais après ton accouchement par exemple.

— Merci maman !

— Maintenant, dis-moi ce que je peux faire pour t'aider aujourd'hui.

Marie-Paule regarde sa mère avec amour. La vie ne l'a jamais ménagée et, pourtant, elle trouve encore la force de sourire. La première fois qu'il l'a rencontrée, Adrien a demandé à Marie-Paule ce qui pouvait bien la rendre aussi heureuse.

— Je ne sais pas trop quoi te dire. Même dans les pires moments, et crois-moi elle a eu son lot, elle réussit à garder le sourire. Je venais d'avoir dix ans quand mon père est mort. Du jour au lendemain, elle s'est retrouvée toute seule pour élever ses enfants. Tu ne peux même pas t'imaginer à quel point elle a dû travailler seulement pour nous faire manger. Elle allait relever des femmes et faire des grands ménages. Elle faisait de la couture pour les autres, du repassage… Il n'y a rien qu'elle n'a pas fait. Aussitôt que mes frères ont été en âge de travailler, ils ont pris la relève. Ma mère, c'est ni plus ni moins qu'une sainte.

Alida trépigne d'impatience pendant qu'elle attend que sa fille lui réponde. Marie-Paule l'observe en souriant. Sa mère est incapable de rester à ne rien faire, même le dimanche.

— Vous pourriez commencer par faire des brioches pour le dessert… ça fait des jours que j'en rêve. Et ça fera plaisir à Adrien.

— Je ne demande pas mieux. Qu'as-tu prévu pour souper ?

— Il y a un gros morceau de bœuf dans la glacière. Faites-en ce que vous voudrez, parce que si c'est moi qui le fais cuire, il sera dur comme de la semelle de botte. Adrien l'a eu en cadeau hier d'un voisin qui a fait boucherie. Mais je peux vous aider…

— Profites-en pour te reposer pendant que les enfants dorment.

— J'ai bien envie de vous dire oui, je dors de plus en plus mal.

— Va t'étendre pendant que je m'occupe du reste.

Adrien entre dans la maison quelques minutes plus tard. Alida lui fait signe de ne pas faire de bruit pour ne pas réveiller Marie-Paule et les enfants. Il respire à pleins poumons l'odeur de la levure.

— Je ne sais pas comment vous faites, mais dès que vous entrez dans une cuisine, ça commence à sentir bon.

— Rien de plus que les autres femmes, répond Alida.

— Je ne suis pas d'accord. Marie-Paule est bonne cuisinière, mais elle ne vous arrive pas à la cheville. Ma mère non plus. Vous dépassez même ma sœur Gertrude et, pourtant, elle cuisine très bien. Avez-vous regardé la pièce de bœuf qu'il y a dans la glacière ?

— Oui et mon petit doigt me dit qu'elle devrait être très tendre.

— Même si elle ne l'était pas, vous parviendriez à l'attendrir juste en la faisant cuire.

— Si vous n'arrêtez pas de me complimenter, la tête va commencer à m'enfler et je ne passerai plus dans la porte. Ça vous dirait de jouer une petite partie de cartes avec moi pendant que la pâte des brioches lève ?

— Je vous avertis, j'ai l'intention de gagner.

— C'est ce qu'on verra.

Les discussions entre Adrien et Alida vont rarement plus loin. Adrien ne l'avouera pas, mais il se sent un peu gêné avec sa belle-mère. Alors qu'il lit seulement le journal, Alida lit tout ce qui lui tombe sous la main. Comme elle a une mémoire d'éléphant, elle retient tous les détails. Elle n'a pas une once de prétention lorsqu'elle parle, mais on sent tout de suite qu'elle en connaît bien plus qu'elle veut le montrer. Il faut l'entendre raconter des histoires aux enfants… jeunes et moins jeunes sont suspendus à ses lèvres. Elle est non seulement brillante, mais elle est aussi chaleureuse et aimante. Les garçons d'Adrien se jettent dans ses bras et se collent sur elle chaque fois qu'ils la voient. Quand il en est témoin, Adrien se dit qu'il ne risque pas de voir ce genre de démonstration avec sa mère. Aucun de ses petits-enfants n'est proche d'elle et aucun ne demande à venir la visiter non plus. Tous préfèrent de loin leur tante Gertrude, qui les gave généreusement de sucreries. Et les enfants d'Adrien ne font pas exception à la règle. Ils ont vite fait d'associer la vue de leur tante aux gâteries malgré leur jeune âge. Étant donné qu'ils habitent juste au-dessus, ce n'est pas rare qu'elle vienne faire une petite saucette après avoir glissé quelques surprises dans ses poches. Marie-Paule a essayé de faire comprendre à Gertrude que c'était loin d'être nécessaire qu'elle leur apporte tout le temps quelque chose, mais c'est comme si elle parlait à un mur. Le plat à bonbons et la boîte de sucre à la crème ont toujours été pleins chez les Pelletier, et Gertrude entend bien perpétuer la tradition.

— Trempe sa suce dans le sucre, ordonne systématiquement Lucille à Gertrude lorsqu'elle entend pleurer un bébé en visite chez elle.

Les premiers temps, Marie-Paule voyait rouge quand sa belle-sœur lui servait cette médecine, mais elle a vite réalisé qu'elle n'aurait jamais gain de cause contre toute une famille qui saupoudre du sucre sur tout. Dès qu'un des petits se mettait à pleurer, Marie-Paule l'emmenait dans leur chambre et ne revenait que lorsqu'il était consolé. Malgré ça, André a quand même eu plus que sa dose de suce trempée dans le sucre blanc. Marie-Paule n'est pas contre tout ce qui est sucré, mais elle a pour son dire que c'est bien suffisant d'en manger au dessert. Elle n'arrive juste pas à comprendre pourquoi tous les enfants devraient être nourris au sucre... ce n'est pas comme s'ils en avaient besoin pour vivre.

— Je vous ai encore battue! s'écrie Adrien avant d'éclater de rire.

— Par la peau des dents comme d'habitude, ajoute Alida en faisant mine d'être fâchée.

— Ne soyez pas mauvaise perdante, la belle-mère, ça vous prouve une fois de plus que je suis le meilleur aux cartes. Mais j'y pense, depuis le temps qu'on joue ensemble, vous n'avez jamais gagné... À moins que je ne me trompe?

Cette fois, Alida éclate de rire à son tour. Son rire est si cristallin que les enfants et leur mère se réveillent en sursaut. Les deux petits se mettent à pleurer en même temps.

— Ah non, j'ai réveillé tout le monde, dit Alida.

— Ils avaient assez dormi, réplique Adrien.

Alida se dépêche d'aller chercher les garçons et elle les emmène dans la cuisine. Elle dépose André sur les genoux de son père et colle Michel sur sa poitrine avant d'aller le bercer. Avec un peu de chance, ils se rendormiront.

— Au fait, dit Adrien, j'ai rencontré votre neveu Édouard. Il m'a dit qu'il allait se marier avec la belle Eugénie. Ils ne sont pas parents, eux…

— Oui monsieur, ils sont cousins.

— C'est bien ce que je pensais. Pour ma part, l'idée de me marier avec ma cousine ne m'est jamais venue en tête.

Édouard et Eugénie ne seront pas les premiers cousins à convoler en justes noces, mais pour Adrien ce sont des choses qui ne se font pas, même si l'Église le permet. Au nombre d'habitants qu'il y a au Saguenay, il n'y a aucune excuse qui tienne pour ne pas trouver à se marier en dehors de sa famille. Il lisait un article sur le sujet dans le journal, l'autre jour. Il y était écrit noir sur blanc que c'était au Saguenay qu'il y avait le plus de ces mariages. Ce n'est pas qu'Adrien mette en doute la parole du journaliste, jamais il n'oserait, mais Adjutor lui a dit qu'ils étaient encore plus nombreux dans Charlevoix et dans la ville de Québec. Entre croire un pur étranger ou croire son frère, le choix n'est pas difficile à faire pour lui.

Perdu dans ses pensées, Adrien sursaute lorsqu'il entend crier Marie-Paule.

— Adrien! Va vite chercher Marie-Laure, mes eaux viennent de crever.

＊

Marie-Paule donne naissance au petit Georges à peine une heure plus tard.

— Si ça continue comme ça, dit Marie-Laure, je n'aurai pas le temps de me rendre même si j'habite à côté. Quand Arté va me voir revenir à la maison, il va me demander si vous êtes morte.

Marie-Laure n'est pas une vraie sage-femme, enfin pas au sens où tout le monde l'entend. Elle vient aider seulement les futures mères qu'elle connaît.

— Accoucher n'est jamais une partie de plaisir, lance Marie-Paule, mais je me sens en sécurité avec vous. Comment pourrais-je vous remercier?

— Contentez-vous de vous reposer et laissez faire le reste. Si on ne peut pas s'aider entre belles-sœurs, je me demande bien pour qui on va le faire. Essayez de dormir un peu pendant que je lave le bébé.

Resté dans la cuisine avec Alida et les garçons, Adrien trépigne d'impatience, surtout depuis qu'il n'entend plus crier sa femme ni le bébé.

— Est-ce que vous pourriez aller aux nouvelles? demande-t-il soudainement à sa belle-mère.

Alida se tourne vers lui et lui sourit. Derrière ses airs sévères, son gendre cache bien son jeu. Elle se lève de sa chaise et va voir sa fille.

Adrien n'en peut plus d'attendre, tellement qu'il est sur le point de se lever lorsqu'Alida sort de la chambre avec le bébé emmailloté dans une couverture. Il tend les bras comme un enfant vers son petit dernier.

— Je vous présente Georges, dit Alida en lui mettant son fils dans les bras. Il est pétant de santé.

Ému comme une vieille fille, Adrien a les yeux dans l'eau. Alida l'observe à distance sans dire un mot. Ces rares moments de sensiblerie lui confirment que sa fille est bien mariée et ça la remplit de bonheur. Étant donné leur extrême pauvreté, c'est ce qu'elle pouvait espérer de mieux pour sa Marie-Paule. Adrien est aussi rigide qu'une barre de fer, mais il a un bon cœur et c'est tout ce qui compte. Si ce n'était pas de son petit problème et de sa famille qui habite bien trop proche à son goût, Alida serait prête à le mettre sur un piédestal sans hésiter.

— C'est le portrait tout craché d'André, laisse tomber Adrien.

Alida est toujours étonnée de voir le temps que les pères mettent avant de s'enquérir de l'état de santé de leur femme après l'accouchement. N'y tenant plus, elle ajoute d'une voix suffisamment forte pour attirer l'attention de son gendre :

— En réponse à votre question, Marie-Paule va très bien.

L'effet est immédiat. Adrien lève la tête et soupire.

— Est-ce que je peux aller la voir ?

Marie-Laure fait son entrée dans la cuisine au moment où il prononce son dernier mot.

— Faites vite avant qu'elle s'endorme, répond-elle du tac au tac.

Adrien laisse le bébé à Alida au passage et va voir sa femme. À peine a-t-il refermé la porte de la chambre que Marie-Laure ajoute :

— Ils sont bien tous pareils. Ils oublient jusqu'à notre existence dès qu'ils tiennent leur fils dans leurs bras. Maudits hommes ! Je vais revenir la voir après le souper.

*　*　*

C'est Charlotte, la sœur aînée de Marie-Paule, qui est venue la relever comme à ses deux premiers accouchements.

— Adrien pourrait te ramener chez toi si tu veux, lui dit gentiment Marie-Paule.

— À moins que tu en aies assez de moi, j'aimerais bien rester encore quelques jours. Je t'avoue que je m'ennuie dans ma grande maison quand Laurier n'est pas là.

— Ma pauvre Charlotte, tu es aussi bien de t'habituer. Tant qu'il travaillera sur des bateaux, tu risques d'être seule plus souvent qu'à ton tour.

— Si j'avais un enfant aussi, ce serait beaucoup plus facile, mais je n'arrive pas à tomber enceinte.

— Dommage que tu habites si loin, tu pourrais venir m'en emprunter un pour quelques heures de temps en temps.

Des trois filles de la famille, Charlotte est de loin celle qui aime le plus les enfants. Chaque fois qu'elle en voit un, elle s'arrête et lui tend les bras. À ce jour, tous sans exception ont accédé à sa demande. Qu'ils aient la morve au nez ou la couche pleine, elle les cajole comme pas une.

— Si j'avais su que je serais seule aussi souvent, jamais je n'aurais accepté qu'on aille s'installer à Chicoutimi. Du coup, je me suis isolée de tout mon monde.

— Ta belle-famille habite tout près…

— Oui, mais ce n'est pas la même chose. Ils sont tellement collet monté que je meurs d'ennui chaque fois que je vais manger chez eux le dimanche midi, et c'est encore pire quand j'y vais seule. Tu devrais me voir, je fixe l'horloge et j'attends que le temps passe. Sitôt la vaisselle faite, je trouve une excuse et je retourne chez moi au plus vite.

— Qu'est-ce que tu fais de tes grandes journées ?

— Je tricote, je couds, je fais le ménage… et je lis. Que veux-tu que je te dise d'autre, sinon que j'ai plus de temps que je suis capable d'en utiliser ?

En entendant ça, Marie-Paule se dit que la vie est injuste. Alors qu'elle croule sous le travail, sa sœur ne sait pas quoi faire de sa peau.

— Et tu n'as pas pensé à offrir tes services au curé…

— Non et je ne le ferai pas non plus.

— Mais j'y pense, pourquoi tu ne vas pas à l'orphelinat de l'Hôtel-Dieu ? Je suis certaine que les religieuses ne refuseraient pas ton aide, ne serait-ce que pour bercer les enfants. Ce n'est pas à côté de chez toi, mais ça se fait facilement.

— J'en ai déjà parlé à Laurier, mais il n'est pas très chaud à l'idée. Je lui ai même dit qu'on pourrait aller chercher un orphelin, si jamais Dieu refuse de nous donner un enfant, mais…

Charlotte s'arrête brusquement au beau milieu de sa phrase. Elle se remémore la fameuse discussion qui avait suivi sa suggestion. Laurier était entré dans une telle colère à l'idée d'élever l'enfant du péché qu'elle croyait qu'il allait exploser tellement il était rouge. Elle avait essayé de lui faire comprendre que beaucoup de ces enfants étaient devenus orphelins par la force des choses à la mort de leurs parents. À bout d'arguments, elle avait fini par abandonner le projet. Depuis, elle a tout fait en son pouvoir pour accepter le fait qu'elle ne connaîtra peut-être jamais la joie d'être mère, mais elle n'y est pas encore arrivée. Elle a tellement d'amour à donner qu'elle pourrait avoir une douzaine d'enfants. Au lieu de ça, elle se morfond seule dans sa grande maison. Quand sa peine l'étouffe trop, elle enfile ses bottes et elle va marcher sur le bord de la rivière Saguenay jusqu'à ce qu'elle retrouve la paix.

— C'est dommage qu'il soit aussi entêté, dit Marie-Paule en mettant la main sur le bras de sa sœur, tu serais tellement une bonne mère. Mais j'y pense, comme il n'est pratiquement jamais là, rien ne t'oblige à lui en parler. Tu n'aurais qu'à dire aux religieuses que tu iras à l'orphelinat chaque fois que tu le pourras. Avec tous les enfants dont elles doivent s'occuper, elles devraient être ravies d'avoir un peu d'aide.

— Tu ferais ça, toi?

— Si j'étais à ta place, oui. C'est facile pour Laurier de te dicter ta conduite pendant que lui travaille sur les bateaux. Plus je vieillis, plus je trouve que les hommes ne pensent qu'à leur petite personne. J'ai souvent l'impression de n'être rien de plus qu'une parure pour embellir sa vie quand il le désire.

— Tant qu'à ça, tu as raison. Je vais réfléchir à ton idée. Au moins, je serais utile à quelque chose.

Les hurlements du petit Georges mettent brusquement fin à la discussion.

— Est-ce que je peux aller le chercher? demande aussitôt Charlotte sans attendre la réponse de sa sœur.

Chapitre 3

Lucille a mis plus de temps que d'habitude à sortir de sa torpeur ce matin, ce qui a rendu Gertrude plus impatiente que jamais. Elle a servi tout son monde, a fait la vaisselle en vitesse, a rempli le pot de toilette d'eau et a filé dans sa chambre pour se laver. Elle entrait dans la cuisine lorsque Marcella est arrivée.

— J'espère que tu n'es pas trop nerveuse ?

— Maintenant que j'ai réussi à faire lever la mère, répond Gertrude sans se soucier de la présence de celle-ci, tout va bien. Pourrais-tu m'aider à placer mes cheveux ?

— C'est justement pour ça que je suis venue. Je vais faire tout ce que je peux pour que tu sois la plus belle des mariées. Viens.

Il faut voir la tête que fait Lucille quand Gertrude sort de sa chambre vêtue de sa robe de mariée.

— Veux-tu bien me dire où tu as trouvé l'argent pour te payer cette robe ? lui demande-t-elle au lieu de la complimenter comme une mère devrait le faire.

Gertrude jette un regard furtif à Marcella avant de répondre :

— Devant votre grande générosité, j'ai été obligée de m'organiser… C'est Camil qui l'a payée. Et les bottines aussi.

— Elle est bien trop belle pour…

Est-ce volontaire ou est-ce parce qu'elle a réalisé qu'elle allait trop loin, mais Lucille arrête brusquement de parler.

— Vous pouvez dire tout ce que vous voulez, riposte Gertrude, mais aucune de vos méchancetés ne m'atteindra aujourd'hui. Je me marie dans une heure et je tiens à ce que ce soit le plus beau jour de ma vie, avec ou sans vous.

— Je t'interdis de me parler sur ce ton.

— Lucille, s'écrie Joseph de sa chaise berçante, ferme-la !

Saisie par le ton utilisé par son mari, Lucille baisse la tête.

— Tu es très belle, ma fille, ajoute Joseph d'une voix douce.

Gertrude ne fait ni une ni deux et elle vient embrasser son père sur la joue.

— Merci papa !

— Est-ce que tu as tout ce qu'il te faut ?

Compte tenu de la guerre que Lucille a menée en apprenant que sa fille allait se marier, Marcella a offert de recevoir les quelques invités chez elle après la célébration. Son mariage n'aura rien à voir avec celui dont rêvait Gertrude. Elle a juste invité sa famille immédiate. Et Camil a fait de même de son côté. Elle ignore encore si sa mère va l'honorer de sa présence, mais rendu là, ça ne la touche plus.

— Je crois bien, répond-elle.

— Tout est prêt, confirme Marcella. Il ne restera qu'à faire réchauffer le dîner. Il faudrait qu'on pense à y aller si on ne veut pas être en retard. Je suis certaine qu'Adjutor doit se demander ce qu'on fait à l'heure qu'il est.

— Et Camil aussi ! ajoute Gertrude en souriant.

Contre toute attente, Lucille se lève de sa chaise et dit :

— Qu'est-ce qu'on attend pour partir ?

Si elle ne se retenait pas, Gertrude sauterait au cou de sa mère, tellement elle est contente qu'elle vienne à son mariage. Pour ne courir aucun risque qu'elle change d'idée, elle se garde bien de réagir.

* * *

Ils sont si peu nombreux qu'ils ont l'air perdus dans la grande église Saint-Dominique. Adjutor célèbre le mariage de sa sœur de main de maître. Il est à la fois sérieux comme un pape et détendu comme on peut l'être lorsqu'on marie quelqu'un qu'on aime, parce qu'Adjutor a beaucoup d'affection pour Gertrude. Et beaucoup d'admiration aussi. Il a beau vouer un amour inconditionnel à sa mère, il n'a pas oublié à quel point elle est difficile à vivre. Pour lui, Gertrude a beaucoup de mérite de faire ce qu'elle fait. Satisfaire les caprices de Lucille jour après jour demande une patience d'ange, et un dévouement hors du commun. Il ne l'a jamais crié sur les toits, mais il était grand temps qu'il sorte de la maison parce que Lucille était en train de le faire devenir fou.

Les épaules bien droites, tous les membres de la famille Pelletier ressentent une grande fierté à voir Adjutor diriger la cérémonie. Ils ne lui ont jamais fait la moindre remarque et ils ne le feront pas non plus, mais ils savent tous qu'il y a un peu de chacun d'entre eux dans le prêtre qu'il est devenu. Toutes les familles n'ont pas la chance d'en avoir un et les Pelletier en sont fiers.

Gertrude est resplendissante. Marcella est convaincue que c'est le plus beau jour de sa vie, tout comme ça l'a été pour elle, le jour de son propre mariage. Elle n'a qu'à fermer les yeux pour se souvenir de chaque seconde. Elle aurait voulu que cette journée ne finisse jamais tellement elle l'a appréciée. Marcella s'inquiète un peu pour la nuit de noces de sa sœur. Sa chambre est si proche de celle de leurs parents qu'elle se demande bien comment Gertrude et Camil vont faire pour consommer leur mariage sans les déranger. Lorsqu'elle se rend compte à quoi elle est en train de penser, Marcella sourit. Depuis quand se préoccupe-t-elle de la nuit de noces d'une autre?

Ça sent tellement bon la tourtière, chez Marcella, que tout le monde y va de son commentaire en mettant les pieds dans la maison. En bon hôte qu'il est, Léandre sert à boire à tout le monde, en commençant par les mariés.

— Pas beaucoup pour moi, se dépêche de dire Gertrude.

— Tu ne vas quand même pas faire d'histoire aujourd'hui, s'écrie Léandre en remplissant son verre à ras bord. Même si tu abuses de l'alcool aujourd'hui, personne ne t'en tiendra rigueur.

— Tu n'auras qu'à me donner ce que tu ne boiras pas, chuchote Adrien à l'oreille de sa sœur.

Marie-Paule a les oreilles tellement fines lorsqu'il est question d'alcool qu'elle a entendu ce que son mari vient de dire et que ça la désole, de penser qu'il va peut-être profiter de l'occasion pour boire jusqu'à ce qu'il n'en puisse plus encore une fois. Après chacune de ses cuites, elle parvient à se convaincre que c'était la dernière. Est-ce parce qu'elle vient d'accoucher ou parce qu'elle n'en peut tout simplement plus des frasques de son valeureux mari? Tout ce qu'elle sait, c'est qu'elle se mettrait à pleurer, si elle ne se retenait pas. Comme elle n'a jamais été bonne comédienne, son changement d'humeur n'a pas échappé à Gertrude qui vient aussitôt la trouver.

— Ne t'inquiète pas, mon frère a bien des défauts, mais jamais il n'oserait me faire ça le jour de mon mariage.

Les yeux embués, Marie-Paule renifle aussi discrètement qu'elle peut et s'efforce de sourire.

— Qu'est-ce qui arrive avec vous ? lui demande Lucille d'une voix forte. On n'est pas à un enterrement à ce que je sache, mais à un mariage.

Lucille se tourne vers Léandre avant d'ajouter :

— Remplis son verre, ça va lui faire du bien.

— Laissez-la tranquille, la mère, elle vient d'accoucher et elle est fatiguée.

— Je me demande bien où on s'en va, renchérit Lucille sans se préoccuper le moindrement de ce que vient de dire Gertrude. Dans mon temps, on accouchait le soir et le lendemain matin, on faisait notre ouvrage comme si rien ne s'était passé. J'aime autant ne pas vous imaginer à mon âge.

Occupée à la cuisine, Marcella s'essuie les mains sur son tablier et vient à la rescousse de Marie-Paule.

— Gertrude, tu devrais ouvrir tes cadeaux avant le dîner, s'exclame-t-elle d'une voix suffisamment forte pour que tous l'entendent, et surtout sa mère qui a commencé à se plaindre qu'elle entendait mal.

Gertrude ne se le fait pas dire deux fois. Elle s'approche aussitôt de la table des cadeaux et fait signe à Camil de venir la rejoindre. En temps normal, ceux-ci devraient être chez ses parents, mais devant l'attitude pour le moins réfractaire de Lucille, Marcella lui a suggéré de les mettre chez elle. Tant qu'à faire les choses différemment, Gertrude s'est engagée à les ouvrir seulement le jour de son mariage.

— Un bec ! Un bec !… scande Adrien qui a déjà vidé son verre ainsi que celui de Gertrude.

Les nouveaux mariés s'embrassent du bout des lèvres, ce qui ne manque pas de soulever les commentaires de tous les hommes présents.

— Je suis certain que vous pouvez faire mieux que ça! lance joyeusement Estrade, un des frères de Gertrude. Vous avez le droit maintenant que vous êtes mariés.

Rouges comme des pivoines, Camil et Gertrude s'embrassent à nouveau sous l'œil vigilant de leurs familles. Cette fois, ils en mettent un peu trop aux dires de Lucille qui ne se prive pas pour s'en mêler :

— Arrêtez de vous licher devant le monde !

Mais au lieu de mettre fin à leur élan, la remarque de Lucille donne lieu à un nouveau baiser encore plus passionné, baiser aussitôt applaudi par tout le monde, sauf par elle, bien entendu.

— Ce n'est pas comme ça que je t'ai élevée, ajoute-t-elle.

— Mais allez-vous finir par la laisser tranquille ? lance Marcella. À l'âge qu'elle a, elle sait ce qu'elle a à faire, et elle vient de se marier.

Si ce n'était pas de perdre la face devant la famille de son nouveau gendre, Lucille se lèverait et intimerait Joseph de la ramener à la maison sur-le-champ. Au lieu de ça, elle reprend la parole sur un ton qu'elle veut léger.

— Vous savez bien que c'était pour rire !

Puis, comme si elle ne s'était pas assez fait remarquer, elle revient à la charge.

— Profites-en ma fille, ça ne durera pas longtemps.

Cette fois, Marcella en a assez entendu. Elle s'approche de sa mère, la prend par le bras et l'intime de la suivre.

— Venez avec moi, j'ai besoin de vous.

Aussitôt à la cuisine, Marcella laisse libre cours à sa colère.

— Vous n'étiez pas obligée d'en faire autant! N'essayez pas de lui gâcher sa journée, parce que vous allez me trouver sur votre chemin. Elle vous sert aux petits oignons depuis qu'elle respire et c'est là toute la reconnaissance que vous avez pour elle?

— Fais attention à ce que tu dis, je suis ta mère pas ta sœur.

— Rassurez-vous, je ne l'ai pas oublié. Maintenant, aidez-moi à servir la soupe.

Le temps de quelques secondes, Lucille est tentée de refuser, mais devant l'air de bœuf de sa fille, elle se dit que pour une fois elle peut bien faire une exception et servir au lieu de commander. Voir à quel point elle est dévouée lui fera sûrement marquer des points avec la famille de Camil.

* * *

Gertrude n'a pas fermé l'œil de la nuit. Les choses se sont passées si vite une fois qu'ils ont été sous les couvertures que c'est à peine si elle en a souvenir. Pour tout dire, les baisers qu'ils ont échangés chez Marcella ont été teintés de bien plus de passion que sa nuit de noces. Et dire qu'elle attendait celle-ci avec tant d'impatience.

Lorsqu'elle fait son entrée dans la cuisine, seule, et qu'elle aperçoit ses cadeaux de mariage, elle sourit. Hier matin, elle s'appelait Mademoiselle Gertrude Pelletier et voilà que désormais elle s'appelle Madame Camil Lapierre. Il a fallu qu'elle attende jusqu'à trente-huit ans avant qu'un homme daigne s'intéresser suffisamment à elle pour la demander en mariage. Il faut dire que si ce n'avait été de l'insistance d'un de ses cousins, jamais elle n'aurait accepté de rencontrer Camil. Chaque fois que le cousin en question lui en parlait, elle lui disait qu'elle n'était plus en âge de se marier.

— Veux-tu bien me dire ce que ça me donnerait de plus, à part une occasion supplémentaire de chialage de la part de la mère ? Elle me l'a chanté sur tous les tons qu'elle ne voulait pas que je me marie…

— Et après ? avait riposté le cousin. Si j'étais à ta place, j'y penserais à deux fois avant de refuser mon offre. Tes vieux ne seront pas éternels, et ce ne sont pas tes frères ou ta sœur qui vont t'accueillir chez eux. Camil est un bon gars et il te ferait un bon mari. Et puis, pense donc à toi, pour une fois !

Gertrude en avait parlé à Marcella, qui l'avait tout de suite encouragée à aller de l'avant.

— Rien ne t'oblige à finir ta vie toute seule comme un vieux coton, surtout pas la mère. Puis, tu ne perds rien à le rencontrer. Si ça marche bien entre vous, je te promets de t'aider. Sinon, tu n'es même pas obligée de lui en parler.

— Mais tu sais aussi bien que moi qu'elle ne changera jamais d'idée. Elle n'arrête pas de dire que je suis son poteau de vieillesse et elle va refuser de me partager, surtout avec un homme.

— Et si tu pensais un peu à toi, pour une fois…

Ça n'avait pas été le coup de foudre entre Camil et elle, mais ils s'étaient suffisamment appréciés pour avoir envie de se revoir. Au fil de leurs rencontres, une forme d'amour avait fini par grandir entre eux. Ils ne s'en étaient pas parlé, mais l'un comme l'autre savaient qu'il y avait peu de chances qu'ils connaissent des moments de grande passion, et que compte tenu de leur âge avancé, c'était ce qu'ils pouvaient espérer de mieux. Quant à fonder une famille, ils s'en remettraient à Dieu. Plusieurs femmes enfantent encore à l'âge de Gertrude, mais le plus souvent, elles n'en sont pas à leur premier enfant.

Gertrude prend une grande inspiration avant d'entrer dans la chambre de sa mère. Elle sait hors de tout doute que Lucille ne se gênera pas pour passer des commentaires. Reste maintenant à savoir sur quel front elle va l'attaquer en premier. Gertrude tire les rideaux, s'approche du lit et rabat d'un coup les couvertures au pied du lit.

— Laisse-moi tranquille, hurle Lucille, tu sais que je suis trop malade pour me lever.

— Eh bien, il va falloir vous piler sur la corde du cœur, parce qu'il fait un soleil magnifique dehors.

— Je me fiche de la température qu'il fait! Ferme les rideaux et sors de ma chambre au plus sacrant. Quoi que tu fasses, je ne me lèverai pas.

Gertrude connaît chacune des répliques que lui sert sa mère. Alors qu'habituellement celles-ci ont pour effet de l'enrager, un large sourire s'affiche courageusement sur ses lèvres ce matin. Une fois de plus, Lucille vient de lui déclarer la guerre, guerre dont elle connaît déjà l'issue.

— J'ai des petites nouvelles pour vous, la mère, dit Gertrude, ça prendra le temps que ça prendra, mais vous allez vous lever comme à tous les matins d'ailleurs.

Lucille crie comme une perdue lorsque Gertrude saisit son bras :

— Lâche-moi, tu me fais mal. Tu n'as pas de cœur! Quand vas-tu finir par comprendre que je suis malade?

Gertrude resserre son étreinte et la tire vers l'avant, ce qui provoque instantanément un chapelet de reproches tous plus méchants les uns que les autres de la part de Lucille. Pour une fois, aucun n'atteint Gertrude. Pendant que sa mère lui jette son venin au visage, elle concentre tous ses efforts pour qu'elle mette un pied à terre au plus vite. Quand ce moment arrive enfin, Gertrude soupire un bon coup et retourne dans la cuisine où Camil l'attend en compagnie d'Adrien, de Joseph et d'Ernest. Heureusement pour elle, son cher cousin a dû aller chez lui au lieu d'assister à son mariage. Gertrude n'en dira rien, mais elle est contente de voir que son frère a réussi à se contrôler malgré tout l'alcool qu'il a ingurgité la veille. Il était incapable de marcher droit lorsqu'il est parti de chez Marcella, et il avait la bouche tellement molle que personne ne comprenait ce qu'il disait.

Bien que l'envie d'aller embrasser son mari effleure l'esprit de Gertrude, elle se contente de lui sourire à distance et va mettre son tablier. À quoi bon donner une occasion de plus à sa mère de la prendre en défaut ?

Gertrude soupire d'aise lorsque Lucille fait enfin son entrée. Elle a expliqué à Camil en long et en large deux fois plutôt qu'une le comportement de sa mère, mais malgré ça, elle est gênée qu'il ait à vivre ça. Elle aimerait lui dire que ça va arrêter un jour, mais elle n'en croit rien. Lucille prend place dans sa chaise berçante et elle observe Camil avec beaucoup trop d'insistance, ce qui n'échappe pas à Gertrude. Elle ne se fait pas d'illusions, tôt ou tard, sa mère va larguer une bombe. En attendant que ça se produise, Gertrude retrousse les manches de sa robe et s'affaire à préparer le déjeuner.

— Ça fait longtemps que la question me brûle les lèvres, dit Adrien, veux-tu bien me dire pourquoi tu as refusé d'aller travailler au bureau de poste ?

— C'est simple, répond aussitôt Camil, parce que j'aime mieux les chiffres.

— Je veux bien croire, renchérit Adrien, mais le salaire était sûrement meilleur qu'au magasin général.

Camil n'est pas du genre à étaler sa vie, et encore moins à parler de son salaire. Comme il ne veut pas faire mauvaise figure dès la première journée, il vaut mieux qu'il réponde.

— Le salaire est pas mal plus intéressant que tu penses.

— Je ne savais pas que ma fille avait marié un homme aussi riche, lance Lucille d'un ton empreint de dédain.

Gertrude est prise d'une bouffée de chaleur soudaine en entendant sa mère. Elle se tourne aussitôt vers elle et lui jette un regard noir, ce qui ne fait aucun effet à cette dernière. Gertrude observe ensuite son mari, qui est rouge comme un coq. Contre toute attente, il se lève et vient se placer devant sa belle-mère.

— Vous n'êtes pas obligée de m'aimer, mais je veux que vous sachiez que les décisions que je prends ne regardent que moi. Et pour votre information, je suis loin d'être riche, mais j'aime mon travail et, pour moi, c'est plus important que l'argent.

Surprise par la réaction de son gendre, Lucille recule légèrement sur sa chaise berçante. Quant à Gertrude, elle se retient pour ne pas éclater de rire. Si elle s'inquiétait de la réaction qu'aurait Camil devant sa mère, elle est maintenant fixée. Il ne risque pas de s'en laisser imposer par elle, et ça la rend particulièrement heureuse.

— En tout cas, réplique Ernest, si j'avais le choix, je peux vous dire que je ne travaillerais pas dans une usine. C'est bien beau, de l'extérieur, Price, mais pas quand tu y passes toutes tes journées.

— Approchez, dit Gertrude d'une voix joyeuse, le déjeuner est prêt.

— C'est bien pour dire, ajoute Adrien en allant prendre sa place à la table, moi je changerais volontiers de place avec toi. Au moins, quand ta journée est finie, tu es libre, alors que moi je suis toujours de garde.

Ce n'est un secret pour personne, Adrien n'a pas choisi de travailler à la ferme, pas plus qu'Arté, d'ailleurs. Devant le refus des trois plus vieux de la famille de prendre la relève de leur père, Arté et lui se sont vus désignés d'office. Pendant qu'ils s'échinent à retourner la terre, Estrade travaille chez Price et Wilbrod, au Canadien National. Plus ambitieux que tous les enfants Pelletier mis ensemble, Alphonse est cultivateur tout comme ses jeunes frères, mais sur la pointe de Chambord. Disons qu'il a eu la chance de tomber dans les bonnes grâces de son beau-père dès sa première visite. Vu que sa femme n'a que des sœurs, eh bien, il a hérité de la ferme familiale sans même avoir à lever le petit doigt. Vivre avec les beaux-parents aurait pu être désastreux, mais la maison est tellement grande que le couple a son espace bien à lui.

— N'essaie même pas de te plaindre devant moi, riposte Ernest, parce que ça ne marchera pas.

Gertrude est d'accord avec son cousin pour la première fois depuis qu'il a élu domicile chez eux. Lorsqu'elle entend ses frères parler contre la ferme, elle ne se gêne pas pour leur faire la leçon. De son point de vue, ils n'ont pas mérité ce qu'ils ont.

Lucille n'a plus ouvert la bouche de tout le repas, ce qui somme toute a fait du bien à tout le monde.

Resté silencieux du début à la fin du déjeuner, Adjutor se répète qu'il a beaucoup de chance de rester loin des siens. Il les aime profondément, mais le jour où il a enfin réussi à sortir de la maison familiale, il s'est fait la promesse de ne jamais y rester plus de quelques heures à la fois. Sa mère s'est confessée à lui deux fois plutôt qu'une depuis son arrivée. Écouter les péchés des étrangers passe toujours, mais écouter ceux que sa mère se croit obligée d'inventer plutôt que de se repentir des vrais n'a rien pour lui plaire. Heureusement pour lui, elle est la seule de la famille à le faire. Adjutor se lève de table aussitôt sa dernière bouchée avalée et demande à Adrien de le conduire à l'église Saint-Dominique où un confrère l'attend pour l'emmener à Saint-Irénée.

Après le déjeuner, Gertrude et Camil vont se changer avant de partir pour la grand-messe.

— J'espère que tu ne m'en veux pas d'avoir parlé à ta mère, dit Camil.

— Aucunement! confirme Gertrude en souriant. Si tu veux mon avis, il était temps qu'elle trouve chaussure à son pied.

Camil s'approche de sa femme et lui donne un petit bec sur la bouche avant d'ajouter:

— Dommage qu'on ne soit pas seuls…

Ces simples mots remplissent Gertrude d'espoir pour leur deuxième nuit.

Chapitre 4

Occupée à faire boire le petit Georges pendant qu'André et Michel jouent avec une boîte de carton près d'elle, Marie-Paule sursaute quand on frappe à grands coups de poing à la porte.

— Entrez ! s'écrie-t-elle.

Lorsqu'elle aperçoit son frère Jean-Marie, elle sait que sa visite matinale n'annonce rien de bon. Pendant les quelques secondes qu'il prend pour retirer ses bottes, elle pense au pire. Son frère vient s'asseoir près d'elle sans porter aucune attention à ses neveux et se prend la tête entre les mains.

— Parle au plus vite ! l'intime Marie-Paule, dont l'inquiétude monte à une vitesse vertigineuse.

C'est un regard voilé que Jean-Marie lève vers sa sœur. Il respire à fond et dit d'un trait :

— Ghislain s'est fait écraser par l'arbre qu'il venait d'abattre hier.

Marie-Paule est tellement sonnée par la nouvelle qu'elle retire la bouteille de la bouche de son fils sans s'en rendre compte. Affamé, le petit se met aussitôt à hurler, mais même ses cris ne suffisent pas à la sortir de sa torpeur. De grosses larmes coulent maintenant sur ses joues, mais elle ne fait rien pour les essuyer.

— Il ne peut pas être mort, pas Ghislain, objecte-t-elle à travers ses larmes. Est-ce que tu as vu le corps au moins ?

Jean-Marie savait que ce ne serait pas facile pour sa sœur, étant donné le lien qui les unissait, Ghislain et elle. Ils étaient inséparables lorsqu'ils étaient petits. Elle avait pleuré toute la journée, la première fois que ce dernier était allé bûcher. Elle n'arrêtait pas de dire que c'était un métier trop dangereux pour lui et que ça finirait par le tuer. Alida avait tout essayé pour la faire changer d'idée, mais Marie-Paule finissait toujours par lui servir que son frère était bien trop distrait pour tenir une hache entre ses mains. Au nombre de cicatrices que Ghislain avait avant même de bûcher son premier arbre, Alida ne pouvait faire autrement qu'être en accord avec elle. Par contre, vu l'effet qu'avait tout ce qui arrivait de mauvais à Ghislain sur sa fille, elle faisait tout en son pouvoir pour lui faire voir les choses autrement.

— Non, la compagnie va le ramener aujourd'hui, mais tu dois me croire, il est bel et bien mort.

Les pleurs du petit Georges ont redoublé d'ardeur, mais Marie-Paule est incapable de réagir. En voyant ça, Jean-Marie prend le bébé et la bouteille pour lui donner à boire. C'est maintenant au tour des deux autres de venir s'agripper aux jupes de leur mère.

— Pourquoi pleures-tu, maman ? demande André de sa petite voix pendant que Michel essaie de monter sur ses genoux.

Marie-Paule prend les deux petits garçons et les serre contre elle sans répondre à la question de son fils pour autant. Même s'il ne connaît pas grand-chose aux enfants, car Jean-Marie n'a pas encore eu la chance d'en avoir, il leur dit :

— Votre maman a de la peine, parce que votre oncle Ghislain est mort.

À peine ces mots sont-ils sortis de sa bouche que Jean-Marie réalise que ses neveux n'ont probablement rien compris à ce qu'il vient de dire. Il a beau réfléchir, mais il ne sait pas comment il pourrait leur dire autrement. C'est le bruit que fait la bouteille vide devant l'insistance du bébé à téter du lait qui le sort brusquement de ses pensées. Il va le coucher et, en repassant par la cuisine, il dit à sa sœur :

— Je dois aller avertir Charlotte maintenant. Veux-tu que j'avise Adrien en passant ?

— Va plutôt chercher Gertrude en bas, mais dis-moi comment va maman avant.

— Tu la connais aussi bien que moi, elle se tue à l'ouvrage chaque fois qu'un malheur l'afflige. Quand je suis passé la voir ce matin, elle venait de commencer son grand ménage. Si ça peut te rassurer, Gisèle est restée avec elle.

Gisèle est la seule célibataire de la famille Tremblay. Ce n'est pas parce qu'elle a manqué de prétendants, aux dires de ses frères et sœurs, elle en a eu plus que son lot. C'est juste qu'aucun d'entre eux n'est arrivé à faire battre son cœur suffisamment pour qu'elle pense à se marier. Vivre avec sa mère était loin d'être son premier choix, mais devant l'extrême pauvreté de cette dernière et le manque de panache des hommes qui se sont présentés à elle, Gisèle a décidé de rester. Elle travaille au magasin général près de chez elle et a, somme toute, une belle vie. Elle est loin de nager dans la richesse, mais elle gagne assez pour que les deux femmes vivent bien. Il y a deux ombres au tableau. Alors que Gisèle est du genre à ménager sa salive et à ne pas se laisser attendrir par quoi que ce soit, Alida est comme un livre ouvert et a toujours quelque chose à dire. Mais le pire, c'est que sa mère est toujours de bonne humeur, ce qui finit par tomber sur les nerfs de Gisèle. Elle déteste se faire traiter de *vieille fille,* mais tout compte fait, elle en possède tous les traits, enfin aux dires de sa famille.

* * *

Joseph discute avec ses deux fils à l'étable pendant ce temps-là.

— J'ai bien peur qu'on va devoir donner raison aux mauvaises langues, dit Adrien d'un air découragé. On n'avait pas les reins assez forts pour acheter la deuxième ferme.

— Tu sais comme moi qu'on n'avait pas d'autre choix, argumente Arté, on n'arrivait plus à faire vivre les trois familles avec la première. On a la solution, il suffit qu'on augmente le nombre de vaches, ce qui nous permettra de vendre plus de lait et de faire plus d'argent.

— Au risque de passer pour un éteignoir, réplique Adrien, il faudrait d'abord qu'on ait l'argent pour acheter les bêtes. On est pris dans un cercle vicieux.

Joseph savait que les finances de la ferme n'allaient pas au mieux. Ses fils ont beau ménager, il vient un temps où il faut allonger les billets. Contrairement à Adrien, il en faut bien plus que ça pour que Joseph se laisse abattre. Ce n'est pas la première fois que les choses ne tournent pas comme il veut, et ça ne risque pas d'être la dernière non plus.

— J'ai peut-être une idée, lance-t-il en tirant sur sa pipe, je n'ai qu'à vendre une terre à bois.

— Mais avec quoi on va se chauffer l'année prochaine? demande aussitôt Adrien.

— Avec le bois que tu vas bûcher, s'écrie Arté en se retenant d'éclater de rire.

Adrien comprend très vite qu'il est préférable pour lui de ne pas s'aventurer sur ce terrain. Il regarde en l'air au lieu de riposter.

— Arrête de t'inquiéter, le rassure son père sans rien ajouter au commentaire d'Arté même s'il en pense tout autant, je n'ai pas dit que j'allais vendre la plus grande. Je pensais à celle de Pibrac. La dernière fois que je suis allé au magasin général, le père Ludger m'a justement demandé de lui en parler, si jamais je voulais la vendre. Vous ne pourrez pas acheter bien des vaches avec l'argent, mais vous pourrez au moins acheter quelques têtes.

— C'est bien beau tout ça, souligne Arté, mais il va falloir qu'on réussisse à s'en tirer sans que vous soyez toujours obligé de venir à notre secours. Vous en avez déjà fait beaucoup trop pour nous.

Contrairement à son frère, Adrien est très à l'aise à l'idée que leur père les aide. Il a pour son dire qu'il n'a pas demandé à devenir habitant et, que pour cette raison, Joseph leur est redevable quand ils ont besoin.

— L'autre jour, j'ai dit à Adrien qu'il devrait prendre sa licence de roulier pour transporter des passagers et des marchandises quand il y a moins d'ouvrage à la ferme.

— C'est une bonne idée, mon gars ! Qu'est-ce que tu en penses ?

— Je ne suis pas contre l'idée, répond Adrien, surtout que j'adore me promener.

— En tout cas, ajoute Arté, je suis prêt à prendre les bouchées doubles ici, si ça peut nous aider à nous en sortir seuls.

Joseph regarde ses fils tour à tour en réfléchissant à la proposition qu'il vient de leur faire.

— Histoire de vous donner un peu de temps pour vous revirer de bord, dit Joseph, je vais quand même vendre la terre à bois.

Même si l'annonce de Joseph rassure Adrien, il a encore une question qui lui trotte dans la tête.

— Je sais que ce ne sont pas mes affaires, mais est-ce que Camil paie pension au moins ?

Arté regarde son frère en secouant la tête. Pauvre Adrien, toujours en train de surveiller si quelqu'un de la famille en a plus que lui.

Il y a longtemps que Joseph connaît son fils et son sens de la justice. Adrien était tout petit qu'il surveillait déjà tout un chacun et qu'il essayait de tirer la couverte de son bord. Joseph pourrait être méchant et lui répondre qu'avec toutes les cuites qu'il a prises, jamais personne de la famille ne pourra avoir plus que lui, mais il n'en fera rien, pour la seule et unique raison que ce serait de la salive gaspillée. Depuis le temps qu'Adrien part en cavale, jamais personne n'est parvenu à lui faire prendre conscience de tout le mal qu'il fait autour de lui. Arté a bien essayé de lui faire entendre raison, mais sans succès. On dirait qu'il vient un temps où la pression est si forte pour Adrien que la seule avenue disponible est de disparaître pour quelques jours.

— Pas un seul sou, finit par répondre Joseph, mais tu as raison, ça ne te regarde pas.

Adrien se retient de réagir. Il n'a rien contre Camil, même qu'il s'entend plutôt bien avec lui, mais c'est totalement injuste qu'il ne paie pas sa part.

Devant l'air renfrogné de son fils, Joseph revient à la charge :

— Au cas où tu l'aurais oublié, depuis le temps qu'elle s'occupe de votre mère, Gertrude n'a jamais touché un sou.

— Mais elle est logée, habillée et nourrie, ne peut s'empêcher de souligner Adrien.

— Tu ne comprends vraiment rien, argumente Arté. Adjutor s'est fait instruire, les plus vieux et Marcella ont reçu un peu d'argent, et nous, la ferme. Mais Gertrude, elle n'a jamais rien eu. Compte-toi chanceux qu'elle ne réclame pas son dû.

Mais Adrien ne fait aucun cas de ce qu'Arté vient de dire.

— Maintenant qu'elle est mariée, il y a quelqu'un qui va payer pour elle et qui va au moins l'habiller.

Joseph est découragé par ce qu'il vient d'entendre. Comme il n'a aucun moyen de changer Adrien, il se contente d'ajouter :

— Ça va te faire du bien de traiter avec des étrangers.

Alors qu'Adrien ne réagit pas, Arté se dit qu'il est mieux de s'armer de patience s'il veut que son frère accepte d'utiliser l'argent qu'il va gagner pour payer leur emprunt. Il sait d'avance que ce dernier va le négocier pour en conserver au moins une partie. Et cela, c'est à la condition qu'Adrien ne lui cache pas quelques courses au passage. Bien qu'il aime le travail à la ferme, Arté pense parfois que sa vie serait beaucoup plus facile s'il travaillait chez Price comme son frère Estrade. Il doit prendre les bouchées doubles chaque fois qu'Adrien prend la poudre d'escampette. Comme si ce n'était pas suffisant, on dirait qu'Adrien choisit toujours les pires moments de l'année pour s'éclipser.

— Je le saurai bien assez vite, finit par répondre Adrien.

* * *

En voyant Gertrude chez lui, Adrien sait qu'il est arrivé quelque chose de grave. L'air de Marie-Paule lui confirme qu'il ne se trompe pas.

— Qu'est-ce qui se passe ici? demande-t-il en refermant la porte de la maison.

— Mon frère Ghislain s'est fait écraser par un arbre, répond Marie-Paule en reniflant.

Adrien se dit qu'il a sûrement mal entendu. Depuis le temps que son beau-frère bûche, ça n'a pas de sens. Devant son air, Marie-Paule souligne :

— Il paraît qu'il s'est barré les pieds au moment de s'éloigner.

— Je suis désolé, ajoute-t-il. Aimerais-tu que je te conduise chez ta mère?

— Pars en paix, dit Gertrude, je vais m'occuper des enfants.

Marie-Paule aimerait bien les emmener, mais il est préférable qu'elle y aille seule dans les circonstances. Les yeux pleins d'eau, elle se lève de sa chaise et dit :

— Donne-moi le temps de me changer et de préparer les affaires des enfants et je suis prête.

Puis, à l'adresse de Gertrude, elle ajoute :

— Je te remercie, c'est très apprécié.

Malgré la peine qui l'accable, l'idée de supplier sa belle-sœur de ne pas gaver les enfants de bonbons lui effleure l'esprit. Elle se raisonne très vite en se disant qu'il faut parfois savoir tenir sa langue lorsque quelqu'un s'apprête à nous rendre service. Elle imagine déjà le nombre de fois où la suce de Georges atterrira dans le pot de sucre blanc, mais là aussi, elle s'abstient de tout commentaire.

Adrien emmène les deux plus vieux chez ses parents pendant que Marie-Paule se prépare.

— Est-ce que tante Gertrude va être là ? s'enquiert André.

— Bien sûr, confirme son père.

— Tant mieux, parce que je n'aime pas la vieille grand-mère qui habite avec elle.

Depuis qu'il a commencé à parler qu'André dit *la grand-mère* quand il parle de Lucille. Tout le monde lui a expliqué que c'était sa grand-mère et qu'il devrait l'appeler grand-maman ou mémère comme tous ses petits-enfants, mais il n'a pas changé son discours pour autant. En revanche, il adore Joseph et se fait bercer par lui chaque fois qu'il le voit. Quant à Michel, il crie au meurtre chaque fois que Lucille lui tend les bras. Celle-ci pourrait s'en offusquer, mais il n'en est rien. Elle a pour son dire qu'elle a suffisamment de petits-enfants qui l'aiment. Si seulement elle savait que tous la craignent bien plus qu'ils l'aiment. À vrai dire, Adrien a déjà réfléchi à la question et il en est venu à la conclusion que sa mère se complaisait dans son rôle de grand-mère acariâtre et bourrue.

— C'est ma maman, dit doucement Adrien à son fils.

— Alors pourquoi elle n'est pas gentille ?

Adrien se dépêche de changer de sujet chaque fois qu'il lui pose cette question.

— Vous allez être bien, avec tante Gertrude et grand-papa Joseph.

Lorsqu'ils font leur entrée dans la maison, les deux garçons courent se jeter dans les bras de leur grand-père, ce qui ne manque pas d'émouvoir Adrien pendant quelques secondes.

— Qui veut se faire bercer ? demande aussitôt Joseph.

Les deux frères acceptent à l'unisson.

— Vous avez de la chance, parce que j'ai justement deux cuisses.

C'est à ce moment que Gertrude fait son entrée avec Georges dans les bras.

— Emmène-le-moi, s'écrie Lucille, c'est le seul qui veut me voir.

Gertrude avance jusqu'à sa mère et dépose Georges dans ses bras. L'enfant fixe sa grand-mère et il se met à hurler de toutes ses forces au bout de quelques secondes seulement. Il s'en faut de peu pour que Gertrude n'éclate de rire. Au lieu de ça, elle va chercher le bébé et le console. Devant l'air déçu de sa mère, elle lui dit :

— Il est fatigué, je vais aller le coucher.

Chapitre 5

C'est hier qu'a eu lieu l'enterrement du frère de Marie-Paule. C'était elle la plus dévastée de tous. Elle n'a pas beaucoup dormi cette nuit, toutes ses pensées étaient tournées vers son petit frère qui était son préféré. Elle ne le voyait pas souvent, mais elle avait toujours un plaisir fou à le retrouver. Il lui arrivait même de lui écrire du chantier pour lui parler de tout et de rien. Savoir qu'elle ne recevra plus jamais de lettres de lui, qu'elle n'entendra plus son rire en cascade, pas plus qu'elle ne pourra discuter du dernier livre qu'elle a lu, lui crève le cœur. Alida avait tellement pleuré qu'il ne lui restait plus une seule larme. Comme elle leur a dit avant de descendre la tombe dans le trou :

— Une mère ne devrait jamais enterrer un de ses enfants. C'est la troisième fois que ça m'arrive et c'est toujours aussi dur.

Il fallait une sacrée force de caractère pour passer à travers toutes les mauvaises surprises que la vie avait réservées à Alida depuis qu'elle s'était mariée. Les rares fois où Marie-Paule s'apitoie sur son sort, elle pense à sa mère et elle retrousse très vite ses manches. Alida leur a tous transmis un peu de sa force. La vie est drôlement faite parfois. En mourant aussi jeune, Ghislain laisse sa femme exactement dans les mêmes conditions que son père avait laissé Alida. Il va sans dire que tout le monde va collaborer pour aider la veuve, mais personne de la famille n'a les moyens de la prendre en charge, loin de là.

Alors que Marie-Paule escomptait se la couler douce un peu aujourd'hui, Adrien monte l'avertir que tout le monde l'attend pour faire le jardin. Elle met sa peine de côté et elle descend rejoindre les autres aussi vite qu'elle peut avec les enfants. Elle les installe à proximité avec leurs cousins et cousines, puis s'écrie d'une voix qu'elle veut enjouée :

— Je pensais qu'on ne le ferait jamais. Il ne vous reste plus qu'à me dire ce que je dois faire !

— Comme d'habitude, répond spontanément Marie-Laure. On commence par semer tout ce qui est commun et on finit par nos carrés respectifs.

— Qu'est-ce qu'on plante ? demande Marie-Paule.

— Des patates, du blé d'Inde, des haricots jaunes, des gourganes, et des tomates, énumère Gertrude en tassant une mèche de cheveux qui n'arrête pas de lui tomber devant les yeux.

— Et le tabac de Joseph ? s'inquiète Marie-Paule.

— Ne vous inquiétez pas, la rassure Gertrude, il a déjà fait ce qu'il faut hier. Toujours est-il que je propose qu'on s'occupe d'abord des patates. Il y en a tellement à semer que lorsqu'on aura passé au travers, on aura l'impression d'avoir fini. Est-ce que je vous ai déjà dit à quel point je déteste faire le jardin ?

Marie-Laure et Marie-Paule éclatent aussitôt de rire. Depuis qu'elles connaissent Gertrude, qu'elle leur répète la même chose quand vient le temps de faire le jardin !

— Moi, c'est le sarcler, et faire les conserves que je déteste, confie Marie-Laure.

Sans vouloir être mauvaise langue, Gertrude se retient de passer un commentaire. Depuis que Marie-Laure s'est mariée avec Arté, jamais elle ne s'est présentée pour sarcler. Comme Lucille est plus fière que nécessaire, c'est Gertrude qui est obligée de s'en charger à sa place. Pour ce qui est des conserves, Gertrude a fait comprendre à sa mère que sa chère belle-sœur n'avait qu'à s'en faire, si elle en voulait.

— Et vous Marie-Paule ? s'informe Marie-Laure.

— Moi ? J'aime tout du jardinage, mais particulièrement le temps de la récolte. Je suis prête à faire bien des efforts pour manger des légumes frais. J'ai même pensé qu'on pourrait planter des framboisiers à côté du poulailler. Qu'en dites-vous ?

— Quelle bonne idée, confirme Gertrude, mais il va d'abord falloir trouver des plants, parce que s'il faut les acheter, on va se ruiner. Mais j'y pense, les parents de Camil en ont un plein champ, jamais je ne croirai qu'ils vont refuser de nous en donner quelques-uns.

— Est-ce qu'il faut les planter au printemps ou à l'automne ? demande Marie-Laure.

— Les hommes le savent sûrement, répond Gertrude, sinon, je poserai la question à Camil.

— Je me régale déjà de manger des framboises à même les pieds, confie Marie-Paule en se passant la langue sur les lèvres.

Contrairement à bien des filles de la ville, Marie-Paule a tout de suite aimé la campagne, au point que pas plus tard qu'hier elle confiait à une de ses tantes qu'elle ne quitterait pas la campagne pour tout l'or du monde. C'est certain que le fait que la ferme des Pelletier soit aussi près de la ville est un avantage. Elle ne va pas souvent en ville à pied parce qu'elle a trop d'ouvrage, mais elle pourrait très bien le faire si elle le désirait. À preuve, lorsqu'Adrien va chercher sa mère le dimanche matin, ça ne lui prend que quelques minutes pour faire l'aller-retour.

Ce que Marie-Paule apprécie surtout de sa nouvelle vie, c'est qu'à l'exception de son logement, elle a tout l'espace qu'elle peut désirer. Elle aime particulièrement l'odeur du foin coupé et de l'avoine. Elle aime entendre chanter les oiseaux le matin, étendre le linge sur la corde et le regarder se faire venter, ou aller voir les vaches. Alors qu'elle a toujours rêvé d'avoir un chien ou un chat, elle a désormais les deux. Prince, le chien des Pelletier, l'a tout de suite adoptée. Quant aux chats, elle n'arrive pas à les compter, tellement il y en a. S'il n'en tenait qu'à elle, Marie-Paule en ferait rentrer un ou deux dans la maison, mais Adrien a été très ferme sur ce point : *La vermine, ça couche dehors. Je ne veux aucun animal dans la maison.*

Comme elle a déjà accès à tous les félins qu'elle veut, elle ne s'est pas obstinée. Mais chaque fois qu'elle a l'occasion de trouver un foyer à l'un d'entre eux, elle n'hésite pas. Charlotte est repartie avec deux bébés chats lorsqu'elle est venue la relever.

Marie-Paule jette un coup d'œil aux enfants et laisse ensuite planer son regard quelques secondes sur le grand jardin qu'elles s'apprêtent à semer avant de prendre une chaudière remplie de morceaux de patates germées.

— Regardez comme c'est beau, lance-t-elle.

Gertrude et Marie-Laure froncent les sourcils en se regardant.

— Ça prend rien qu'une fille de la ville pour s'émerveiller devant des buttes de terre et des sillons qui n'en finissent plus de finir, s'exclame Gertrude d'un ton moqueur. N'allez pas dire ça aux hommes, parce qu'ils vont vous rire au nez.

— Eh bien, renchérit Marie-Paule, ils riront.

Et les trois belles-sœurs éclatent de rire en même temps.

— Aussi bien commencer si on veut finir, lance Gertrude. Au travail !

Il faut croire que la chance était de leur bord, parce que les enfants de Marie-Paule et de Marie-Laure se sont amusés tout l'avant-midi sans réclamer leur mère une seule fois, et le petit Georges a dormi tout le temps.

— J'aime autant ne pas imaginer de quoi va avoir l'air mon plancher dans quelques minutes, s'écrie Marie-Paule en les voyant couverts de terre.

— Même la paix a un prix, lance Gertrude. Je peux vous aider à enlever le plus gros.

Et les trois femmes s'affairent à épousseter les enfants, ce qui les fait rigoler. Ils en ont plein les cheveux, dans les oreilles, et même au coin de la bouche aussi.

— Coudon, en as-tu mangé ? demande Marie-Paule à André.

— Mais oui ! s'exclame le petit garçon. Papa veut que je mange de la terre, lui.

Marie-Paule se retient de rire. Elle se questionne bien à savoir quand est-ce qu'Adrien aurait pu lui dire ça.

— La terre, c'est plein de fer, ajoute André en imitant Adrien de sa petite voix.

Cette fois, Marie-Paule éclate de rire, tout comme Gertrude et Marie-Laure, d'ailleurs, qui l'ont entendu.

— Je n'arrête pas de répéter à Arté de faire attention à ce qu'il dit devant les enfants, lance Marie-Laure.

— Vous avez raison, dit Marie-Paule, ils comprennent pas mal plus de choses qu'on pense.

— Croyez-vous qu'on va avoir le temps de finir cet après-midi ? interroge Gertrude d'une voix lasse.

— Mais oui! répond Marie-Paule d'un ton enjoué. Le pire est fait.

— Tant mieux, parce que je n'ai pas envie de me remettre les mains dans la terre demain, gémit Gertrude.

* * *

Gertrude range son linge à vaisselle et lâche un grand soupir. Passer la journée le derrière en l'air à faire le jardin lui est rentré dans le corps. Elle a mal partout. Elle va chercher son panier à broderie et elle se laisse tomber plus qu'elle s'assoit sur la chaise berçante qui est près de la fenêtre. Une chose est certaine, elle ne se couchera pas tard ce soir. Chaque fois qu'elle s'installe pour broder, elle se dit que le divan ou un des fauteuils de velours serait bien plus confortable, mais le salon est uniquement pour la visite et les grandes occasions, comme le jour de l'An, par exemple. Et encore, puisqu'il est réservé exclusivement aux hommes. Bien que Lucille ne soit pas la seule à servir cette médecine aux siens, Gertrude n'est pas plus d'accord avec elle. En réalité, elle a passé plus de temps à le nettoyer qu'à en profiter. Les seuls moments où elle a le droit d'y aller ont toujours été lorsque Marcella jouait du piano. En dehors de ça, les portes sont fermées à double tour et gare à celui qui va oser s'y aventurer sans permission.

— Est-ce que ça va? lui demande Camil en la voyant grimacer.

— Oui, oui, répond-elle en lui souriant.

— Aussi bien t'habituer tout de suite, dit Lucille, chaque fois qu'elle fait le jardin, ta chère femme a la mort dans la face.

— Vous savez bien que je déteste ça, plaide Gertrude pour sa défense.

— À l'âge que tu es rendue, renchérit Lucille, tu devrais savoir depuis longtemps qu'on ne fait pas toujours ce qu'on veut dans la vie.

Gertrude allait répondre à sa mère lorsqu'on frappe à la porte d'en arrière. Elle se lève péniblement de sa chaise et va ouvrir. Quand elle aperçoit le quêteux, elle doit faire un effort pour lui sourire. Avant qu'elle ait le temps d'ouvrir la bouche, Lucille est à ses côtés et elle s'écrie :

— Entrez, Rolland. Ma fille va vous préparer à manger.

Même si elle savait ce qui l'attendait en apercevant le pauvre homme, Gertrude n'en est pas moins découragée à l'idée de remettre son tablier. Elle avait prévu le coup pour Ernest, mais pas pour leur visiteur-surprise.

— Vous arrivez d'où comme ça ? l'interroge Lucille.

— Du Lac-Saint-Jean.

— Venez vous bercer, en attendant que ce soit prêt.

Rolland est un habitué de la maison des Pelletier, tout comme quelques autres quêteux, d'ailleurs. Mais de tous, c'est le préféré de Lucille. Est-ce parce qu'il est aveugle ou parce qu'il n'arrête pas de la complimenter sur son hospitalité ? Tout ce que les gens de la famille savent, c'est que dès que Lucille l'aperçoit, elle joue volontiers le rôle d'ange gardien avec lui.

En le voyant avancer à tâtons, Lucille s'approche, lui prend la main et l'amène jusqu'à la première chaise berçante libre. Restée figée à l'évier, Gertrude observe la scène et elle n'en revient pas. Depuis quand sa mère s'abaisse-t-elle à toucher la main d'un quêteux alors qu'elle refuse même de s'approcher de ses petits-enfants s'ils viennent de jouer dans le sable ? C'est en jetant un coup d'œil à Camil qu'elle trouve la réponse : Lucille cherche à impressionner son gendre. Gertrude est prête à parier que Marcella ne la croira pas lorsqu'elle va lui raconter la scène qui est en train de se dérouler sous ses yeux.

— Prendriez-vous un petit verre de whisky? offre gentiment Lucille.

— Je ne voudrais pas abuser de votre bonté, Madame Lucille.

Lucille ne fait ni une ni deux et somme Gertrude de lui servir à boire.

— Laisse, je m'en occupe, dit Camil en se levant de sa chaise.

Gertrude est tellement touchée par l'offre de son mari qu'elle a les yeux pleins d'eau. Elle se dit que ce n'est certainement pas Adrien qui lui aurait offert ça. Elle sourit à Camil et retourne à ses chaudrons en se disant qu'elle le remerciera quand ils seront seuls.

Aussitôt qu'il tient son verre, Rolland le vide d'un trait. Surprise, Lucille continue à lui faire la conversation comme si de rien n'était.

— Qu'est-ce que vous avez de bon à dire?

— Ah, Madame Lucille, j'en aurais pour des heures à vous raconter tout ce que j'ai entendu depuis la dernière fois que je suis passé par ici. Les gens de Roberval ne savent plus à quel saint se vouer depuis qu'une sorcière s'est installée dans leur ville. Il paraît que les pires malheurs n'arrêtent pas d'arriver aux gens de la place depuis qu'elle est là. Les bébés meurent comme des mouches avant même d'avoir un an. Un feu n'attend pas l'autre. Il y a même une femme, celle du docteur si je me souviens bien, qui a accouché d'un enfant handicapé. Tout le monde dit que c'est parce qu'elle est passée devant la maison de la sorcière quelques jours avant d'avoir son bébé.

— Ces maudites sorcières, s'exclame Lucille, c'est une vraie plaie. Il paraît qu'il y en a une dans le rang. En tout cas, vous pouvez être certain que je ne ferai pas exprès d'aller passer devant chez elle pour la provoquer. La vie est assez dure de même.

Gertrude remplit l'assiette du quêteux de bouilli fumant. Elle lui coupe une épaisse tranche de pain et elle va déposer le tout sur le bout de la table.

— Avancez-vous à la table, dit Lucille en reprenant le vieil homme par la main sous l'œil amusé de Gertrude.

Même si elle n'a pas l'habitude de s'occuper du souper d'Ernest, tant qu'à tout ressortir, Gertrude a prévu ce qu'il faut pour lui. Rolland n'a pas encore avalé sa dernière bouchée lorsque le cousin fait son entrée. Lucille se dépêche de faire les présentations officielles. Surprise par l'attitude de sa tante, Ernest la regarde d'un drôle d'air.

— Tu as de la chance, lui dit Gertrude, il ne te reste plus qu'à te servir.

— Merci, la cousine, répond-il en se prenant une assiette dans l'armoire. Si ça peut te consoler, vous n'aurez pas à m'endurer encore bien longtemps. Pas plus tard qu'aujourd'hui, un des gars qui travaillent avec moi m'a dit que le logement au-dessus de chez lui est à louer, je vais aller le visiter demain en finissant de travailler.

— Il n'y a rien qui presse, l'informe Lucille.

— Je sais tout ça, mais s'il est à mon goût, je vais le prendre. Je pourrais même aller travailler à pied, tellement il est proche de l'usine, et il est meublé en plus.

Ernest pique sa fourchette dans un gros morceau de chou et l'enfourne au complet dans sa bouche.

— Changement de sujet, ajoute-t-il la bouche encore pleine, je peux vous dire qu'Estrade est entré à l'usine pas mal bourré ce matin. Je ne vous mens pas, il était encore chaud à midi.

Lucille devient cramoisie chaque fois qu'elle entend ça. Elle a fait la leçon plus d'une fois à son fils, mais ça n'a jamais donné de grands résultats. Estrade aime l'alcool plus que tout et il ne s'en prive pas. Contrairement à Adrien, qui arrive à faire preuve d'une certaine tempérance, l'autre boit tout le temps. Lucille n'apprécie pas particulièrement Eugénie, sa femme, mais elle la plaint de tout son cœur de vivre avec lui. Elle lui a même demandé si son fils était violent avec elle.

— Jamais de la vie! lui a répondu sa bru sans détour. Estrade a bien des défauts, mais c'est un doux.

— Tant mieux, parce qu'il aurait eu affaire à moi. Et avec les enfants?

— Ça va! Entre l'usine et le temps qu'il passe à cuver son vin, ils ne le voient pas très souvent, vous savez.

— Le contraire m'aurait étonnée!

Lucille n'a pas l'intention de s'étendre sur le cas d'Estrade, surtout pas devant le quêteux qui ne manquera pas de bavasser partout où il va s'accrocher les pieds.

— Tu t'es sûrement trompé de gars, s'exclame Lucille d'une voix autoritaire, Estrade ne boit pratiquement pas.

Ernest se tourne aussitôt vers sa tante. Lorsqu'il voit son air, il comprend très vite qu'il vaut mieux qu'il fasse marche arrière.

— Peut-être bien. En tout cas, une chose est certaine, c'est un maudit bon travaillant.

Il s'en faut de peu pour que Gertrude n'éclate de rire. Des fois, l'audace de sa mère la renverse. Tout le monde en ville sait qu'Estrade boit comme un trou. Elle a été la première étonnée lorsqu'elle a appris qu'il avait été engagé chez Price. Elle l'est doublement de savoir qu'ils le gardent malgré le fait qu'il rentre en état d'ébriété au travail la plupart du temps et qu'il lui arrive même de manquer des journées parce qu'il est incapable de se lever de son lit.

À peine le quêteux a-t-il avalé sa dernière bouchée que Lucille reprend du service :

— Sors des couvertes pour Rolland, ordonne-t-elle à Gertrude. Puis demain, tu laveras ses vêtements.

Cette fois, Gertrude en a assez entendu. Ce n'est pas vrai qu'elle va laver les vêtements crasseux de Rolland. Comme si Joseph l'entendait penser, il dit :

— Eh bien, ce sera pour sa prochaine visite, parce que demain il va mouiller à boire debout, le soleil s'est couché les fesses dans l'eau.

Comme cette réponse ne satisfait pas Lucille, elle se dépêche d'ajouter :

— Si c'est comme ça, Rolland n'aura qu'à passer la journée ici. Ses vêtements auront tout le temps de sécher derrière le poêle.

Décontenancée par ce qu'elle vient d'entendre, Gertrude va chercher les couvertes et les dépose sur le banc. Elle agrippe ensuite son panier de broderie et prend la direction de sa chambre. Elle en a assez entendu pour aujourd'hui. Camil n'hésite pas une seconde avant de la suivre. À peine a-t-il fermé la porte que Gertrude éclate :

— Non, mais, as-tu vu le *show* qu'elle a donné ? Je n'en reviens tout simplement pas. Elle a même invité le quêteux à passer la journée chez nous demain et je te gage qu'elle va être debout avant que je me lève juste pour bien paraître devant lui.

— Calme-toi ! dit Camil en lui caressant la joue. Il est peut-être aveugle, mais pas innocent. Tiens-tu absolument à broder ?

Gertrude change instantanément d'attitude. Elle regarde son mari avec amour et s'approche de lui jusqu'à ce que leurs lèvres se touchent.

— Je te promets qu'un jour je t'emmènerai loin d'ici, lui souffle-t-il à l'oreille entre deux baisers.

Chapitre 6

— Là, ça va faire ! s'écrie Gertrude en entrant dans la maison les mains vides. C'est la deuxième tarte qui disparaît cette semaine. Il serait temps que quelqu'un mette la main sur le voleur, parce que je vous jure qu'il ne fera pas vieux os si c'est moi qui le trouve.

— A-t-il laissé des indices ? demande innocemment Camil.

— À part quelques gouttes de sirop de bleuets ici et là, répond Gertrude le plus sérieusement du monde, il n'y a rien pour nous mettre sur sa piste. En attendant, vous allez devoir vous contenter de manger une beurrée de mélasse ou de sucre brun, si vous voulez absolument vous sucrer le bec, parce que je n'ai rien d'autre à vous offrir.

— Il me semblait qu'il restait du sucre à la crème, dit Lucille.

— Je vous l'apporte tout de suite, confirme Gertrude.

À peine a-t-elle ouvert la boîte de fer-blanc que Gertrude est prise d'un haut-le-cœur. Elle ne fait ni une ni deux et elle sort dehors pour vomir tout son souper. Lorsqu'elle revient dans la cuisine, elle s'exclame :

— Je n'ai jamais eu mal au cœur comme ça. Et, pourtant, je n'ai rien mangé de spécial aujourd'hui.

Lucille regarde sa fille avec insistance. Elle espère sincèrement qu'elle se trompe, mais à voir l'air de Gertrude, tout porte à croire qu'elle est enceinte.

— As-tu perdu du sang, ce mois-ci ? s'informe-t-elle sèchement.

Gertrude réfléchit pendant quelques secondes avant de répondre :

— Maintenant que vous m'en parlez… j'ai deux semaines de retard.

— Je savais bien que ça finirait par arriver. Ma pauvre fille, tu es enceinte.

Les mots de Lucille ont du mal à se frayer un chemin jusqu'au cerveau de Gertrude.

— Êtes-vous sérieuse, la mère ? finit-elle par prononcer d'une voix remplie d'espoir.

Lucille lui jette un regard noir avant de lui répondre, regard qui n'échappe pas à Camil.

— Comme si c'était nécessaire… et tu es bien trop vieille pour avoir un bébé.

Outré par l'attitude de sa belle-mère, Camil s'approche de sa femme et la prend dans ses bras.

— Je suis l'homme le plus heureux de la terre ! dit-il en l'embrassant sur les joues.

— Et moi donc ! s'écrie Gertrude. Je n'arrive pas à croire que je vais avoir un bébé.

— Je suis très content pour toi, ma fille, dit Joseph.

Gertrude est à nouveau prise d'un haut-le-cœur. Cette fois, c'est le sourire aux lèvres qu'elle revient dans la cuisine. Savoir qu'elle va enfin être mère lui donne des ailes. Elle est tellement contente qu'elle se tourne vers Camil et lui demande s'ils peuvent aller apprendre la nouvelle à Marcella.

— Pourquoi pas ? lui répond-il. Il fait encore clair.

Marcella sort de la maison dès qu'elle voit arriver la voiture.

— Il n'est rien arrivé de grave, toujours ?

— Au contraire! s'écrie Gertrude en lui sautant dans les bras.

Surprise par l'attitude inhabituelle de sa sœur, Marcella se met à rire nerveusement.

— On serait aussi bien d'entrer avant d'alerter tous les voisins. J'ai vraiment hâte de savoir ce qui te rend de si belle humeur.

À peine Marcella a-t-elle refermé la porte de sa maison que Gertrude va se placer devant elle et lui apprend sa nouvelle.

— C'est vrai? Approche que je t'embrasse, c'est une excellente nouvelle!

Léandre félicite d'abord Camil et embrasse même Gertrude sur les joues.

— Il faut fêter ça, s'exclame-t-il. Je vais nous servir un petit verre de brandy.

Marcella en profite pour demander à sa sœur comment leur mère a réagi pendant que Léandre remplit les verres.

— Tu la connais, plutôt que d'être contente pour moi, elle m'a dit que ce n'était pas nécessaire et que j'étais trop vieille pour avoir des enfants.

— Ne t'en occupe pas. Je suis certaine que tu vas nous faire un beau bébé.

— En tout cas, tu peux être certaine que je vais faire mon gros possible. J'ai encore du mal à y croire… je vais enfin être mère.

— À la santé des futurs parents! clame Léandre en levant son verre.

Gertrude jette un regard à son beau-frère et elle se dit qu'elle l'a peut-être jugé trop sévèrement. Il s'est montré très accueillant depuis qu'ils sont arrivés, ce qui lui fait marquer des points.

— Mangeriez-vous un morceau de tarte au sucre? s'informe Marcella.

— Je te remercie, répond Gertrude, pas pour moi, mais je suis certaine que Camil va se laisser tenter, surtout que c'est sa tarte préférée et qu'il n'a pas mangé son dessert.

Et Gertrude leur raconte ce qui est arrivé à leur tarte.

— Ce n'est pas la première fois qu'on se fait voler de la nourriture, dit Marcella. Je me souviens entre autres du jour où la mère avait mis son plat de ragoût à refroidir dehors, dans la dépense, et qu'au moment d'aller le chercher il avait disparu, et sa grosse chasse-pinte aussi. Elle avait bien plus de peine d'avoir perdu son contenant que son ragoût et elle nous avait chauffé les oreilles avec cette histoire jusqu'à ce que la fameuse casserole réapparaisse quelques jours plus tard, exactement à l'endroit où elle l'avait déposée. Le voleur avait même laissé un mot au fond du chaudron : *Ne changez pas de recette!*

— Comment ai-je pu oublier ce passage? se questionne Gertrude. C'est vrai qu'elle avait râlé plus qu'à son saoul, comme à chaque fois que quelque chose ne va pas à son goût.

— Changement de sujet, dit Marcella, j'ai entendu dire que papa avait vendu la terre à bois de Pibrac.

— Oui! Arté et Adrien avaient encore besoin d'aide. Tu aurais dû voir à quel point la mère était furieuse après lui quand elle l'a appris, elle était tellement rouge que j'ai eu peur qu'elle ait une attaque. Et elle a abîmé Adrien de bêtises lorsqu'il s'est pointé le lendemain. Elle lui a dit que c'était la dernière fois qu'ils les aidaient.

— Et je suppose qu'Arté s'en est encore tiré?

— Ah non, pas cette fois.

— Crois-tu qu'ils ont compris le message ?

— En tout cas, moi j'aurais compris, mais à bien y penser, je suis loin d'être certaine. Des fois, j'ai l'impression qu'ils en veulent tellement aux parents de leur avoir cédé la terre qu'ils ne vivront jamais assez vieux pour leur faire payer.

— Pourtant, ils ont beaucoup de chance d'avoir hérité d'une ferme comme la vôtre, ajoute Léandre.

— C'est une chance pour ceux qui aiment la terre, plaide Camil, mais pas pour eux. Je ne les connais pas encore beaucoup, mais je sais qu'ils ne voulaient pas devenir cultivateurs.

— Je veux bien croire, argumente Léandre, mais ils sont loin d'être les seuls dans cette situation. De nos jours, la majorité des hommes font ce qu'ils peuvent pour survivre et non ce qu'ils veulent.

— En tout cas, renchérit Camil, je peux te dire que je trouverais les journées bien longues si j'étais à leur place.

— Tant qu'à ça, moi aussi, admet Léandre. Je dis souvent à Marcella à quel point je suis chanceux. Sincèrement, je ne pourrais pas trouver mieux comme emploi. Je passe mes journées à me promener dans les campagnes et dans les villes pour vendre mes manteaux. Je suis reçu comme un roi partout où je m'arrête, même quand les gens n'ont pas les moyens d'acheter. Vous devriez voir les yeux des femmes quand je leur dis qu'elles peuvent essayer un manteau de vison. Je vends du rêve, et par les temps qui courent, tout le monde en a besoin pour tenir le coup.

Camil est bien placé pour comprendre les propos que tient son beau-frère. Tous les jours que le Bon Dieu amène, les clients se rassemblent autour du poêle à bois au magasin général où il travaille et c'est à qui racontera le pire malheur. À part la poignée d'hommes qui travaillent chez Price et les quelques notables de la ville, les autres tirent le diable par la queue et ne voient pas le jour où ils vont se sortir de la misère noire dans laquelle ils trempent depuis trop longtemps déjà. Et c'est encore plus difficile pour les gens de la ville que pour ceux qui vivent sur des terres. Hier, Camil faisait remarquer à son patron que les comptes à payer n'avaient jamais été aussi élevés. Il l'a regardé par-dessus ses lunettes et il a haussé les épaules avant de dire à son homme engagé :

— Si j'arrête de faire crédit, aussi bien dire que je mets la clé dans la porte. Et je ne vais certainement pas commencer à me servir de leurs dettes pour les faire voter du bon bord. Tant qu'ils paient ce qu'ils peuvent, c'est correct pour moi.

Depuis que cette pratique est devenue courante chez au moins un de leurs compétiteurs, le nombre de mauvais payeurs a monté en flèche. Les pauvres diables en ont assez de se faire peinturer dans le coin. Ce n'est un secret pour personne, en période d'élection, ici comme ailleurs plusieurs propriétaires de magasins généraux utilisent le pouvoir qu'ils ont sur ceux qui leur doivent de l'argent pour influencer les votes en faveur de leur candidat préféré. Quand on menace un homme de prendre sa maison pour payer sa dette, il devient tout à coup aussi docile qu'un agneau.

— Tant qu'à parler d'Adrien, lance Léandre, a-t-il fini par avoir sa licence de roulier ?

— Il l'a eue lundi, répond Gertrude, même qu'il a déjà travaillé deux jours. Il est revenu enchanté les deux fois. Vous savez à quel point il aime se promener en voiture…

— Je ne voudrais pas faire ma langue sale, ajoute Léandre, mais je disais à Marcella que vu ses problèmes de boisson, ce n'était peut-être pas l'idée du siècle.

Léandre a connu Adrien bien avant de rencontrer Marcella. Les deux hommes se croisaient de temps en temps dans un des débits clandestins de la ville, et il leur arrivait d'échanger quelques mots.

C'est même Adrien qui les a présentés l'un à l'autre. La première fois qu'il lui en a parlé, Marcella lui a dit qu'il perdait son temps, que jamais elle ne se montrerait au bras d'un de ses compagnons de beuverie. Adrien avait beau lui dire que Léandre était un homme bien, elle refusait de le croire. Il s'est présenté chez les Pelletier un bon dimanche, sans s'annoncer, et il a gagné le cœur de Marcella en moins de temps qu'il n'en faut pour crier *ciseaux*.

— C'est aussi ce que j'ai dit à papa quand il nous en a parlé, appuie Gertrude. Et Marie-Paule était loin d'être contente. À chaque fois qu'elle le voit partir en voiture, elle se demande s'il va revenir. Tout ce que je peux dire, c'est que ça se passe bien pour le moment.

— Et notre cher cousin ? ose Marcella d'un ton moqueur.

— J'ai bien cru qu'il allait partir, répond Gertrude, mais il a décidé de rester. Tout à coup, le logement qu'il avait visité avait tous les défauts de la terre.

— Mets-toi à sa place un peu, dit Marcella, il est logé, lavé et nourri pour une somme ridicule. Mon petit doigt me dit qu'il n'est pas près de lever les feutres. Je serais même prête à gager qu'il va être encore là quand tu vas accoucher.

— Je veux bien croire que la mère est recevante, mais il y a des limites, se défend Gertrude. Compte sur moi, je vais m'arranger pour qu'il parte bien avant.

Gertrude ignore ce qu'elle va inventer pour se débarrasser d'Ernest, mais elle se promet qu'il aura quitté la place avant la naissance de son bébé.

— Ah oui, s'écrie Marcella, pendant que j'y pense, as-tu été obligée de brasser la mère pour qu'elle se lève quand le quêteux a dormi chez vous ?

— Bien sûr que non! J'ai même fait exprès pour me lever plus tôt et non seulement elle était debout, mais elle était en grande conversation avec son invité. Devine quoi, la première chose qu'elle m'a dite, c'est de laver ses vêtements. Papa m'a dit de sortir ce qu'il fallait et que Rolland se chargerait lui-même de laver ses affaires. La mère est aussitôt revenue à la charge, mais papa lui a cloué le bec bien net comme lui seul sait le faire.

— Le beau-père ne parle pas beaucoup, dit Camil, mais quand il le fait, ça compte. Je peux vous dire que la belle-mère n'était pas contente.

Gertrude lui avait tellement parlé de sa mère que Camil avait l'impression de la connaître quand il est débarqué chez les Pelletier avec armes et bagages. Il savait qu'elle n'était pas commode, mais aujourd'hui il peut dire qu'elle est difficile à battre dans son genre. Lorsqu'elle se met sur le dos de Gertrude, il est obligé de se retenir à deux mains pour ne pas intervenir. Heureusement que Joseph est là. Chaque fois que sa femme dépasse les limites, il intervient. Joseph plaît beaucoup à Camil. Il est réservé, mais ne s'en laisse pas imposer par sa bonne femme, enfin lorsque c'est important pour lui. Autrement, il tire sur sa pipe sans s'en mêler alors qu'un petit sourire en coin se pointe à la commissure de ses lèvres.

— Et Rolland? s'inquiète Marcella.

— Il s'est contenté de frotter ses vêtements en silence, répond Gertrude. Je les ai étendus derrière le poêle et comme il avait arrêté de pleuvoir, il est parti aussitôt qu'ils ont été secs. On se plaint que la vie est difficile alors qu'on a nos deux yeux. Je ne sais vraiment pas comment il fait pour parcourir les chemins sans voir. Mais vous ne savez pas la meilleure, ajoute Gertrude, le lendemain matin, la mère s'est fait mener en ville et elle s'est commandé une grosse horloge grand-père.

— Où l'a-t-elle placée? demande Marcella.

— Nulle part pour le moment, répond Gertrude, elle l'a juste commandée.

— Pourquoi a-t-elle fait ça ? s'enquiert Léandre. Il me semble pourtant qu'il y en a une dans le salon…

— Pour punir notre père, rétorque Marcella. Elle lui fait le coup chaque fois qu'il ose la contredire. Il a vendu la terre à bois sans lui en parler et il a pris le parti de Gertrude devant un étranger. Pour la mère, ça mérite une punition.

— Elle a beaucoup de chance d'être mariée avec lui plutôt qu'avec moi, confie Léandre.

— Et qu'avec moi, renchérit Camil. Je n'irai pas jusqu'à dire que je ne l'aime pas, elle ne me fait pas de misère, mais disons qu'elle a un sacré caractère.

— Je nous en sers un autre ? demande Léandre en saisissant la bouteille d'alcool.

Chapitre 7

C'est immanquable, Adrien s'endort dès qu'il pose les fesses sur sa chaise berçante après le dîner. Marie-Paule a beau faire du bruit en lavant la vaisselle, rien n'arrive à le réveiller. Sa petite sieste d'après-dîner est cruciale pour lui. Il n'y a que pendant le temps des foins qu'il la sacrifie, et encore. Vu qu'il mange plus rapidement qu'Arté lorsqu'ils restent aux champs, il trouve toujours le moyen de s'assoupir ne serait-ce que quelques minutes. Se lever aux aurores n'est pas son choix. Il a fait des pieds et des mains pour convaincre Arté de repousser le train d'une heure lorsqu'ils ont hérité de la ferme, mais il n'a pas eu gain de cause.

— Va pour le matin, a dit Arté, mais je n'ai pas envie de finir à six heures et demie le soir.

Arté n'est pas l'homme des changements. Il a pour son dire que si les choses se sont toujours faites ainsi, c'est qu'il y a sûrement une bonne raison.

— On n'a qu'à conserver la même heure pour la traite du soir si tu y tiens autant, a argumenté Adrien.

— Pense un peu aux vaches, elles vont devoir attendre une heure de plus pour la traite du matin. Peut-être que pour toi ce n'est rien, mais pas pour elles.

Adrien a même essayé de convaincre Joseph, mais il n'a pas eu plus de succès.

— Penses-y un peu, mon garçon, on ne peut pas jouer avec l'horaire des traites comme ça. Tu n'as qu'à regarder à quel point les pis des vaches sont gonflés quand arrive l'heure de les traire.

Crois-en mon expérience, ce n'est pas une bonne idée. Et je suis d'accord avec Arté, repousser la traite du soir d'une heure va nous faire finir beaucoup trop tard.

— Juste une heure plus tard, avait plaidé Adrien en désespoir de cause.

On dirait vraiment qu'Adrien a un sixième sens, il ouvre les yeux aussitôt que Marie-Paule range son linge à vaisselle.

— Un jour, dit-elle, il va falloir que tu m'expliques comment tu fais pour te réveiller toujours au même moment.

— C'est facile, je dors pendant que tu bardasses la vaisselle et je me réveille quand tu arrêtes. J'étais en train de rêver que je venais de m'acheter une automobile. J'étais tellement fier que je me promenais dans toute la ville pour la montrer. Et tu sais quoi ? Je vous emmenais, toi et les enfants, pour visiter mon frère à Saint-Irénée et on se rendait même à la basilique de Sainte-Anne-de-Beaupré.

Marie-Paule plonge son regard dans celui de son mari. Ce n'est peut-être qu'un rêve pour le moment, mais le simple fait qu'Adrien pense à lui faire plaisir la remplit d'espoir en l'avenir.

Devant l'insistance du regard de sa femme, Adrien se dépêche de reprendre la parole :

— Malheureusement, ce n'était qu'un rêve. Je ne sais même pas si je pourrai en conduire une avant de mourir.

— Ma mère te dirait qu'il ne faut jamais baisser les bras. On n'a peut-être pas les moyens aujourd'hui, mais je suis certaine qu'on peut se débrouiller pour ramasser l'argent nécessaire.

Adrien est le premier à vouloir y croire. Seulement, comme il n'est pas né de la dernière pluie, il ne se fait pas d'illusions.

— Mais on ne parle pas de cinq piastres, là.

— Je suis au courant. Écoute-moi bien, on pourrait aller ramasser des bleuets et les vendre. Je suis certaine que maman accepterait de venir garder les enfants quelques jours. J'ai lu dans le journal qu'on envoie plus de 100 wagons remplis de bleuets vers Montréal chaque année.

— Y as-tu pensé ? C'est pas mal plus fatigant que de cueillir des framboises.

Adrien a mal au cœur rien qu'à l'idée de passer une seule journée à plat cul à ramasser des bleuets. Lucille l'obligeait à y aller tous les jours avec ses frères et ses sœurs lorsqu'il était jeune. Chaque fois qu'il revenait à la maison, Adrien racontait à sa mère qu'il avait renversé sa chaudière, ce qui était bien loin de la vérité. Pendant que les autres s'échinaient à remplir leurs contenants, il s'étendait sur la mousse et faisait un petit somme. Lucille le savait, mais elle le retournait jour après jour en priant pour qu'il finisse par suivre l'exemple de ses frères et ses sœurs, mais c'était peine perdue. Pourtant, il était toujours là quand il était temps de manger de la tarte aux bleuets, ce qui enrageait les autres.

— Qui a dit que ce serait facile ? Si tu veux une auto un jour, ça pourrait t'aider. J'ai aussi pensé que tu pourrais mettre un petit montant de côté à chacun de tes voyages.

— As-tu oublié que l'argent que je fais doit servir à payer la ferme ?

— Non, mais je me dis que ça ne fera pas mourir personne si tu prends quelques sous pour toi. Je veux bien croire qu'Arté travaille sur la ferme pendant ce temps-là, mais je doute fort qu'il fasse autant d'heures que toi assis dans ta voiture. Je m'engage même à faire profiter ton argent.

— Comment ?

— En allant le déposer à la Caisse populaire avec toi.

Avant qu'Adrien ait le temps de réagir, Marie-Paule ajoute :

— Il n'y a que deux conditions : jamais tu ne me demanderas un seul sou de cet argent, sauf pour t'acheter une automobile, et ça restera entre nous.

La tête baissée, Adrien jongle à tout ça pendant une minute ou deux.

— Il faut que j'y tienne en maudit pour accepter d'aller ramasser des bleuets... Je t'accorde trois jours, pas un de plus, parce qu'après ça va être le temps de faucher l'avoine. On ira sur la terre de mon oncle Bertrand, il paraît que c'est bleu à la grandeur.

Marie-Paule est vraiment fière de son coup. Elle a saisi l'occasion au vol en se disant que si jamais cet argent ne servait pas pour acheter une auto, il pourrait servir à bien d'autres choses. Marie-Paule a toujours été pauvre et elle s'est juré en se mariant de faire tout ce qu'elle peut pour améliorer son sort et celui de sa famille. Devant l'ouverture de son mari, elle pousse même sa chance :

— J'ai autre chose à te demander. J'aimerais beaucoup aller voir un film en ville un soir.

— On va passer les bleuets et l'avoine et je te promets de t'y emmener. Bon, il faut que j'aille travailler, je suis certain qu'Arté commence à se demander ce que je fais.

Adrien va dans leur chambre et remet une piastre à Marie-Paule avant de sortir de la maison.

— Ça prend un commencement à tout, dit-il en souriant.

Il l'embrasse sur la joue et il sort de la maison sans se retourner. Même si c'est un sujet glissant depuis qu'elle a commencé à recouvrir les murs du grenier avec du carton, Marie-Paule aurait bien voulu en discuter avec lui. Elle se doutait bien qu'Adrien ne serait pas d'accord à ce qu'ils occupent ce nouvel espace qui donne au-dessus de la cuisine de ses parents. Il lui a sorti toutes les défaites de la terre pour la décourager. En résumé, pour lui, leur logement est en masse grand. Quand elle a vu son entêtement, Marie-Paule lui a dit qu'elle ne changerait pas d'idée et qu'avec ou sans lui, les deux plus vieux auront leur chambre dans ce qu'Adrien appelle « le grenier » même si c'est sur le même étage. Reste maintenant à voir comment elle va parvenir à chauffer la pièce. Elle pourra toujours laisser la porte ouverte, mais elle craint que ce ne soit pas suffisant. Alida lui a suggéré d'en parler à Jean-Marie, la prochaine fois qu'il viendra faire son tour.

— Il pourrait mettre une grille entre ta cuisine et le grenier pour laisser passer la chaleur du poêle. Si je me fie à ton logement, ça ne devrait pas être dur à chauffer.

Le simple fait d'agrandir par en dedans, selon l'expression consacrée, permet à Marie-Paule de mieux respirer. Et puis, les enfants grandissent si vite qu'ils sont à la veille de ne plus tenir à trois dans la même chambre. C'est sans compter que la famille est loin d'être finie !

* * *

Encore deux coups de cuillère et Gertrude va pouvoir verser son sucre à la crème dans l'assiette. Elle a couru tout l'avant-midi dans le but d'aller donner un coup de main à Mérée à l'épicerie. Elle a mis en pot tous les légumes qu'elle pouvait. Elle ouvre la porte de l'armoire dans laquelle elle les a disposés, et chaque fois qu'elle descend chercher des patates, elle sourit face à la multitude de pots de verre qui s'alignent devant elle comme autant de petits soldats au garde-à-vous. Le jardin a tellement produit cette année que Camil a dû acheter quatre caisses de pots. À la dernière, il a demandé à Gertrude comment ils allaient faire pour manger tout ça.

— Tu n'auras qu'à regarder faire la mère et tu vas vite te rendre compte que ça va tout prendre pour qu'on en ait assez pour nous.

Elle va commencer par en donner à son Adjutor, puis à Estrade et à Wilbrod à chacune de leurs visites. Les pauvres, leurs femmes ne savent pas comment mettre des légumes et de la viande en pot. Hein! Je me suis offerte pas juste une fois pour leur montrer, mais entre toi et moi, c'est bien plus facile d'en ouvrir un pour le vider que de le remplir. Et pourquoi se priver, puisque Gertrude le fait si bien?

Gertrude remplit la casserole d'eau, la dépose dans l'évier et s'essuie les mains sur son tablier avant de l'enlever. Elle s'approche ensuite de sa mère qui dort dans sa chaise et lui secoue un peu l'épaule pour la réveiller.

— Ne me cherchez pas, je m'en vais chez Mérée et je vais revenir avec Camil.

Lucille la regarde d'un œil et le referme aussitôt. Gertrude lisse les plis de sa robe sur son ventre arrondi et elle va chercher son chapeau de paille. L'épicerie a beau être à moins d'un mille de marche, le soleil est encore chaud à cette période de l'année.

— Je commençais à me demander si tu allais venir, s'écrie Mérée en la voyant.

De nature chaleureuse, Mérée s'approche de sa belle-sœur et l'embrasse sur les joues. Gertrude s'est tout de suite sentie à l'aise avec elle, au point que les deux femmes se sont mises à se tutoyer sans même se donner la permission. Leur proximité irrite Lucille chaque fois qu'elle les voit ensemble, mais l'une comme l'autre s'en fichent éperdument.

— Tu connais ma mère, elle m'a demandé de lui faire du sucre à la crème au cas où elle aurait de la visite. Maintenant que je suis là, dis-moi ce que je peux faire pour t'aider.

— Compte tenu de ton état, contente-toi de servir les clients.

Gertrude est toujours surprise de l'attention que lui porte Mérée depuis qu'elle est enceinte, alors que sa propre mère ne s'en soucie aucunement. Il arrive même à Gertrude de penser que Lucille le fait exprès pour la faire trimer dur.

— Mais je ne suis pas malade, je suis juste enceinte.

— Je sais tout ça, mais je ne voudrais pas que tu perdes ton enfant parce que je t'ai fait forcer après des caisses. Si ça ne te dérange pas, je profiterais du fait que tu es là pour aller au magasin général et au bureau de poste. J'ai beau avoir une épicerie, je suis loin d'avoir tout ce dont j'ai besoin. Mais avant, dis-moi comment tu vas.

— À part le fait que j'ai deux fois plus chaud que d'habitude, que je n'entre plus dans rien et que je ne frise pratiquement plus, je vais très bien. Réalises-tu que j'ai déjà la moitié de ma grossesse de passée ?

— Et peut-être même un peu plus ! ironise Mérée.

— Je t'en supplie, réagit aussitôt Gertrude en levant l'index dans les airs, il y a bien assez de ma mère qui compte les semaines… S'il faut que j'accouche avant terme, j'aime autant te dire que je n'ai pas fini d'en entendre parler.

Lucille ne fait pas exception à la règle. Dès qu'un bébé vient au monde moins de neuf mois après le mariage de ses parents, elle ne se prive pas pour dire à qui veut l'entendre que c'est l'enfant du péché. Elle a fait le coup à toutes ses brus à la naissance de leur premier enfant. Marie-Paule a été celle qui y a goûté le plus. Son Michel est né exactement neuf mois après le mariage de ses parents.

— C'était juste pour te faire étriver. Je sais bien que tu n'as rien fait avant ton mariage.

Je peux te le jurer sur la tête de mon père. Et toi ?

— Moi, j'ai mis plus de deux ans avant d'avoir mon premier, répond Mérée d'un ton moqueur.

Les deux femmes éclatent de rire.

— Et tu l'aimes toujours autant, ton Wilbrod ? ose lui demander Gertrude.

— Sérieusement, ça dépend des heures. Je ne devrais pas te parler de ton frère comme je m'apprête à le faire, mais tu es ma seule amie. Wilbrod est adorable quand il ne se plaint pas. Mais c'est rendu qu'il se plaint pratiquement tout le temps. Je ne te mens pas, il commence aussitôt qu'il ouvre les yeux.

— Il ne tient pas des voisins, ajoute Gertrude, tu n'as qu'à regarder la mère. Mais heureusement, une fois que j'ai réussi à la faire lever, elle est correcte jusqu'au lendemain matin. Sincèrement, je te plains de tout mon cœur. Est-ce qu'il manque souvent le travail ?

— Heureusement, ça n'est pas encore arrivé, mais tu devrais le voir quand il revient. C'est tout juste s'il a la force de traîner sa carcasse.

C'est plus par solidarité que par intérêt que Gertrude questionne Mérée. L'attitude de Wilbrod ne date pas d'hier. Déjà quand il était enfant, il donnait l'impression de porter le monde sur ses frêles épaules. Il allait se cacher toutes les fois qu'il y avait une corvée à faire.

— Pourquoi tu l'as marié ? cherche brusquement à savoir Gertrude.

Déstabilisée par la question de sa belle-sœur, Mérée rougit jusqu'à la racine des cheveux. Bien qu'elle n'en parle jamais à personne, c'est une question qu'elle se pose souvent sans pour autant avoir trouvé la réponse. Sauvée par la clochette de la porte qui annonce l'arrivée d'un client, Mérée profite de l'occasion pour s'éclipser.

— Je ne devrais pas être partie plus d'une heure, dit-elle avant de sortir.

* * *

C'est à peine si Lucille a eu le temps de se rendormir avant qu'on frappe à la porte. Elle se frotte les yeux et se lève d'un coup pour aller ouvrir. Un large sourire illumine aussitôt son visage en voyant sa cousine Anna.

— Quelle belle surprise ! s'exclame-t-elle. Viens te bercer.

— Il fait tellement beau que tu devrais venir me rejoindre sur la galerie.

— Le temps de prendre ma veste de laine et j'arrive. Mangerais-tu un morceau de sucre à la crème ?

— Certainement !

Anna habite à l'autre bout du rang avec ses parents. Contrairement à Lucille, elle ne s'est jamais mariée et, pour tout dire, ça ne lui a jamais manqué.

— Raconte-moi tout maintenant, dit Lucille en lui présentant le plat de sucre à la crème.

— À part le fait que je n'ai pas arrêté de travailler de l'été, je t'avoue que je n'ai pas grand nouveau. Les vieux sont en grande forme et Charles-Étienne a fini de rentrer son foin. Bertrand est venu passer quelques jours avec nous et il est retourné à sa paroisse seulement hier. Toute la famille est venue se faire confesser par lui, ce qui fait que la maison n'a pas dérougi pendant tout le temps qu'il a été là.

— Et toi ?

— Jamais je ne me confesserai à lui. Ils ont beau tous l'aduler, mais ça ne prend pas avec moi. Je te l'ai déjà dit, je suis incapable de passer par-dessus tout ce qu'il m'a fait endurer quand on était petits. Même vêtu de sa soutane et de son petit chapeau, il restera toujours pour moi le frère que j'aime le moins.

Anna ne s'attarde pas plus longtemps sur le cas du curé de la famille que tout le monde vénère à part elle.

— As-tu eu des nouvelles d'Adjutor depuis la dernière fois qu'on s'est vues ?

— Ce n'est pas pour le vanter, mais il est très assidu dans sa correspondance, en tout cas plus que moi.

— J'imagine que Gertrude n'a pas toujours le temps d'écrire tes lettres…

— Ma fille a bien des défauts, mais elle n'a jamais refusé d'écrire pour moi. Non, on dirait que je ne sais pas trop quoi lui raconter. Tu sais comme moi qu'il ne se passe pas toujours grand-chose dans nos campagnes. Mais pour répondre à ta question, il est en grande forme. Sa paroisse ne cesse de s'agrandir et le nombre de paroissiens a pratiquement doublé depuis qu'il est là. Ce n'est pas parce que c'est mon garçon, mais je prétends qu'il ira loin.

Au fond d'elle-même, Lucille caresse le rêve de voir un jour son fils être sacré évêque. Anna est la seule personne à qui elle a osé en parler, mais elle se garde bien de revenir sur le sujet.

— Et Gertrude ? demande Anna.

— Que veux-tu que je te dise ? Elle grossit à vue d'œil et elle a toujours aussi mauvais caractère.

— C'est drôle que tu me dises ça, parce que la Gertrude que je connais a un cœur d'or et une patience d'ange.

À part les instants où elle parle de Gertrude, il n'y a pas grand-chose qui sort de la bouche d'Anna qui peut soulever les foudres de Lucille. Depuis qu'elle est au monde qu'Anna prend sa défense. Elle pousse même l'audace jusqu'à dire que si elle avait eu une fille, elle aurait voulu qu'elle lui ressemble. Lucille doit se retenir à deux mains pour ne pas réagir trop violemment.

— Tu ne parlerais pas de cette manière si tu vivais sous le même toit qu'elle.

Anna fixe Lucille en souriant. Sa cousine peut tromper tous les gens qu'elle veut, mais elle sait parfaitement comment elle est. Déjà quand elle était petite fille, Lucille n'avait pas son pareil pour se plaindre de tout et de rien, mais surtout de rien.

— Peu importe, réplique Anna. Donne-moi des nouvelles de tes autres enfants maintenant.

Contente de passer à autre chose, Lucille commence par vanter les mérites de Marcella et de son valeureux mari qui lui a offert un beau manteau de vison. Elle parle en termes élogieux de chacun de ses enfants.

— Et Joseph ?

— Il est égal à lui-même. Il travaille comme un fou et il fume comme une cheminée aussitôt qu'il met les pieds dans la maison, tellement que des fois, on a du mal à le voir à cause de la boucane.

— Es-tu allée ramasser des bleuets au moins ?

— Je laisse ça aux plus jeunes.

Anna connaissait la réponse avant même de poser sa question. Contrairement à elle, Lucille a toujours préféré jouer à la madame plutôt que de se salir les mains à cueillir des petits fruits.

— Moi, j'y suis déjà allée trois fois et tout ce que je souhaite c'est de pouvoir y retourner avant qu'il n'y en ait plus. J'en ai gardé une pleine chaudière pour les manger frais et j'ai mis le reste en conserve pour faire des tartes et des poudings l'hiver prochain.

— Pour ma part, non seulement je n'aime pas les ramasser, mais je déteste encore plus les manger.

— Tu ne sais pas ce que tu manques! Avant que j'oublie, Charles-Étienne m'a demandé de te dire qu'il allait faire boucherie la semaine prochaine. Je ne sais pas quel jour exactement, mais il va venir te porter du boudin et de la saucisse fraîche.

— Je suis toujours preneuse quand il s'agit de manger du boudin.

— Ce n'est certainement pas moi qui vais te le voler. Je le déteste tellement que j'aime mieux me priver de manger.

— On vous rendra la pareille quand les hommes feront boucherie à leur tour. Voudrais-tu un autre sucre à la crème?

— J'en prendrais même deux, si tu me donnes un verre d'eau. Il faudrait que Gertrude me redonne sa recette.

— C'est tellement facile. Tu n'as qu'à mettre deux poignées de sucre brun, une de….

Plus Anna écoute Lucille lui donner sa recette, plus elle rit.

— Ne te fâche pas, mais je préfère que Gertrude me donne les vraies quantités. Ma mère cuisinait à la poignée, mais pas moi. Même avec une recette officielle, ça me prend tout mon petit change pour ne pas la manquer.

Lucille lui tend le plateau et entre lui chercher un grand verre d'eau.

— J'allais oublier de te dire que Charles-Étienne pense sérieusement à faire installer l'électricité.

Lucille se redresse en entendant ça. Depuis le temps qu'elle en parle à Joseph, elle ne laissera certainement pas le beau Charles-Étienne leur damer le pion.

— On a toujours vécu sans et on n'est pas mort personne, ajoute Anna, mais entre toi et moi, il faut être de son temps. Et franchement, ce n'est pas aussi cher qu'on pensait.

Lucille voudrait dire à Anna qu'elle espère de tout cœur que son frère va aller de l'avant, mais elle en est incapable. À partir de maintenant, elle n'aura de cesse que lorsque Joseph aura fait installer l'électricité.

Chapitre 8

Adrien n'est pas revenu pour traire les vaches, pas plus qu'il n'est revenu dormir non plus. Marie-Paule a passé une très mauvaise nuit parce qu'elle est morte d'inquiétude chaque fois que son homme lui fausse compagnie. Comme si ce n'était pas assez, deux de ses fils se réveillent couverts de boutons. Elle frappe sans attendre sur le plancher dans le grenier pour que Gertrude monte la voir. Pour l'instant, c'est ce que les deux femmes ont trouvé de mieux pour se parler sans se déplacer.

— Je suis venue aussi vite que j'ai pu, s'écrie Gertrude en essayant de reprendre son souffle, j'étais en train de laver les planchers.

En voyant le gros ventre de Gertrude, Marie-Paule réalise qu'elle n'aurait pas dû la faire venir.

— Retournez vite d'où vous venez, s'exclame Marie-Paule, je n'ai pas envie que vous l'attrapiez, si c'est la rougeole que les garçons ont.

Gertrude jette un coup d'œil à ses neveux qui sont affalés chacun dans une chaise berçante avec leur doudou pour se cacher.

— Trop tard, dit Gertrude, j'ai toujours entendu la mère dire que lorsque les boutons apparaissent, on n'est plus contagieux. Si vous voulez, je vais aller chercher Marie-Laure, elle en connaît sûrement plus que moi sur le sujet. Mais avant, dites-moi si vous avez eu des nouvelles d'Adrien.

Marie-Paule vient tout de suite les yeux dans l'eau.

— Aucune... et je suis morte d'inquiétude, comme à chaque fois qu'il me fait le coup.

— Il ne mérite pas que vous vous en fassiez autant pour lui. Vous savez aussi bien que moi qu'il finit toujours par revenir.

Elles pourraient allonger la discussion à l'infini, mais ça ne mènerait nulle part. Son frère est parti en galère pour quelques jours et rien ni personne ne pourra changer ça. Il reviendra au moment où tout le monde aura oublié jusqu'à son existence et reprendra sa vie comme si de rien n'était. Il ne sera ni plus gentil, ni plus méchant, il sera le même homme qu'il était avant de se sauver pour assouvir son désir insatiable d'alcool. Il refusera d'en parler à qui que ce soit parce qu'une fois qu'il est de retour, il a l'habitude de faire comme s'il n'était jamais parti.

— Mon frère est loin d'être toujours drôle, vous savez.

Gertrude embrasse ses neveux au passage et elle va chercher sa belle-sœur.

En voyant ses neveux, Marie-Laure confirme aussitôt à leur mère qu'ils ont bel et bien la rougeole. Elle lui dit de les garder à la noirceur autant qu'elle peut et de surveiller s'ils font de la fièvre.

— Est-ce que Georges l'a aussi ?

— Pas encore, répond Marie-Paule, mais j'imagine que ça ne va pas tarder.

— Pas nécessairement. Chez nous, il n'y a que Ghislaine qui l'a eue. Je pourrais emmener Georges avec moi si vous voulez, je le ramènerai après le souper. Je vous trouve pas mal pâle.

Marie-Paule refuserait l'offre de Marie-Laure en temps normal, mais dans les circonstances, elle a bien envie d'accepter. En la voyant hésiter, sa belle-sœur lui dit :

— Préparez-moi ses affaires et allez vous coucher avec les garçons.

Alors que Marie-Paule se dirige vers la chambre des enfants, Marie-Laure ajoute :

— Et cessez de vous en faire pour Adrien, il va finir par revenir, comme il le fait toujours.

Marie-Paule ramasse des couches et des vêtements de rechange, elle prend son fils dans son berceau et le confie à Marie-Laure. Le bébé se frotte les yeux et il sourit à sa tante.

— Je n'ai jamais vu un enfant avec une aussi belle façon, s'exclame-t-elle. Ça me change des miens qui prennent un temps fou pour se composer une face de monde quand ils se réveillent. À ce soir !

Aussitôt la porte refermée, Marie-Paule prend André dans ses bras et va le coucher dans son lit. Elle fait ensuite de même pour Michel. Elle ferme les rideaux et la porte de sa chambre et elle se couche près d'eux. Elle s'endort sans même avoir une pensée pour Adrien et c'est très bien ainsi.

* * *

Gertrude se dépêche de faire la vaisselle, parce que ce soir Camil et elle vont voir un film en ville. Et pour une fois, Gertrude a réussi à convaincre son mari d'y aller à pied. Vu qu'ils ont un peu de temps devant eux, ils en profiteront pour passer par la gare, pour regarder les gros chars et piquer une jasette avec les gens qu'ils rencontreront sur place. Ce genre d'attraction n'a rien de très nouveau pour Camil, il voit défiler des gens à longueur de journée au magasin général, mais il peut comprendre que sa femme ait besoin de voir du monde.

— Vous devriez y aller en voiture, dit Lucille.

Au nombre de fois que Lucille répète la même chose, ni Camil ni Gertrude ne se donnent plus la peine de répondre.

— Veux-tu bien les laisser tranquilles, s'écrie Joseph, on ne reste pas au bout du monde.

— Moi, si je dis ça, c'est pour aider Gertrude, je ne voudrais pas qu'elle se fatigue à marcher.

Gertrude se retient d'éclater de rire en entendant cela. Depuis quand sa chère mère se préoccupe-t-elle de son bien-être ? En même temps, elle se dit que pour une fois, elle ferait bien d'en profiter pendant que ça passe.

Gertrude respire à fond dès qu'ils sont dehors. Pour elle, il n'y a rien comme une bonne marche au soleil couchant au bras de son mari.

— On devrait le faire plus souvent, dit Camil en lui tapotant le bras.

— Tu ne peux même pas t'imaginer le bien que ça me fait de sortir de la maison.

Bien que Camil reste chez les Pelletier seulement depuis quelques mois, Gertrude n'a pas besoin d'en dire davantage sur ce qu'elle ressent. Lucille est le pire général qu'il lui a été donné de rencontrer et elle traite Gertrude comme une esclave. Mais le pire, c'est qu'elle ne se prive pas même en sa présence.

— J'ai une surprise pour toi.

En entendant ça, Gertrude s'arrête net de marcher et elle se tourne vers son mari pour écouter la suite.

— Que dirais-tu si on achetait un terrain pour construire notre future maison ?

Camil laisse passer quelques secondes avant de poursuivre.

— Ce matin, un client m'en a offert un, il…

— Tu étais vraiment sérieux quand tu disais qu'un jour on partirait de chez nous ? le coupe Gertrude.

— J'aime bien tes parents, surtout ton père, mais pas au point de rester là jusqu'à la fin de mes jours. Je veux qu'on ait notre maison à nous, et je vais tout faire pour y arriver. J'ai déjà tout le bois qu'il faut pour la construire, mais ça prend plus que ça pour avoir une maison.

Décidément, plus Gertrude en entend, plus elle est émue. Même si elle n'en parle jamais, elle a toujours rêvé d'avoir une maison bien à elle, comme Marcella. Camil lui avait bien montré les planches qu'il a accumulées dans le haut du hangar chez ses parents, mais il ne lui avait jamais dit à quoi elles devaient servir.

C'est maintenant les yeux pleins d'eau qu'elle regarde son mari. Camil lui caresse la joue en souriant.

— Je peux aller te le montrer, si tu veux.

— Il est en ville ?

— Pas très loin du magasin général, mais si tu ne l'aimes pas, on…

Gertrude l'interrompt aussitôt.

— Est-ce que ça veut dire qu'on aurait l'électricité ?

— Bien sûr ! Tout le monde l'a sur cette rue.

— Qu'est-ce qu'on attend pour y aller ? fait-elle en prenant son bras et en commençant à marcher.

Ils ne sont pas passés par la gare, pas plus qu'ils ne sont allés voir de film ; ils se sont arrêtés devant leur futur terrain et ils ont imaginé leur maison pendant de longues minutes. Ils sont ensuite allés s'asseoir sur le bord de la Rivière-aux-Sables où, collés l'un sur l'autre, ils ont continué à discourir sur leur avenir jusqu'à ce que l'humidité les pénètre complètement. Une fois sous les couvertures, ils ont laissé libre cours à cette nouvelle forme d'amour qui venait d'élire domicile à leur insu au courant de la veillée. Au moment de s'endormir, Gertrude s'est dit que ce qu'elle venait de vivre n'avait strictement rien à voir avec sa nuit de noces et que c'était très heureux.

* * *

Pendant qu'Adrien brille toujours par son absence, le malheur continue à s'acharner sur le pauvre monde. Devant l'importance de la nouvelle en page couverture, Gertrude offre à son père de lui lire l'article avant qu'il sorte travailler.

— Regardez ça papa, la travée centrale du pont de Québec s'est effondrée hier matin devant des milliers de personnes.

— Viens vite me montrer la photo, l'intime Lucille.

— Laisse-moi le temps de la regarder, réplique Joseph.

— Est-ce qu'il y a eu des morts? demande Lucille.

— J'imagine que oui, répond Gertrude en allant lui montrer la photo.

C'est devant une foule évaluée à plusieurs milliers de personnes venues assister aux derniers travaux effectués sur le pont de Québec que la travée centrale s'est effondrée au fond du fleuve Saint-Laurent, emportant 12 personnes avec elle dans la mort. Tout semblait se dérouler normalement jusqu'à ce que le mécanisme qui supportait la travée cède. Un groupe d'enquêteurs a aussitôt été mis sur pied afin de découvrir ce qui a pu provoquer cette nouvelle tragédie. Plusieurs se souviendront du premier effondrement du pont de Québec en 1907 alors que 76 personnes avaient perdu la vie. Des travaux sont en cours pour vérifier dans quel état est la travée après la chute qu'elle vient de faire.

— J'espère qu'ils vont y arriver un jour, s'exclame Gertrude en finissant sa lecture.

— Ils vont sûrement trouver pourquoi c'est arrivé, ajoute Joseph.

— Les gens de Québec en ont peut-être plus qu'on pense sur la conscience, laisse tomber Lucille, il faudra que j'en parle à Adjutor la prochaine fois que je le verrai.

— Voyons donc Lucille, proteste Joseph d'une voix bourrue, les gens de Québec ne sont pas pires que ceux d'ici. Si tu veux mon avis, Dieu a bien d'autres chats à fouetter que de s'amuser à faire tomber des ponts.

— Ce n'est pas moi qui le dis, renchérit Lucille, c'est la famille Price. *Sans Dieu, nous n'avons rien.*

Gertrude regarde sa mère en secouant la tête et en levant les mains dans les airs.

— Là, vous venez de me perdre, s'exclame Gertrude. Vous êtes la première à nous rebattre les oreilles qu'il n'y a que la parole de Dieu qui compte et là, vous venez de nous citer la devise des Price comme si c'était parole d'évangile. J'avoue que j'ai de la misère à vous suivre.

— Ce n'est pourtant pas difficile à comprendre, dit Joseph, pour ta mère, les Price sont sur la même marche que les prêtres.

— Je ne peux pas croire que je sois la seule dans cette famille à voir tout ce qu'ils ont fait pour la région, plaide Lucille, vous n'avez qu'à regarder autour de vous.

Ce n'est pas la première fois que Lucille sert ce genre de discours aux siens, et ça ne risque pas non plus d'être la dernière. Depuis qu'Estrade travaille à la pulperie, son amour pour la famille Price a redoublé d'ardeur et elle saisit toutes les occasions qui s'offrent à elle pour les encenser.

Gertrude plie le journal et elle va le ranger avec les autres. Quand Lucille commence à déraper sur les Price, il vaut mieux mettre fin à la discussion, puisque de toute façon, celle-ci ne mène jamais nulle part.

— Je vous lirai le reste ce soir, si ça ne vous fait rien, dit Gertrude à son père.

Joseph bourre sa pipe, l'allume et sort de la maison après avoir attrapé sa veste de laine au passage. Étant donné l'absence d'Adrien, il le remplace du mieux qu'il peut. Si tout va comme prévu, Arté et lui finiront de rentrer l'avoine avant le coucher du soleil. Bien qu'il ne soit jamais parvenu à s'expliquer pourquoi, Joseph rentre plus fatigué après une journée aux champs qu'après une journée passée à bûcher. Ajoutons à ça que les petites escapades d'Adrien commencent sérieusement à l'embêter. Une fois de plus, il se promet d'en parler avec son fils lorsqu'il daignera les honorer de sa présence, même s'il sait que lorsqu'il l'aura devant lui il ne trouvera pas le courage de lui parler, de peur qu'il ne reparte. Adrien ne tient pas son goût pour l'alcool des voisins. Si ce n'était de la poigne avec laquelle Lucille le tenait, du temps où il lui faisait le coup, nul doute qu'il s'offrirait encore quelques petites sorties du genre. Marie-Paule est trop douce avec lui, et Joseph n'est pas le seul à le penser. Elle a fondu en larmes la première fois qu'Adrien a pris une cuite. Gertrude a eu beau lui dire que son frère ne méritait pas qu'elle pleure, mais elle était incapable de se consoler. La pauvre, elle n'a retrouvé le sourire que lorsque son mari est revenu. Joseph croit dur comme fer qu'Adrien a besoin de se faire serrer la vis jusqu'à ce qu'il finisse par céder par peur de trop perdre. Joseph n'a pas la prétention de détenir la vérité, mais dans ce cas-là, il sait de quoi il parle. Joseph n'a jamais perdu le goût de l'alcool, il prend son petit verre tous les soirs avant d'aller se coucher, mais ça s'arrête là. Son changement d'attitude n'a pas transformé son couple, Lucille et lui sont toujours les mêmes, mais sa vie est beaucoup plus facile depuis qu'il boit à la maison.

Au moment où Joseph pose le pied sur la dernière marche, une voiture entre dans la cour à vive allure pour ensuite aller s'immobiliser devant le garage. Il accélère le pas et une fois sur place, il trouve Adrien étendu pieds nus au fond de la voiture. L'espace de quelques secondes, il remercie Lucille de l'avoir guéri de cette maudite maladie qui pousse Adrien à boire jusqu'à ce qu'il n'en puisse plus. Il est tellement bourré qu'il ronfle comme un train.

— Et Adrien ? s'écrie Gertrude qui est venue le rejoindre.

Pour toute réponse, Joseph pointe le devant de la voiture.

— Maudit innocent ! Ne peut s'empêcher de crier Gertrude. Je vais aller chercher Arté pour qu'il nous aide à le monter chez lui.

— Pas cette fois, dit Joseph, on va aller le coucher dans la grange.

— Êtes-vous sérieux ?

— Va vite chercher ton frère et dis-lui de me rejoindre à la grange. Après, tu iras prévenir Marie-Paule que l'enfant prodigue est revenu.

— Comment vais-je lui expliquer qu'il est dans la grange ?

— Tu n'auras qu'à lui dire de venir me voir. Je commence à en avoir plus qu'assez de ses petites virées.

Comme il fallait s'y attendre, Lucille sort sur la galerie et demande ce qui se passe. Joseph la met au courant et sans attendre son reste, il saisit les rennes et fait avancer le cheval jusqu'à la grange.

— Tu ne vas quand même pas le laisser dormir sur la paille, s'écrie Lucille, ce n'est pas un chien.

Joseph ne se donne même pas la peine de lui répondre et il poursuit son chemin. Alertée par les cris de sa belle-mère, Marie-Paule sort sur la galerie juste avant que la voiture disparaisse derrière le hangar. Son cœur se met aussitôt à s'emballer.

— Où est Adrien ? se renseigne-t-elle d'une voix suffisamment forte pour que Lucille l'entende.

— Dans le fond de la voiture ! Joseph s'est mis dans la tête de le laisser cuver son vin dans la grange.

— Du moment qu'il est en vie…

— Si j'étais à votre place, je courrais à la grange pour l'en empêcher.

Marie-Paule réfléchit quelques secondes avant de répondre à sa belle-mère.

— Je vais peut-être vous surprendre, mais je suis d'accord avec le beau-père. Il n'aura qu'à monter par lui-même quand il aura dégrisé. Il faut que je rentre, Georges vient de se réveiller.

Plantée au milieu de la cour, Lucille n'en revient tout simplement pas de ce qu'elle vient d'entendre de la bouche de sa bru. Depuis quand une femme ose-t-elle refuser de venir en aide à son mari sous prétexte qu'il a un peu trop bu ? Lucille replace sa veste de laine sur ses épaules et elle retourne dans la maison en se demandant dans quel monde de fous ils peuvent bien vivre.

Elle revient à la charge auprès de Joseph lorsqu'il rentre pour souper, mais il demeure sur ses positions.

Chapitre 9

— Je mettrais ma main au feu qu'il manque encore des poules, s'écrie Gertrude en déposant son panier rempli d'œufs sur le comptoir.

— Pas encore ! se plaint Joseph. J'ai pris la peine de boucher tous les trous au printemps. As-tu remarqué quelque chose d'anormal ?

— Absolument rien ! Je ne les ai même pas fait sortir, je vais aller les compter après le déjeuner et je ferai de même après les avoir fait rentrer.

— J'irai t'aider, dit Joseph.

— Es-tu passé par la grange ? demande Lucille d'une voix bourrue.

— Pour voir si Adrien est encore là ? Non merci ! J'ai pour mon dire qu'il est assez vieux pour savoir ce qu'il a à faire. En tout cas, je plains Marie-Paule de tout mon cœur.

— Tu devrais aller te confesser, râle Lucille, Adrien est un bon parti, un excellent parti, même.

Les premières frasques d'Adrien remontent à sa jeunesse et, malgré cela, Lucille continue de le protéger et de lui trouver toutes les excuses du monde pour expliquer son comportement dérangeant pour tous ceux qui l'entourent.

— *Il n'y a pas pire aveugle que celui qui ne veut pas voir*, cite Gertrude sans regarder sa mère.

— Ne sois pas impolie !

Depuis qu'elle est enceinte, Gertrude ne rate pas une occasion de clouer le bec de sa mère. Et c'est encore pire lorsque Camil est là, on dirait que sa présence lui donne encore plus de force de caractère et de courage pour dire tout haut ce qu'elle pense tout bas.

— Tout ce que je fais, c'est de vous dire la vérité en pleine face. Adrien est loin d'être un homme exemplaire et Marie-Paule a beaucoup de mérite de l'endurer, parce que même à jeun il n'est pas plus facile à vivre.

— Je t'interdis de parler ainsi !

— À l'âge que je suis rendue, la mère, non seulement vous ne me faites plus peur, mais vous ne m'empêcherez pas de parler.

— Je le savais, aussi, que je n'aurais pas dû te permettre de te marier.

Si elle ne se retenait pas, Gertrude lui hurlerait que Camil et elle vont bientôt partir pour s'installer en ville dans leur maison, et qu'elle devra se trouver une nouvelle esclave. Mais au lieu de ça, Gertrude éclate de rire, ce qui a pour effet de mettre Lucille dans une colère noire. La main de cette dernière s'abat brutalement sur sa joue avant même que Gertrude réalise qu'elle s'est levée de sa chaise. Déstabilisée, Gertrude passe à deux cheveux de perdre pied. Témoin de la scène, Joseph accourt à ses côtés et la saisit par le bras.

— Viens t'asseoir, lui dit-il doucement.

C'est à ce moment qu'Adrien fait son entrée. S'il s'attendait à un accueil chaleureux de la part de sa mère, c'est à peine si elle lui jette un regard. Quant à son père, il n'en fait aucun cas. Encore assommée par ce qui vient d'arriver, Gertrude essaie de reprendre ses esprits.

— Voulez-vous bien me dire ce qui se passe ici? s'informe Adrien.

Comme personne ne lui répond, il poursuit:

— Moi qui pensais être en retard pour le déjeuner…

— Aussi bien te le dire, lance Gertrude, ne compte pas sur moi pour te servir aujourd'hui.

— Coudon, as-tu mangé de la vache enragée, toi? la questionne Adrien.

Gertrude ne se donne pas la peine de lui répondre. Elle se lève de la chaise où son père l'avait fait asseoir et elle prend la direction de sa chambre.

— Est-ce que quelqu'un peut m'expliquer ce qui lui arrive? supplie Adrien.

— Ne te mêle pas de ça, lui conseille Joseph, et monte donc manger avec ta femme, pour une fois.

Surpris par l'attitude inhabituelle de son père, Adrien repart comme il est venu sans demander son reste. Joseph s'approche de sa femme aussitôt que son fils a refermé la porte de la maison et lui dit d'un ton autoritaire:

— Ne t'avise plus jamais de lever la main sur Gertrude, parce que tu vas avoir affaire à moi. Après tout ce qu'elle a fait pour toi, tu devrais la traiter aux petits soins, surtout dans l'état où elle est.

— Elle n'a eu que ce qu'elle méritait!

— Si ça allait aux mérites, ça ferait longtemps que tu aurais des bleus partout sur le corps, siffle Joseph entre ses dents.

Gertrude porte sa robe du dimanche lorsqu'elle sort de sa chambre. Elle passe devant sa mère sans lever les yeux.

— Je sors, dit-elle en se dirigeant vers la porte d'en arrière.

— Il n'est pas question que je te laisse partir toute seule dans cet état, lui objecte Joseph. Laisse-moi le temps d'atteler le cheval et je vais t'emmener où tu veux.

— Je vais vous attendre dehors.

— Et qui va faire mon déjeuner?

Devant l'inconscience de sa mère après ce qu'elle vient de faire, Gertrude revient sur ses pas, saisit deux œufs au passage et elle va les porter à Lucille en lui disant:

— Vous pouvez toujours essayer de les manger crus…

Et elle tourne aussitôt les talons.

La voiture des Pelletier sort de la cour quelques minutes plus tard.

— Où veux-tu que je t'emmène?

— Chez ma sœur, répond Gertrude les larmes aux yeux.

Ce sont là les seules paroles que le père et la fille échangent jusqu'à ce que Joseph immobilise sa voiture devant la maison de son autre fille.

— Merci papa, dit Gertrude en descendant.

— À quelle heure veux-tu que je revienne te chercher?

— Ce ne sera pas nécessaire, je vais revenir avec Camil.

* * *

Si Adrien croyait que Marie-Paule allait dérouler le tapis rouge parce qu'il lui faisait l'honneur de venir déjeuner, il s'est mis un doigt dans l'œil jusqu'au coude. Les yeux à moitié ouverts, elle le regarde en se demandant pourquoi il est là d'aussi bonne heure.

— Peux-tu me préparer à manger ? lui demande-t-il.

— Depuis quand viens-tu prendre ton déjeuner ici ? J'aime autant t'avertir d'avance, si tu veux manger des œufs, il faudra d'abord que tu ailles en chercher parce que je n'en ai plus un seul.

— As-tu du gruau ?

Marie-Paule ouvre l'armoire et sort le pot dans lequel elle le met.

— Comme tu peux voir, il en reste à peine pour les enfants. Tout ce que je peux t'offrir, c'est du pain et de la confiture de fraises.

Bien qu'il espérait un meilleur accueil, Adrien décide de s'accommoder de ce que sa femme lui offre. Après celui qu'il a reçu chez ses parents, c'est ça ou bien il devra jeûner.

— Ça ira pour aujourd'hui. Tu n'auras qu'à faire la liste des choses qui te manquent et j'irai les acheter pour toi en allant faire des voyages.

— À la condition que tu me promettes de revenir ce soir, parce que sinon je vais me débrouiller.

L'attitude de Marie-Paule déstabilise Adrien, tellement qu'il cherche un moyen de se racheter pour sa dernière escapade.

— Mais j'y pense, je pourrais t'emmener au magasin si tu préfères, je m'occuperais même des enfants pendant que tu feras tes achats.

Il est si rare qu'Adrien lui fasse une telle offre que Marie-Paule décide d'en profiter.

— On ira après le déjeuner et j'en profiterai pour aller voir ma mère.

— J'irai te chercher avant de venir faire le train.

— C'est parfait pour moi! Combien de tranches veux-tu?

— Trois.

Marie-Paule coupe trois tranches bien épaisses et les met sur une assiette avant de les déposer devant Adrien. Elle va ensuite chercher le pot de confiture de fraises.

— As-tu retrouvé tes bottes? vérifie-t-elle.

— Elles étaient sous le banc.

Mal à l'aise de la tournure que prend la discussion, Adrien se tord nerveusement les doigts au lieu de beurrer son pain, avant de l'enduire de confiture.

— Je suis désolé, laisse-t-il tomber d'une voix sourde.

— Pas autant que moi, répond Marie-Paule.

— Je ne sais pas quoi te dire, ajoute Adrien.

— Alors ne dis rien. Chaque fois que tu reviens d'une de tes cuites, j'essaie de me convaincre que c'était la dernière fois que tu partais sans rien dire. Je n'ai pas l'habitude de me plaindre, mais ça me tue d'être sans nouvelles de toi pendant des jours.

Comme Adrien allait ouvrir la bouche, les cris stridents de Georges mobilisent toute leur attention.

— C'est comme rien, dit Adrien, il va réveiller ses frères.

— Comme à tous les matins. Et il va hurler comme ça tant que je n'aurai pas changé sa couche.

Avant que Marie-Paule entre dans la chambre de son fils, André et Michel font leur entrée dans la cuisine en laissant traîner leurs doudous par terre. Lorsqu'ils aperçoivent leur père, ils se dirigent directement vers lui. Adrien ne fait ni une ni deux, il pousse sa chaise et il les prend.

— Pourquoi Georges crie-t-il toujours aussi fort ? demande André d'une voix ensommeillée.

— Il m'a encore réveillé, se plaint Michel de sa petite voix.

Adrien embrasse ses fils sur la tête et leur sourit.

— Georges ne parle pas comme vous, dit Adrien, alors il pleure quand il veut quelque chose. Là, il voulait que maman change sa couche.

Satisfaits de la réponse de leur père, les deux enfants se collent davantage sur lui.

— Tu as fini ton voyage, papa ? l'interroge subitement André.

Touché en plein cœur par la question de son fils, Adrien lui ébouriffe les cheveux avant de répondre.

— Oui, mon garçon.

— Mais pourquoi pars-tu toujours en voyage ? s'inquiète ensuite Michel.

Cette fois, Adrien est bouche bée. Que pourrait-il bien lui répondre, sinon qu'il est le pire des imbéciles ?

— Pour gagner des sous, répond Marie-Paule en sortant de la chambre avec un Georges souriant dans les bras. Ça vous dirait qu'on aille voir grand-maman Alida ?

Les deux garçons se redressent aussitôt.

— Est-ce qu'on va pouvoir dîner chez elle ? questionne André. Je vais lui demander de me faire des crêpes.

— Mais oui, répond Marie-Paule.

— Tu pourrais même lui apporter une douzaine d'œufs si tu veux, lance Adrien.

— Je vais aller m'habiller, ajoute André en sautant par terre.

— Attends-moi, l'implore Michel.

Adrien regarde sa femme en se disant qu'elle ne mérite pas ce qu'il lui fait subir lorsqu'il disparaît sans l'avertir.

— Tu n'es pas obligée de me protéger, dit-il.

— Que voudrais-tu que je leur dise d'autre, alors que je ne comprends pas moi-même pourquoi tu agis ainsi.

＊

— Vous ne me croirez pas, s'écrie Gertrude en mettant un pied dans la maison, le curé Dionne s'est pendu! C'est le bedeau qui l'a trouvé dans la sacristie.

Bouleversée par ce qu'elle vient d'entendre, Lucille se lève d'un bond.

— Depuis quand les curés se pendent-ils ? s'enquiert-elle. Es-tu bien certaine de ce que tu avances, ma fille ?

— Vous pouvez la croire, la belle-mère, intervient Camil, c'est le bedeau lui-même qui m'en a parlé. La police fait son enquête.

— Je refuse d'y croire, plaide Lucille, il n'arrêtait pas de me dire à quel point il était heureux depuis qu'il avait été nommé curé de la paroisse Saint-Dominique. Il m'en parlait chaque fois que j'allais me confesser.

— Que vous y croyiez ou non, ajoute brusquement Gertrude, il est mort au bout d'une corde. Reste maintenant à savoir pourquoi il a fait ça.

— À moins qu'il n'ait laissé une lettre, renchérit Camil, on a bien peu de chances de connaître la vérité un jour. On en saura sûrement plus demain. La nouvelle s'est répandue comme une traînée de poudre. On ne savait plus où donner de la tête au magasin.

Gertrude enlève son manteau et elle va le ranger. Elle enfile ensuite son tablier et lorsqu'elle voit toute la vaisselle qui traîne dans l'évier, elle voit rouge.

— Vous auriez au moins pu faire votre vaisselle, s'écrie-t-elle à l'adresse de sa mère.

— Ce n'est pas à moi de la faire, répond bêtement Lucille. Veux-tu bien me dire où tu as passé la journée?

— Malheureusement, ça ne vous regarde pas.

Gertrude brasse la vaisselle plus qu'elle ne le devrait, mais c'est ça ou elle va se mettre à hurler des bêtises à sa mère. Elle se met aussitôt en frais de la laver.

— Tu pourrais peut-être commencer par préparer le souper, lance Lucille d'un air suffisant.

— Venez donc m'aider un peu, au lieu de me dire quoi faire, réplique Gertrude. Je peux même vous céder ma place si vous voulez.

— Combien de fois devrai-je te dire de ne pas t'adresser à moi sur ce ton? gronde Lucille.

Gertrude a raconté à Camil ce qui s'était passé entre elle et sa mère. Il lui a assuré qu'il ne laisserait pas faire Lucille, mais entre les paroles et l'action, il y a une marge. Lucille est tellement cinglante quand elle veut que même Camil la craint un peu.

Comme Gertrude ne lui répond pas, Lucille revient à la charge.

— La vaisselle peut attendre, commence par faire le souper.

Cette fois, Camil en a assez entendu. Il prend son courage à deux mains et dit en fixant sa belle-mère dans les yeux :

— Là, c'est assez, explose-t-il. Vous allez laisser ma femme tranquille ou c'est à moi que vous allez avoir affaire.

Surprise du ton utilisé par son gendre, Lucille reste sans mot pendant quelques secondes. Avant qu'elle se risque à ajouter quelque chose, c'est au tour de Joseph d'intervenir.

— Et à moi !

Loin de se laisser intimider par les deux hommes, Lucille se redresse sur sa chaise et les regarde tour à tour en souriant.

— Vous ne me faites pas peur, lance-t-elle d'une voix autoritaire, c'est moi qui dirige ici et personne d'autre.

En entendant les paroles prononcées par sa mère, Gertrude a encore plus hâte de sortir d'ici. Elle aurait des tas de raisons de s'en prendre à Lucille, mais elle n'en fera rien, puisque de toute façon ça ne ferait que provoquer davantage sa colère. Gertrude se dépêche d'essuyer la vaisselle et aussitôt qu'elle range la dernière tasse, elle dit :

— Vu l'heure qu'il est, je propose qu'on mange des crêpes.

— Fais des crêpes soufflées, ordonne Lucille.

Même si c'était son premier choix et que ce serait beaucoup moins d'ouvrage pour elle que de rester planté à côté du poêle jusqu'à ce que tout le monde soit rassasié, Gertrude refuse de laisser gagner sa mère.

— Pas ce soir.

Lucille rougit jusqu'à la racine des cheveux, mais pour une fois, elle se contente de respirer bruyamment et elle se berce avec une telle détermination que les châteaux de la chaise se mettent à grincer au point qu'on n'entend plus qu'eux.

Chapitre 10

Depuis la visite d'Anna, Lucille revient à la charge auprès de Joseph chaque soir après le chapelet pour qu'il fasse installer l'électricité. Ce dernier est pas mal plus coriace qu'elle ne l'aurait cru, mais elle ne désespère pas pour autant. Elle veut à tout prix qu'ils aient le courant avant Anna et elle l'aura, peu importe ce que ça lui coûtera d'efforts.

— Vas-tu finir par arrêter de me casser les oreilles avec ton électricité ? l'intime Joseph. On est bien comme on est là !

— Tu sais ce que tu as à faire si tu veux que j'arrête, réplique Lucille.

Joseph pousse un long soupir. Lorsque Lucille part en guerre contre lui, elle finit toujours par l'avoir à l'usure. Il tire rageusement sur sa pipe. Non seulement il est à bout d'arguments, mais il commence à en avoir plus qu'assez.

En désespoir de cause, Lucille sort sa dernière carte.

— Tu ne voudrais quand même pas que Charles-Étienne l'ait avant nous, ajoute Lucille d'une voix forte, il a les reins beaucoup moins solides que nous à ce que je sache.

Joseph pouffe de rire en entendant ça.

— Il me semblait aussi… s'exclame-t-il entre deux hoquets. J'aurais dû y penser, plutôt mourir que d'avoir le courant après Anna. Et dire que j'étais sur le point de céder.

Il n'en faut pas plus pour que le visage de Lucille se vide de son sang, tellement que Gertrude accourt à ses côtés.

— Respirez la mère, l'intime-t-elle en lui tapant dans le dos.

Évidemment, Lucille la rabroue.

— Laisse-moi tranquille, tu me fais mal.

Gertrude retourne s'asseoir sans demander son reste. Elle se jure de réfléchir à deux fois avant de se jeter dans la gueule du loup comme elle vient de le faire. Gertrude reprend la taie d'oreiller qu'elle est en train de broder et elle s'empresse de piquer son aiguille dans le tissu.

Resté en dehors de cette histoire depuis le jour où Lucille est partie en guerre contre Joseph, Camil décide que c'est ce soir que la paix va revenir dans la maison des Pelletier.

— Je ne voudrais pas me mêler de ce qui ne me regarde pas, dit Camil, mais faire installer l'électricité ne coûte pas si cher que ça.

Lucille se redresse aussitôt sur sa chaise pour ne pas perdre un mot. Quant à Joseph, il fait le mort derrière le nuage de fumée qui flotte autour de lui.

— Au cas où ça vous intéresserait, il faut signer un contrat de 12 mois. Le taux minimal est de 0,50 $ et le loyer du compteur est de 0,25 $. Le tarif pour une lampe de 16 chandelles est de 6 $ par année et ainsi de suite. En tout cas, tous ceux qui l'ont fait installer sont enchantés. Tous prétendent que ça a changé leur vie.

— Je te l'avais dit, aussi, d'aller t'informer, ne peut s'empêcher d'ajouter Lucille.

Même si Gertrude ne tirera aucun avantage que ses parents passent à l'électricité, puisqu'elle va s'en aller bientôt, elle décide de se ranger du côté de sa mère pour une fois.

— Vous devriez y penser papa, dit-elle gentiment.

— Tu connais ta mère aussi bien que moi, riposte Joseph, après elle va vouloir une glacière électrique, un poêle…

— Je comprends tout ça, ajoute Gertrude, mais il faut bien être de son temps.

— Et de toute façon, renchérit Camil, la Ville va finir par exiger que toutes les maisons soient électrifiées.

— As-tu compris ce que ton gendre vient de dire? demande Lucille. On n'attendra quand même pas d'être forcés, on est plus fiers que ça. Tu n'auras qu'à aider un peu moins Arté et Adrien…

Devant le silence de son mari, Lucille finit par arrêter de parler. Tout porte à croire qu'ils ne connaîtront pas la fin de l'histoire avant d'aller dormir.

Camil se dit que c'est le moment parfait pour que Gertrude et lui leur annoncent leur nouvelle. Camil jette un coup d'œil à sa femme qui a tôt fait de hocher la tête en guise d'acquiescement.

— Aussi bien vous le dire avant que vous le sachiez par les autres, dit Camil, je passe chez le notaire demain.

L'effet est instantané. Lucille se redresse sur sa chaise et Joseph dépose sa pipe sur le bord de la fenêtre.

— J'achète un terrain en ville pour construire notre maison, poursuit fièrement Camil. Si tout va comme je l'espère, on sera dedans l'automne prochain.

— Allez-vous avoir l'électricité? s'informe Lucille avec une pointe de jalousie dans la voix.

— Oui, répond Camil.

— As-tu entendu ça, Joseph? s'écrie Lucille. Tiens-toi-le pour dit, parce que c'est hors de question que Gertrude l'ait avant nous!

Fier de son coup, Camil tend la main à Gertrude et ils sortent de la maison aussi vite qu'ils peuvent. Comme il pleut à boire debout, ils figent sur la galerie.

— Allons dans le hangar, suggère Camil.

Malgré la courte distance qui sépare la maison du hangar, ils sont trempés jusqu'aux os lorsqu'ils referment la porte derrière eux.

— Pauvre papa, dit Gertrude en s'essorant les cheveux, j'espère qu'il ne m'en voudra pas d'avoir pris le parti de la mère.

— Ne t'inquiète pas pour ça, dit Camil, il l'a dit lui-même qu'il était sur le point de céder.

— Je n'en reviens pas, la mère n'a même pas sourcillé quand tu as dit qu'on allait partir. D'après moi, elle n'a pas réalisé tout ce que ça va impliquer pour elle.

— Elle ne pouvait pas, parce que la seule chose qui l'intéresse c'est d'avoir l'électricité avant sa cousine Anna.

— Et avant moi ! ajoute Gertrude.

— En tout cas, je peux te dire que je suis content que la glace soit cassée.

— Moi aussi, mais j'aime autant ne pas imaginer ce qui m'attend avec elle parce qu'elle va finir par revenir à la charge tôt ou tard. On devrait monter au grenier, il va faire plus chaud.

* * *

Voilà déjà plus de deux heures que Gertrude et Lucille sont seules, et cette dernière n'a pas encore dit un mot sur l'annonce que leur a faite Camil la veille. Gertrude choisit de profiter de cette accalmie avant que la tempête n'éclate, parce qu'elle sait que c'est inévitable. Sa mère va lui tomber dessus au moment où elle s'y attendra le moins. Au déjeuner, Joseph a annoncé officiellement à Adrien qu'il allait faire installer l'électricité. Si Joseph sait que les demandes vont affluer du côté de Lucille, il en a pris pour son rhume lorsque son fils lui a déballé la liste de tout ce que l'arrivée de l'électricité signifiait pour lui, à la maison comme dans les bâtiments. Joseph l'a écouté sans l'interrompre.

— Es-tu certain que tu n'as rien oublié ? lui a-t-il demandé d'un ton moqueur.

— Oui, a répondu Adrien en haussant les épaules.

— À toi de m'écouter maintenant. Si je fais installer l'électricité, c'est uniquement pour que ta mère arrête de m'achaler avec ça. Si tu veux avoir tout ce que tu viens d'énumérer, eh bien, tu devras payer de ta poche, parce que cette fois ce ne sera pas moi qui allongerai les billets.

Et Joseph est sorti de la maison sans finir son assiette.

— Voulez-vous bien me dire quelle mouche a piqué le père, aujourd'hui ?

Mais ni Lucille ni Gertrude ne se sont donné la peine de l'éclairer sur la réaction inhabituelle de Joseph.

Gertrude remplit son panier de linge mouillé en pensant qu'avec le soleil qu'il fait, il va sécher dans le temps de le dire. Alors qu'elle s'apprête à le saisir, elle entend arriver une voiture, puis une deuxième. Elle s'essuie les mains sur son tablier et elle sort sur la galerie. Elle ne s'est pas trompée, Marcella descend de la première alors que le colporteur descend de la deuxième. Gertrude est contente de voir sa grande sœur.

— Ça tombe bien, s'écrie Gertrude, je voulais justement aller te voir.

Le colporteur s'avance jusqu'à elles avant que Marcella n'ait le temps de répondre et les salue en enlevant son chapeau de sa main libre :

— Bonjour mesdames ! J'ai un tas de choses pour vous dans ma valise.

Depuis le temps que l'homme vient lui offrir ses produits, c'est la première fois que Gertrude a de l'argent pour en acheter. Ça fait des mois qu'elle met de côté les quelques sous que Mérée lui donne quand elle va l'aider à son épicerie. Et pas plus tard qu'hier soir, Camil lui a dit qu'il avait laissé de l'argent dans une enveloppe sur son bureau pour qu'elle commence à acheter ce qu'il faudra pour leur maison.

— Il fait tellement beau qu'on devrait s'installer sur la galerie, lance Gertrude en faisant un clin d'œil à Marcella.

Le fait de rester dehors ne garantit en rien que Lucille ne se pointera pas, mais Gertrude va se sentir plus à l'aise d'acheter si elle n'est pas dans la maison.

— Comme vous voulez, madame.

— Je vais en profiter pour aller saluer la mère, dit Marcella.

— Ne la réveille surtout pas si elle dort et ne lui parle pas non plus de moi ! la met en garde Gertrude.

— Par quoi aimeriez-vous qu'on commence ? s'informe le colporteur d'un ton joyeux en ouvrant sa valise.

— Montrez-moi tout ce que ça prend dans une cuisine.

Gertrude a un amoncellement d'articles de cuisine devant elle lorsque Marcella revient. Marcella sourit en voyant ça.

— Maintenant, dit Gertrude au colporteur, dites-moi combien je vous dois.

Gertrude fait un aller-retour dans sa chambre, paie le colporteur et lui souhaite une bonne journée.

— Allons marcher, dit Marcella.

— Laisse-moi juste le temps de mettre mon sac dans la dépense.

Même s'il a plu la veille, la terre est aussi sèche qu'en plein mois de juillet, ce qui encourage les deux sœurs à aller marcher sur le rang. Ce n'est qu'à ce moment que Gertrude remarque que Marcella n'est pas dans son assiette.

— Qu'est-ce qui se passe avec toi? lui demande-t-elle aussitôt.

Marcella commence par soupirer. Après tout, elle n'est pas venue ici pour se plaindre. Mais c'est bien mal connaître Gertrude que de penser qu'elle va s'en tirer aussi facilement.

— Plus vite tu vas parler, ajoute Gertrude, mieux tu vas te sentir. Alors?

— Je suis presque sûre que Léandre voit une autre femme.

— Qu'est-ce qui te fait dire ça?

— Rien et tout. Il est plus joyeux que d'habitude. Ses chemises sont chiffonnées quand il les enlève… et elles sentent le parfum. Et il a vendu deux fois plus de manteaux dans le dernier mois que l'année passée à la même date.

Les arguments que Marcella vient d'énumérer n'ont aucun poids pour Gertrude.

— Est-ce qu'il fait son devoir conjugal? s'entend-elle demander en rougissant.

— Encore plus souvent et mieux qu'avant.

C'est la première fois que Gertrude est confrontée à l'adultère d'aussi près, pour autant que ce soit le cas. Elle en veut de toutes ses forces à son beau-frère si ce que croit Marcella est vrai. Elle s'en veut aussi à elle d'avoir baissé sa garde avec lui. Et puis, elle ignore totalement quoi faire ou même quoi dire dans un tel cas.

— Es-tu bien certaine de ce que tu avances ?

— Il n'y a pas cinquante raisons pour rendre un homme aussi heureux ?

Devant l'assurance de sa sœur, Gertrude finit par croire qu'elle a raison.

— Je suis désolée pour toi, dit-elle.

— Ce n'est pas la fin du monde, tu sais.

— Tu n'as pas besoin de me mentir à moi, je te connais assez pour savoir que ça te fait du mal. Moi, je pense que je lui arracherais les yeux, si Camil me faisait le coup.

— Ma pauvre Gertrude, nous vivons dans un monde où l'homme a tous les droits. Tant que les enfants et moi ne manquons de rien, je n'ai aucune raison de me plaindre. Et je ne suis certainement pas la seule dans mon cas.

— Alors tu veux dire que tu ne lui en parleras même pas ?

Marcella arrête de marcher. Elle se tourne vers sa sœur et lui dit en haussant les épaules :

— Qu'est-ce que tu voudrais que je lui dise ? Qu'il a l'air trop heureux ? Que ses chemises sont trop froissées et que je trouve qu'elles sentent le parfum ? Ou qu'il vend trop de manteaux ? Je n'ai pas envie de faire rire de moi. Le mieux, c'est que je fasse comme si de rien n'était.

— Je pourrais demander à Camil de sonder le terrain la prochaine fois qu'il verra Léandre.

— J'aimerais mieux que tu ne lui en parles pas. De toute façon, je n'aurais pas dû t'embêter avec mes histoires. Oublie tout ce que je viens de te dire et raconte-moi plutôt ce qui a fait changer papa d'idée.

Décidément, Gertrude ne comprend pas sa sœur. Alors qu'elle est persuadée que son mari la trompe, voilà qu'elle choisit de souffrir en silence. Bien qu'elle ait toujours eu beaucoup d'admiration pour Marcella, on ne peut pas dire qu'il en est de même aujourd'hui.

Devant l'attitude défaitiste de sa sœur, Gertrude lui raconte ce qui s'est passé la veille.

— Pauvre papa, dit Marcella, il a dû se sentir trahi par toi.

— Ne me dis pas ça, l'intime aussitôt Gertrude. Tu sais bien que je l'aime bien trop pour lui faire du mal.

— Mets-toi à sa place une minute…

Il n'en faut pas plus pour que Gertrude ait un nœud dans la gorge.

— Je lui en parlerai tout à l'heure.

— Mais tu n'as pas peur que maman te tombe dessus parce que tu veux partir ?

— Je ne me fais aucune illusion, c'est certain qu'elle va le faire, mais je ne lui ouvrirai certainement pas la porte. Peu importe ce qu'elle pense ou ce qu'elle va pouvoir inventer pour me forcer à rester, je vais partir.

— J'admire ta force de caractère, confie Marcella.

Gertrude est flattée du compliment, mais elle ne juge pas bon d'ajouter quoi que ce soit. Quand on est prisonnière depuis aussi longtemps et qu'on a enfin la chance de s'évader, ce n'est pas le temps de se laisser envahir par de vieilles peurs. Elle sait que son départ va bouleverser la vie de ses parents, mais si elle commence à y penser, aussi bien abandonner l'idée de s'en aller tout de suite. Nul doute non plus que ses frères vont tenter de l'influencer, mais elle ne cédera pas ni à eux ni à personne d'ailleurs.

— Comment vont-ils s'organiser quand tu ne seras plus là ?

— Je n'en sais rien. Ils n'auront qu'à engager une bonne ou à héberger une cousine éloignée sans le sou… Que veux-tu que je te dise ? Je ne suis quand même pas pour attendre que la mère meure pour partir. Et n'essaie pas de me faire sentir coupable, parce que ça ne marchera pas. Tu sais aussi bien que moi que je leur ai donné tout ce que je pouvais et même plus.

— Jamais je ne ferais ça ! confirme Marcella en serrant le bras de Gertrude.

Les deux sœurs marchent en silence pendant quelques minutes.

— Et ton bébé ?

— Il bouge de plus en plus, répond Gertrude. J'aurais au moins une douzaine d'enfants si je n'étais pas si vieille.

— Attends qu'il ait un an et tu m'en reparleras !

Au moment où les deux sœurs entrent dans la cour, Gertrude aperçoit un homme qui court avec une poule dans chaque main. Elle oublie aussitôt son état et elle se met à courir pour s'arrêter dix pieds plus loin. Pliée en deux, elle crie comme une perdue à Marcella :

— Saute dans ta voiture et cours-lui après, il vient de voler deux de nos poules.

Marcella n'attend pas son reste et saute dans sa voiture. Aussitôt assise, elle lance son cheval à la poursuite du voleur. Gertrude reprend difficilement son souffle, elle a un point dans le bas du ventre qui l'empêche de se relever. Témoin de la scène, Marie-Laure lâche le drap qu'elle était en train d'étendre et va la rejoindre en courant.

— Ne forcez pas, dit-elle à Gertrude en la prenant par le bras, je vais vous aider à vous relever.

Gertrude écoute sa belle-sœur à la lettre. Au moment où elle se retrouve en position debout, Marcella arrête son cheval à sa hauteur et s'écrie :

— Tu ne devineras jamais qui est ton voleur ! C'est le bonhomme Demers.

— Es-tu bien certaine de ça ? demande Gertrude.

— Totalement ! Je lui ai barré le chemin et il a laissé tomber les deux poules qu'il venait de vous voler. D'après ce que j'ai compris, ce n'était pas la première fois qu'il en volait. J'ai toujours pensé qu'il lui manquait un bardeau, maintenant j'en suis sûre. Il m'a dit qu'il venait s'en prendre chaque fois qu'il avait envie de manger du poulet.

— Le vieux sacripant, je vais aller déposer une plainte contre lui demain.

— Pauvre vieux ! s'exclame Marie-Laure, vous n'allez quand même pas le poursuivre. Il n'avait peut-être rien à manger.

— Rassurez-vous ! Depuis le temps qu'on le connaît, répond Gertrude, je peux vous dire que ce n'est pas parce qu'il est pauvre, au contraire. En passant, je vous remercie Marie-Laure. Sans vous, je ne sais pas ce qui me serait arrivé

— Ce n'est pas la peine de me remercier. Promettez-moi seulement de ne plus vous mettre à courir comme vous venez de le faire, si vous voulez accoucher à votre temps. Je vous laisse, je dois retourner à mes draps.

À peine Marie-Laure a-t-elle tourné les talons que Lucille vient aux nouvelles. Marcella lui explique en long et en large ce qui vient de se passer. Le sourire aux lèvres, Lucille dit :

— Depuis le temps qu'il se croit au-dessus de tout le monde, c'est bien bon pour lui, le maudit bonhomme Demers.

— Il me semblait que vous l'aimiez, lance Gertrude.

— Ouais ! renchérit Marcella. Qu'est-ce qu'il vous a fait pour que vous le preniez en grippe comme ça ?

— Rien de spécial, répond Lucille, c'est juste que je ne l'ai jamais aimé, avec sa petite face de rat.

Gertrude et Marcella se regardent et pouffent de rire. Leur mère n'a pas son pareil pour changer d'avis sur les gens. Chaque fois qu'elles en sont témoins, l'image du roseau qui plie selon le sens du vent leur apparaît et ça leur donne le fou rire.

— Je n'ai pourtant rien dit de drôle, dit Lucille d'un ton offusqué.

L'intervention de Lucille a pour effet de les faire rire encore plus, voilà maintenant qu'elles se tiennent les côtes à deux mains.

— Voulez-vous bien arrêter de rire comme des folles ? ordonne Lucille.

De grosses larmes coulent maintenant sur leurs joues. Plus ses filles rient, plus Lucille perd patience.

— Je t'en prie, arrête de rire, je n'en peux plus, implore Gertrude entre deux hoquets.

Marcella fait de gros efforts pour se ressaisir, mais elle repart de plus belle aussitôt calmée, ce qui n'aide pas beaucoup Gertrude. La pauvre se traîne comme elle peut jusqu'à la galerie, s'assoit sur la première marche et essaie de reprendre son souffle tant bien que mal. Lorsqu'elle y parvient enfin, elle s'essuie les yeux et elle met la main sur son ventre où son bébé s'en donne à cœur joie. Un coup de pied par-ci, un coup de pied par-là, elle a de la misère à le suivre tellement il bouge.

— Viens vite ! s'écrie Gertrude.

Dès que Marcella la rejoint, Gertrude lui dit de mettre la main sur son ventre.

— C'est un vigoureux, ce bébé ! lance Marcella.

— Comme sa grand-mère maternelle, s'exclame Lucille.

Et les deux sœurs recommencent à rire de plus belle. Lucille est tellement fâchée qu'elle monte sur la galerie et rentre aussitôt dans la maison en prenant soin de claquer la porte de toutes ses forces.

Chapitre 11

— Gisèle? s'écrie Marie-Paule en ouvrant la porte. Entre vite, on gèle!

— Encore plus que tu penses! confirme Gisèle en se dépêchant de refermer la porte.

En entendant la voix de leur tante, les garçons abandonnent aussitôt leur jeu et ils viennent se jeter dans ses bras. Elle les embrasse dans le cou, ce qui les fait bien rire.

— Tu es froide! lance André en grelottant.

— Comme un glaçon, répond Gisèle, mais j'ai peut-être quelque chose dans ma poche pour vous réchauffer.

Gisèle sort un sachet de poudre brune et le brandit devant elle.

— Devinez ce que je vous ai apporté? De la poudre pour faire du chocolat chaud.

La seconde d'après, les deux garçons se pendent aux jupes de leur mère pour qu'elle fasse chauffer du lait.

— Allez jouer, leur dit-elle, je m'en occupe dans une minute.

Marie-Paule prend le manteau de sa sœur et elle va le porter sur son lit.

— Prendrais-tu un café? lui demande-t-elle en revenant dans la cuisine.

— Je vais prendre la même chose que les gars. Et toi?

— Tu sais bien que je déteste le chocolat, je vais me faire un bon café.

— Je ne comprends pas comment quelqu'un peut détester le chocolat, c'est tellement bon !

Il est si rare que Gisèle vienne lui rendre visite que Marie-Paule ne doute pas une seconde qu'elle avait une bonne raison pour braver le froid comme elle vient de le faire. Vu qu'elles n'ont pas l'habitude de passer par quatre chemins dans leur famille, Marie-Paule lui lance pendant qu'elle met du lait à chauffer :

— Dis-moi donc ce qui se passe.

— C'est maman qui m'inquiète.

Marie-Paule fronce aussitôt les sourcils. Alors qu'elle croyait qu'elle était proche de sa mère, les paroles de Gisèle viennent de lui prouver qu'elle ne l'est peut-être pas autant qu'elle le pense.

— Mais je la vois à toutes les semaines et elle ne m'a rien dit.

— Tu la connais aussi bien que moi, maman ne se plaint jamais. Ça fait plusieurs fois que je rentre plus tôt et que je la trouve en larmes, ce qui ne lui ressemble pas du tout.

— Sais-tu pourquoi elle pleure ?

— À force de lui tirer les vers du nez, elle a fini par m'avouer hier qu'elle n'arrive pas à oublier Ghislain.

— Pour tout te dire, lui confie Marie-Paule, moi non plus, mais revenons à maman. Qu'est-ce que tu attends de moi ?

Gisèle hausse les épaules. Même si elle partage sa vie avec leur mère, elle n'est pas celle de qui Alida est la plus proche. Il y a longtemps que Gisèle a compris que même si on vit dans la même maison que quelqu'un, ça ne garantit rien. Gisèle sait qu'elle n'a pas toujours facilité leur rapprochement, et elle ne le fait toujours pas d'ailleurs, mais voir souffrir leur mère l'affecte plus qu'elle le voudrait.

— Comment veux-tu que je le sache ? Tu pourrais peut-être lui en parler, ou l'inviter plus souvent… je ne sais pas, moi.

— Je n'arrête pas de lui répéter qu'elle peut venir quand elle veut, mais…

— Ton lait ! s'écrie Gisèle.

— Ouf ! On peut dire que je l'ai échappé belle, dit Marie-Paule en retirant la casserole du feu illico.

Elle verse le lait sur la poudre dans les trois tasses et brasse le tout. Elle ajoute ensuite un peu de lait froid dans celles de ses fils et elle va les porter sur la table.

— Venez vous asseoir à la table, les garçons, dit-elle, et faites très attention pour ne pas vous brûler.

Elle donne la dernière tasse à Gisèle et s'appuie sur le comptoir.

— Je vais parler à maman, dit Marie-Paule. J'y pense, elle pourrait peut-être aller faire un tour chez Charlotte.

— Si tu peux la convaincre, réplique Gisèle, je suis même prête à payer quelqu'un pour la conduire à Chicoutimi.

— Tant qu'à payer, tu pourras demander à Adrien, si tu veux.

— Pourquoi pas ? Parlant de lui, il paraît qu'il en a viré toute une dernièrement, enfin c'est ce que j'ai entendu dire au magasin.

Marie-Paule déteste quand Gisèle se permet de parler des frasques d'Adrien. Elle déteste encore plus lorsqu'elle ramène les ragots qu'elle entend au magasin général. Marie-Paule la regarde dans les yeux et lui dit :

— Pour moi, elles se ressemblent toutes. Je suis morte d'inquiétude chaque fois qu'il disparaît.

— Je ne sais pas comment tu fais pour endurer ça…

— Mon possible, juste mon possible.

Étant donné qu'elle n'a pas envie de prolonger la discussion sur le cas d'Adrien, Marie-Paule se dépêche de changer de sujet.

— As-tu vu Léonciade dernièrement?

— Je ne l'ai vue qu'une fois au magasin depuis la mort de Ghislain et j'étais tellement occupée que je n'ai pas pu lui parler. Son voisin m'a dit qu'elle avait recommencé à coudre pour les autres. Il paraît aussi qu'elle a retiré Bernard de l'école pour l'envoyer aux chantiers.

— Mais il est gros comme un pou, c'est comme rien qu'il va casser au froid, le pauvre garçon. Je vais demander à Adrien d'aller lui porter quelques pots et de la viande, pour une fois.

Tomber veuve avec une ribambelle d'enfants était loin d'être simple du temps d'Alida, mais en temps de guerre, c'est encore pire. Les emplois sont de plus en plus rares et l'argent aussi, par le fait même. Comme tout le monde tire le diable par la queue, l'entraide est quasi inexistante, à tout le moins en ville.

— Je suis certaine qu'elle l'apprécierait, confirme Gisèle. Je voudrais bien l'aider, mais je ne peux pas. J'ai parlé à André la dernière fois qu'il est venu voir maman, mais il m'a dit que la belle-sœur n'avait qu'à se remarier. Il pète plus haut que le trou depuis qu'il est devenu petit boss chez Price.

— Entre toi et moi, il a toujours pensé qu'il était meilleur que les autres, et Alice n'est pas mieux que lui.

— On peut dire qu'ils font une belle paire! Bon, il faut que j'y aille.

* * *

Ça fait des semaines que Gertrude travaille d'arrache-pied pour que tout soit prêt pour Noël. Elle est tellement grosse qu'elle est obligée de s'asseoir chaque fois qu'elle le peut, surtout pour cuisiner. De sa chaise berçante, Lucille la regarde faire sans lever le petit doigt. Madame commande autant qu'elle peut sans se préoccuper aucunement de l'état de Gertrude. Quand arrive le moment de souper, c'est tout juste si Gertrude ne tombe pas endormie dans son assiette. Depuis deux semaines, Camil lui donne un coup de main à la vaisselle, ce qui lui a déjà valu plusieurs moqueries de la part de Lucille. À ce jour, il n'a rien dit à la demande de Gertrude, mais s'il n'en tenait qu'à lui, il y a longtemps qu'il l'aurait remise à sa place. Ça ne fait pas encore un an qu'il habite chez les Pelletier et il a de plus en plus de mal à supporter sa belle-mère. Il demande souvent à sa femme comment elle fait, mais à ce jour il n'a eu droit qu'à des haussements d'épaules pour seule réponse.

Alors que Gertrude vient de s'assoupir sur sa chaise berçante, Lucille veille au grain. Aussitôt qu'elle voit que sa fille dort, elle crie comme une perdue :

— Réveille-toi paresseuse, ça bout.

Étant donné que Gertrude ne réagit pas dans la seconde, elle reprend de plus belle :

— Dépêche-toi de t'occuper de tes affaires avant que ça déborde.

Réveillée en sursaut, Gertrude se frotte les yeux et va vite au poêle.

— Mais il n'y a rien qui bout.

— J'ai dû me tromper, répond Lucille avec un petit sourire en coin.

— Vous auriez pu vous lever, plutôt que de me réveiller.

— Ce n'est pas mon travail.

— Pas besoin de me le dire, réplique Gertrude d'un ton rempli d'impatience, je suis au courant de tout ça depuis longtemps.

— Tu vois bien que tu ne peux pas partir, je ne suis bonne à rien sans toi.

Heureusement que Gertrude lui fait dos, parce que Lucille verrait à quel point sa fille est fatiguée de tous ses enfantillages. Sa mère ne lui a pas encore fait de crise comme elle le craignait, mais elle n'arrête pas de revenir à la charge, ce qui, à la fin, est encore pire. Gertrude n'en peut plus. Elle respire à fond, prend son courage à deux mains, se retourne et lui dit en mettant les mains sur ses hanches arrondies à souhait :

— Ménagez votre salive, la mère, il est trop tard pour les compliments. Peu importe ce que vous allez dire ou faire, vous n'arriverez pas à me faire changer d'idée. Camil et moi allons déménager l'automne prochain, un point c'est tout. Je suis même prête à vous le répéter à tous les jours si vous voulez.

Lucille jette un regard noir à sa fille avant de se mettre à hurler de toutes ses forces :

— Ça bout !

Gertrude pousse la casserole au fond et se met en frais de brasser le tout avec sa cuillère de bois avant de l'avancer un peu. Un silence de mort règne dans la maison jusqu'à ce qu'Arté fasse son entrée avec trois lièvres gelés comme une barre retenus ensemble par une ficelle.

— Les veux-tu ? lui demande son frère.

S'il n'en tenait qu'à elle, Gertrude ne poserait même pas son regard sur eux et elle dirait à Arté de les rapporter. Mais comme son père adore le lièvre, elle va les prendre. Devant son silence prolongé, Lucille dit :

— Mets-les dans l'évier, Gertrude va s'en occuper.

Arté observe sa sœur et il la trouve bien pâle tout à coup.

— Je peux les arranger si tu veux, lui offre-t-il en lui souriant, et je les mettrai dans le coffre dehors.

— Ne t'occupe pas de ça, s'écrie Lucille, Gertrude est capable de le faire.

— Avec tout le respect que je vous dois, la mère, c'est à ma sœur que je parle.

Les mains à plat sur le comptoir, Gertrude se redresse et dit :

— Et moi je pourrais te faire des brioches en échange, si tu veux.

— Laisse faire les brioches, disons que ce sera mon cadeau de Noël.

— Merci, ajoute Gertrude en lui souriant.

De ses cinq frères, Arté est de loin le préféré de Gertrude. Au fond, on devrait plutôt dire que c'est le seul qui prend soin d'elle. Ils ne se parlent pas souvent même si Arté habite à côté, mais Gertrude sait qu'elle peut compter sur lui au besoin.

Arté dépose les lièvres dans l'évier le temps d'aller embrasser sa sœur sur la joue.

— Tu devrais aller t'asseoir un peu, lui dit-il, tu es toute pâle. Je vais demander à Marie-Laure de venir te voir.

Pendant qu'Arté reprend ses lièvres, les yeux de Gertrude s'embuent au point qu'elle n'arrive plus à voir. Elle s'essuie avec le coin de son tablier, reprend sa cuillère de bois et se remet à brasser son ragoût au lieu d'aller s'asseoir. À peine Arté a-t-il refermé la porte que Lucille reprend du service :

— Depuis quand tu n'es plus capable d'arranger des lièvres ?

Au lieu de répondre, Gertrude se met à brasser avec plus d'ardeur, ce qui ne fait pas l'affaire de Lucille.

— Fais attention, s'écrie-t-elle, tu en mets partout.

Cette fois, c'en est trop. Gertrude dépose sa cuillère, enlève son tablier et s'en va dans sa chambre sans demander son reste.

— Hey! Reviens t'occuper de tes chaudrons au plus vite.

Mais Gertrude fait la sourde oreille. Quand sa mère agit ainsi, elle lui donne un peu plus de force pour partir. Épuisée alors que l'avant-midi n'est pas encore fini, Gertrude s'allonge sur son lit et s'endort aussitôt.

***

Lorsque Camil revient de travailler, il ne manque pas de remarquer que sa femme a bien meilleure mine que d'habitude.

— J'espère, se plaint Lucille, elle a passé la journée à dormir. J'ai même été obligée de m'occuper du ragoût. Résultat, c'est moi qui suis pâle comme une vesse de carême maintenant.

Camil penche la tête de côté et regarde sa belle-mère.

— Moi, je dis que vous pourriez travailler encore plusieurs jours avant de perdre vos couleurs.

— Tu n'as pas besoin de t'inquiéter pour elle, riposte Joseph, elle va arrêter bien avant. Je la connais, ma Lucille, elle aurait été parfaite dans le rôle d'une reine. Elle commande et ses sujets obéissent.

— Sauf que son règne achève, précise Camil. Mais il faut que je vous dise quelque chose avant de l'oublier. Imaginez-vous que le curé de Roberval a lui aussi été trouvé pendu hier soir dans sa sacristie.

Tous les regards se tournent vers lui.

— Et je suppose que la police dit que c'est un suicide, allègue Lucille qui pâlit à vue d'œil.

— On ne sait pas encore, mais il paraît qu'il s'est enlevé la vie exactement de la même manière que le curé de Saint-Dominique… quand même bizarre, non? Cette fois, la police pense qu'il s'agit d'un meurtre.

— Je vous l'avais dit que le curé de Saint-Dominique ne s'était pas suicidé, clame Lucille, mais vous ne m'écoutez jamais. Ce n'est pas difficile à comprendre, il y a un meurtrier qui court et il en veut aux prêtres.

Quelques secondes suffisent pour que Lucille perde toute couleur sur son visage. Elle est tellement pâle que Gertrude s'approche d'elle et lui demande si ça va.

— Ça ne va pas du tout. Il faut que vous m'ameniez à Saint-Irénée au plus vite, je ne peux pas laisser mon Adjutor tout seul. Si jamais le meurtrier veut s'en prendre à lui, eh bien, il va avoir affaire à moi.

Tous la regardent sans saisir pourquoi elle veut partir.

— Mais maman, risque Gertrude, c'est Noël dans une semaine.

— Et après? Je vais faire ma valise et demain je demanderai à Adrien de me conduire. Plus vite j'y serai, mieux ce sera pour mon Adjutor. Je n'ai aucune envie de le trouver pendu au bout d'une corde à cause d'un malade.

Revenu du bois la veille, Joseph observe la scène et se retient d'éclater de rire. Cette fois, Lucille dépasse les limites, cependant ce n'est certainement pas lui qui va l'empêcher d'aller embêter Adjutor, pas cette fois. Il se voit déjà passer les Fêtes sans Lucille et ça le rend heureux.

— Whoa! Whoa! clame Camil en relevant la main droite. Avant de mobiliser Adrien, laissez-moi vérifier au magasin demain matin. Je suis certain que je peux vous trouver quelqu'un qui passe par là. Il viendra même vous chercher ici.

Gertrude n'en revient tout simplement pas. À l'annonce du soi-disant meurtre du curé de Roberval, sa mère est prête à les abandonner pour aller secourir Adjutor alors qu'il ne court aucun danger. Gertrude doit le reconnaître, cette fois Lucille bat tous les records.

— Je compte sur toi, confirme Lucille à son gendre.

Et elle se tourne aussitôt vers Gertrude.

— Sors ma valise et mets-la sur mon lit.

Gertrude se gratte le front et s'exécute sans rien dire. Elle revient ensuite à ses chaudrons et commence à rêver du moment où sa mère va monter dans la voiture qui l'emmènera jusque chez Adjutor. Elle voudrait bien voir sa tête quand leur mère arrivera avec armes et bagages pour le défendre, lui, l'enfant chéri.

— Il faudra me remplir une boîte de victuailles pour Adjutor, crie Lucille d'une voix forte.

En voyant l'air de sa femme, Camil décide de prendre les choses en main :

— Attendez d'abord de voir s'il y aura de la place dans la voiture.

— Tant qu'à ça, réagit Lucille, tu as bien raison.

Il est à peine dix heures lorsqu'une voiture passe chercher Lucille. À la demande de Camil, l'homme lui a dit qu'il a de la place seulement pour sa valise. Lucille remonte le col de son manteau de fourrure autant qu'elle peut et cale son chapeau sur ses oreilles avant de sortir sans un mot pour Gertrude ni pour Joseph.

En même temps que la voiture sort de la cour, Joseph tire un bon coup sur sa pipe et dit :

— Je ne sais pas pour toi, mais moi ça va me faire le plus grand bien, de ne pas l'entendre piailler pendant quelques jours.

— Et moi donc, ajoute Gertrude, mais je plains Adjutor de tout mon cœur.

— Chacun son tour. Ça te dirait qu'on prenne un petit verre pour fêter ça ?

— Deux même !

Chapitre 12

Joseph demande à Gertrude de lui jouer quelques morceaux au piano aussitôt qu'elle range son tablier après le souper, et il en est ainsi depuis le jour du départ de Lucille. Il prend même la peine d'aller s'asseoir au salon pour mieux l'entendre. Il arrive que Camil les rejoigne, mais la plupart du temps il en profite pour lire un peu. Il faut dire que l'atmosphère de la maison a changé complètement depuis qu'ils ne sont que tous les trois. Il règne ici une sensation de légèreté dont chacun profite au maximum en se disant que ce n'est que passager.

Joseph écoute religieusement sa fille, il ferme même les yeux par moment. Depuis que Gertrude joue pour lui, il réalise à quel point il aime la musique, mais surtout combien c'est stupide d'avoir un piano et de s'en servir uniquement pour décorer la pièce.

Arrivée au bout de son répertoire, Gertrude ferme le piano et pivote sur le banc pour faire face à son père.

— Tu joues de mieux en mieux, ma fille.

— Merci papa. Vous ne pouvez même pas vous imaginer le plaisir que j'ai à le faire.

— Je vais parler à ta mère quand elle va revenir de chez Adjutor.

Malgré toutes les bonnes intentions de son père, Gertrude ne se fait aucune illusion. Ce ne sont pas quelques semaines avec Adjutor qui auront changé Lucille au point qu'elle lui permette de pianoter.

— Vous ferez bien ce que vous voulez, dit-elle, mais si j'étais à votre place, je ménagerais ma salive. Déjà qu'elle va être folle de rage quand elle va apprendre que j'ai joué pendant son absence, j'ai plutôt l'impression qu'elle va ajouter une serrure à la porte du salon dont elle seule aura la clé.

— Je ne suis pas obligé de tout lui dire, tu sais, argumente Joseph. Je pourrais simplement l'aviser que désormais non seulement les portes du salon resteront ouvertes, mais que tu pourras jouer du piano tout comme Marcella.

Gertrude regarde son père avec amour.

— C'est très gentil, mais j'en connais au moins trois qui vont se faire un plaisir de bavasser.

Chaque fois qu'Adrien, Estrade et Wilbrod la voyaient s'installer au piano pendant les Fêtes, ils ne manquaient pas de lui rappeler qu'elle n'avait pas le droit, que Marcella était la seule de la famille qui était autorisée à jouer. Chaque fois, Marcella, Arté et Alphonse prenaient sa défense, mais comme on dit, le mal était fait. Gertrude a beau être forte, mais l'attaque répétée de ses frères a fini par laisser des marques. Depuis que ses trois bourreaux savent qu'elle va partir de la maison, elle jurerait qu'ils sont encore plus méchants à son égard.

— Ne t'occupe pas d'eux, ils n'en valent pas la peine.

— Des fois, j'ai l'impression qu'ils sont jaloux parce que je vais avoir ma maison.

— Il y a peut-être un peu de ça, mais je pense que c'est parce qu'ils ont peur de Lucille.

— Vous croyez? demande Gertrude en fronçant les sourcils.

— As-tu déjà vu l'un d'entre eux lui tenir tête ne serait-ce qu'une fois?

Joseph laisse quelques secondes à Gertrude pour réfléchir avant de poursuivre :

— Et tu ne les verras pas non plus.

Gertrude a beau chercher, mais rien ne lui vient à l'esprit. Plus elle y pense, plus elle trouve que son père a raison.

— À bien y penser, dit Gertrude, Adrien ne prend aucune décision sans lui en parler. Quant à Estrade et à Wilbrod, chaque fois qu'ils viennent voir la mère, c'est pour se plaindre. Je peux vous dire que c'est loin d'être gai quand ils débarquent ici en même temps ces deux-là. Et en plus, ce sont eux qui lui ressemblent le plus.

— As-tu remarqué qu'ils ne viennent pas depuis que ta mère n'y est pas ? Je ne voudrais pas mal parler, mais je ne suis pas pressé qu'elle revienne.

— Moi non plus !

De la cuisine, Camil s'écrie d'une voix forte :

— Et moi non plus !

Et tous les trois se mettent à rire de bon cœur. Camil vient les rejoindre, il tient trois verres dans une main et une bouteille de whisky dans l'autre.

— Puisqu'on ignore combien de temps encore va durer notre permission, dit-il en remettant un verre à chacun, aussi bien en profiter pour fêter.

Camil remplit les verres et va s'asseoir à côté de Gertrude sur le banc du piano après avoir déposé la bouteille sur la table basse. Camil lève son verre et porte un *toast* à la santé de sa belle-mère, ce qui fait rire Joseph et Gertrude.

— Je voudrais avoir votre avis sur quelque chose, le beau-père. Ce midi, j'ai fait un saut à la briqueterie la plus proche du magasin et je me demandais si on ne serait pas mieux de poser de la brique.

— Tu n'as qu'à lire le journal pour te convaincre. Pense au nombre d'incendies qu'il y a eu seulement l'année dernière. Même le parlement d'Ottawa et le monastère des frères trappistes d'Oka y sont passés. C'est certain que le bois coûte moins cher, mais il brûle pas mal plus vite que la brique. Si tu as les moyens, vas-y avec ce qu'il y a de mieux. À moins que tu hérites, c'est la seule maison que tu vas construire dans toute ta vie, alors aussi bien la faire à ton goût.

Chaque fois qu'il est question de leur future maison, Gertrude ne peut s'empêcher de gonfler fièrement la poitrine tellement elle est fière. Dans quelques mois à peine, elle sera installée en ville. Elle pourra aller promener son bébé en poussette sur la rue Saint-Dominique tous les jours, si elle le veut, et elle admirera tout ce que les commerçants mettent en vitrine au passage. Elle rendra visite à Marcella aussi. D'après ses calculs, elle ne mettra pas plus d'une dizaine de minutes pour se rendre chez elle à pied.

— À mon tour de payer la traite, dit Joseph en se levant, je reviens tout de suite.

Au lieu de revenir avec une bouteille d'alcool, Joseph revient avec une petite enveloppe blanche entre les doigts, enveloppe qu'il tend à Gertrude.

— Tiens, c'est pour toi.

Surprise, Gertrude la prend du bout des doigts et la retourne de tous bords tous côtés.

— Qu'est-ce que tu attends pour l'ouvrir ? lui demande son père.

— Désolée, j'étais en train de me dire que ce n'est pas la mère qui aurait fait ça.

— Attends au moins de voir ce qu'elle contient avant de parler, lui suggère Joseph.

Gertrude déchire l'enveloppe plus qu'elle l'ouvre et quand elle aperçoit deux beaux 100 piastres, elle bondit de son banc et va embrasser son père.

Tout s'est passé si vite que Camil n'a pas eu le temps de voir ce qu'il y avait dans l'enveloppe.

— Est-ce que tu pourrais me dire ce qui te rend aussi heureuse ? demande-t-il à Gertrude d'un ton taquin.

Les yeux de Camil s'agrandissent aussitôt qu'il pose les yeux sur les billets que sa femme lui tend. Camil se lève et va serrer la main de son beau-père pour le remercier.

— Est-ce que maman est au courant ? s'informe Gertrude.

— Non et il vaut mieux qu'elle n'en sache rien, parce qu'elle m'arracherait les yeux.

— Mais où…

Quand elle réalise ce qu'elle s'apprête à demander à son père, Gertrude s'arrête aussitôt.

— Je vous demande pardon, se dépêche-t-elle d'ajouter, ce ne sont pas mes affaires.

— Tu veux savoir où j'ai pris cet argent ? lui demande Joseph en lui souriant. Ça ne me dérange pas de te le dire. J'en ai mis un peu de côté pour toi après la vente de chacune de mes deux terres à bois. Je l'avais caché dans le hangar pour être sûr que ta mère ne le trouve pas. Ce n'est pas grand-chose, mais c'est de bon cœur.

— C'est beaucoup plus que vous pensez, dit Gertrude. Merci beaucoup papa! Vous savez que vous allez me manquer?

— Arrête-moi ça tout de suite, l'intime Joseph, tu ne t'en vas pas à l'autre bout du monde à ce que je sache. Et rien ne m'empêchera d'aller vous voir.

— Je veux que vous sachiez, lance Camil, que si ce n'était que de vous, le beau-père, on serait restés.

— Je sais tout ça. Si on jouait une partie de cartes?

* * *

Chaque fois qu'Adjutor se réveille et qu'il se souvient que sa mère est encore chez lui, il est pris d'une vague d'impatience magistrale qui ne le quitte pas tant et aussi longtemps qu'il n'a pas récité au moins dix *Notre Père* à genoux. Jusqu'à maintenant, c'est tout ce qu'il a trouvé pour arriver à la supporter pendant le déjeuner. Il y a des jours où il doit continuellement répéter l'exercice. C'est ça, ou il va lui dire sa façon de penser. Il fallait voir son air lorsque sa bonne Béatrice est venue l'aviser que sa mère venait d'arriver avec sa valise à la main. Il était encore plus découragé lorsque Lucille lui a expliqué la raison de sa visite. Il a fini par se dire qu'il la retournerait chez elle à la première occasion, mais elle est toujours là malgré ses nombreuses offres.

— Je ne partirai pas d'ici tant et aussi longtemps qu'ils n'auront pas arrêté le meurtrier.

C'est ce que Lucille lui répète chaque fois qu'il tente de s'en débarrasser. Même Béatrice n'en peut plus de la mère de monsieur le curé.

— Faites quelque chose, monsieur le curé, l'implore-t-elle de plus en plus souvent, elle n'arrête pas de mettre son nez dans mes chaudrons et elle me reprend sur tout ce que je fais comme si j'avais cinq ans. Si je me fie à ce qu'elle dit, je suis une bonne à rien.

Adjutor tient à sa Béatrice comme à la prunelle de ses yeux, mais il ne peut tout de même pas mettre sa mère dehors pour autant.

— Ne l'écoutez pas, vous êtes la meilleure bonne de tout Charlevoix. Il ne se passe pas une semaine sans que je me fasse demander si vous avez une sœur.

Adjutor prend une grande inspiration avant d'ajouter :

— Écoutez Béatrice, je fais mon gros possible pour qu'elle retourne chez elle, mais elle ne veut rien entendre.

— Vu qu'elle est là, je vais en profiter pour aller passer quelques jours chez mes parents… si vous voulez, bien entendu.

— Mais je refuse que vous partiez, plaide Adjutor d'un ton autoritaire.

Si Béatrice pouvait lire le fond de sa pensée, elle découvrirait qu'Adjutor est mort de peur à l'idée de se retrouver seul avec sa mère. Elle verrait aussi qu'il ne la porte pas dans son cœur autant qu'il le devrait, surtout depuis qu'il est prêtre. En désespoir de cause, Adjutor va s'enfermer dans son bureau pour écrire à Gertrude.

Chère Gertrude,

J'espère que vous avez passé de belles Fêtes. Ici, les choses ne vont pas au mieux depuis que la mère a élu domicile au presbytère. Pour tout te dire, j'ai les genoux usés à force de prier pour implorer Dieu de m'aider à garder mon calme. J'ai toujours su qu'elle n'était pas facile à vivre, mais depuis le temps que je suis parti de la maison, j'étais presque parvenu à me convaincre qu'elle avait dû s'améliorer au moins un peu en vieillissant. S'il est une chose, elle a empiré avec les années. Je n'irai pas par quatre chemins, je n'en peux plus. Pour tout te dire, même ma bonne Béatrice ne peut plus la sentir, ce qui n'est pas rien, parce que contrairement à moi elle a une patience d'ange. Crois-le ou non, c'est rendu que j'ai droit à une escalade de ton entre elle et la mère au moins à tous les repas. Curieusement, tous mes paroissiens l'adorent, et cela ne m'aide en rien à *trouver une excuse pour la faire partir. Pour l'avoir vu à l'œuvre avec certains d'entre eux, je peux te confirmer qu'elle est tout miel avec tous ceux qui viennent de l'extérieur.*

Je ne te demande pas de m'aider, je t'en implore bien humblement avant que je n'en puisse plus.

Adjutor, curé de Saint-Irénée

Des cris lui parviennent de la cuisine au moment où il finit d'écrire l'adresse de ses parents sur l'enveloppe. Il soupire un bon coup, prend son courage à deux mains et va vite aux nouvelles.

— Vous allez tout replacer exactement comme c'était, hurle Béatrice les deux mains sur les hanches.

— Pourquoi je le ferais? s'indigne Lucille en bravant la bonne du regard. Vous serez la première à me remercier dans quelques jours. Vos armoires étaient tellement en désordre qu'une vache aurait pu y perdre son veau.

— Voulez-vous bien me dire pour qui vous vous prenez? C'est ma cuisine et non la vôtre!

Lorsqu'elle aperçoit son Adjutor, Lucille lui fait son plus beau sourire avant de reprendre la parole.

— Peux-tu raisonner ta bonne? ronchonne-t-elle sans aucun ménagement. Elle n'arrête pas de m'asticoter parce que j'ai changé la vaisselle de place!

Si Adjutor avait le pouvoir de faire des miracles, il ferait disparaître sa mère sur-le-champ. Voilà maintenant que dans sa grande bonté, Lucille s'en prend à ses armoires, ou plutôt à celles de sa bonne Béatrice.

— Mais vous n'aviez pas d'affaire à toucher aux armoires, lance Adjutor. À ce que je sache, c'est Béatrice ma bonne, pas vous.

— Eh bien, elle n'aura qu'à les replacer quand je serai partie. Tout ce que j'ai fait, c'est de les mettre à ma main.

— C'est justement ça le problème, ce ne sont pas vos armoires, mais les siennes… et vous vous faites servir dans les dents depuis que vous êtes arrivée. Replacez la vaisselle comme c'était.

— C'est hors de question !

Cette fois, Béatrice en a assez entendu. Elle retire son tablier, le lance sur la table et s'écrie :

— Vous n'aurez qu'à me prévenir lorsque votre mère sera partie, moi je retourne chez mes parents.

Et elle sort de la pièce sans se retourner. Adjutor est furieux contre sa mère. Il doit faire de gros efforts pour se calmer avant de parler. Une fois de plus, Lucille le prend de vitesse et s'élance :

— Veux-tu bien me dire quelle mouche a piqué ta bonne ?

— Qu'est-ce que vous ne comprenez pas ? lui demande Adjutor le regard noir. Vous n'aviez pas le droit de toucher à ses armoires. La pauvre Béatrice fait son gros possible pour vous endurer depuis que vous êtes arrivée et ce n'est pas encore assez pour vous. Je regrette d'avoir à vous dire ça, mais il serait peut-être temps que vous retourniez à Jonquière.

— N'essaie même pas de me renvoyer avant que le meurtrier ait été arrêté.

Adjutor n'a pas besoin d'en entendre plus pour savoir que peu importe ce qu'il pourrait dire, il n'aura pas gain de cause. Tout ce qui lui reste à faire, c'est de prier pour que la police retrouve le meurtrier des deux prêtres. Harassé, il lève les mains dans les airs et sort de la cuisine sans demander son reste. Une fois dans son bureau, il se laisse tomber sur sa chaise et se met les mains dans le visage en se disant : *il va pourtant falloir que ce cauchemar finisse !*

Quelques minutes plus tard, Béatrice quitte le presbytère avec une petite valise à la main. En entendant claquer la porte, Adjutor se lève, tire le rideau et la regarde partir.

* * *

La vie de Charlotte a changé du tout au tout depuis qu'elle va bercer les enfants à l'orphelinat, elle est plus heureuse que jamais. Comme Marie-Paule le lui avait suggéré, elle n'en a rien dit à Laurier. Au début, elle se sentait coupable, mais plus maintenant. Elle se dit qu'elle ne fait rien de mal à personne, bien au contraire. Les religieuses ont tout de suite accepté son offre et elles ne tarissent pas d'éloges à son égard, tellement que si elle manque une journée, elles s'inquiètent pour elle. Comme elle leur a expliqué, elle ne peut pas les avertir quand Laurier débarque. La dernière fois, elle était sur le point de sortir de la cour lorsqu'il est arrivé. Évidemment, il lui a demandé où elle s'en allait comme ça. Elle s'est contentée de lui dire qu'elle allait au magasin général, mais que ça pouvait attendre.

Contrairement à certaines femmes qui vont bercer les enfants, Charlotte les aime tous et ils le lui rendent bien. Elle les serre dans ses bras et les embrasse tous comme si c'étaient les siens. La semaine passée, la mère supérieure a demandé à la voir.

— Vous devriez en adopter au moins un, lui a-t-elle dit, vous êtes faite pour avoir une grosse famille.

— Il faudrait d'abord que je convainque mon mari, a-t-elle répondu promptement, il ne veut pas élever les enfants des autres.

— Aimeriez-vous que j'essaie de le raisonner ?

— Je vous en prie, l'a imploré Charlotte, n'en faites rien. Je ne veux pas courir le risque qu'il m'empêche de revenir ici. Vous comprenez, ma sœur, les enfants c'est toute ma vie.

Charlotte n'arrive pas souvent les mains vides à l'orphelinat. Quand elle n'apporte pas des galettes à la mélasse aux enfants ou encore du sucre à la crème, elle remplit sa sacoche de bouts de papier et de colle et elle passe l'après-midi à bricoler avec eux. Elle regarde l'heure sur l'horloge et sourit. Il reste tout au plus cinq minutes avant qu'elle sorte le pain du four. Elle s'en coupera une grosse tranche qu'elle recouvrira d'une épaisse couche de beurre et la mangera avant de partir pour l'orphelinat. Évidemment, elle apporte toujours le plus gros aux enfants.

Alors qu'elle prend sa première bouchée, une voiture entre à une vitesse folle dans sa cour. Elle se lève de table et va voir qui ça peut bien être. Quelle n'est pas sa surprise de voir sa mère descendre de la voiture. Elle attrape son châle au passage et sort sur la galerie pour l'accueillir.

— Maman? s'écrie-t-elle. Quelle belle visite!

Alida prend sa valise et remercie l'homme de l'avoir rendue à destination saine et sauve. Elle vient ensuite rejoindre sa fille et l'embrasse chaleureusement.

— Je n'ai jamais vu un pareil fou, s'écrie Alida après avoir embrassé Charlotte. Je ne te mens pas, il a failli nous tuer au moins trois fois depuis qu'on est partis de Jonquière. Avoir su, j'aurais accepté l'offre d'Adrien.

— Je suis si contente de vous voir. Entrons vite, il fait meilleur à l'intérieur.

— Tant mieux, parce que si c'était le contraire je serais bien mal prise, rigole Alida. Tes deux sœurs m'ont tordu un bras pour que je vienne te voir. Elles n'arrêtaient pas de dire que j'avais besoin de sortir de la maison.

Charlotte sourit en entendant ça. Si les filles ont tant insisté, c'est qu'elles avaient une bonne raison. Comme elles ne sont pas là pour la lui donner, Charlotte aura tout le temps nécessaire pour la découvrir.

— Je vais vous faire réchauffer de la soupe aux légumes.

— Ce n'est pas la peine. Si tu as un peu de confiture et du beurre, je vais en profiter pour m'empiffrer de pain chaud.

Étant donné que Charlotte ignore combien de temps sa mère va rester, elle décide de la mettre au courant de ses petites sorties en prenant soin de lui préciser que Laurier n'est pas au courant. Comme elle s'y attendait, Alida est enchantée de l'accompagner.

— Je mange en vitesse et je suis prête.

— Il n'y a pas de presse, vous savez. Laurier ne devrait pas revenir avant une semaine.

— Crois-tu que je vais pouvoir en bercer moi aussi ?

— Sûrement ! Les religieuses font leur gros possible, mais il y a bien plus d'enfants à bercer qu'il y a de bras disponibles pour le faire.

— Mais veux-tu bien me dire comment cette idée t'est venue ?

— C'est Marie-Paule qui me l'a suggérée quand je suis allée la relever de son petit dernier. Mais elle ne vous en a jamais parlé ?

— Ta sœur est bien plus cachottière que tu crois. Prends juste les cuites d'Adrien, jamais elle n'en parle. Et lorsque j'insiste, elle se met tout de suite à le défendre comme si j'allais l'attaquer.

Charlotte a vu sa sœur aux Fêtes, mais elle l'a vue si peu longtemps qu'il serait plus juste de dire qu'elles se sont croisées quelques minutes. En réalité, Charlotte n'a même pas eu le temps de lui parler de l'orphelinat. Il faut dire que la maison de

Jean-Marie était pleine de monde, ce qui fait que ce n'était pas le temps d'échanger quelque secret que ce soit. Charlotte veut toujours lui écrire, mais d'une affaire à l'autre, l'heure d'aller dormir arrive sans qu'elle ait pris le temps de le faire. Écrire plus souvent à Marie-Paule faisait même partie de ses résolutions du jour de l'An.

Aussitôt sa dernière bouchée avalée, Alida se lève de table et demande :

— Est-ce que je devrais me changer ?

— Ce serait mieux de mettre quelque chose auquel vous ne tenez pas trop. Je ne vous apprendrai rien en vous disant que les enfants bavent, et il y en a qui passent leur temps à régurgiter.

Alida réfléchit pendant quelques secondes et dit :

— À bien y penser, ça me donnera une bonne raison de me coudre une nouvelle robe. Allons-y, je meurs d'envie de les voir.

Chapitre 13

Le simple fait de ne pas se faire commander à longueur de journée donne des ailes à Gertrude. Malgré que son ventre grossisse à vue d'œil, elle ne s'est jamais sentie aussi bien. À la suggestion de Marcella, elle prend même le temps de faire une petite sieste avant de faire sa vaisselle du dîner. Camil a enfin terminé le berceau. Gertrude l'a installé dans le coin de leur chambre. De son côté, il lui reste seulement deux pouces à tricoter pour terminer sa couverture. Chaque fois que Marcella vient faire son tour, elle lui apporte ou des pattes, ou des couches, ou des jaquettes pour son bébé. Gertrude a vidé le tiroir d'en haut de sa commode et a tout rangé dedans. Il lui arrive souvent de l'ouvrir et de regarder tous les petits vêtements dont il est rempli. Leur seule vue lui fait monter les larmes aux yeux. Elle a encore du mal à s'imaginer que dans moins d'un mois elle tiendra enfin son bébé dans ses bras, son bébé à elle.

Aussitôt qu'elle entend la nouvelle horloge grand-père de sa mère sonner le coup de dix heures, Gertrude se dépêche d'aller chercher son manteau. C'est aujourd'hui que le père Demers passe en cour. Comme c'est elle qui a déposé la plainte, elle doit se présenter devant le juge. Bien emmitouflée, Gertrude s'installe dans la chaise de son père pour surveiller Marcella par la fenêtre. Joseph aurait bien aimé être là, mais il est parti bûcher avec Arté pour toute la semaine. Quant à Adrien, il en profite pour faire autant de voyages qu'il peut. Depuis que Marie-Paule et lui ont convenu de mettre une part de l'argent qu'il gagne de côté, il n'a jamais failli à son engagement. Même lorsqu'il s'est offert une petite virée, il avait pris soin de mettre quelques sous de côté. Marie-Paule a été la première surprise lorsqu'il les lui a tendus le jour où il est enfin sorti des vapeurs de l'alcool. Adrien rêve si fort d'avoir une auto qu'il est prêt à tout pour y arriver.

Lorsque Gertrude aperçoit la voiture de sa sœur au bout du rang, elle se dépêche de sortir de la maison. Elles ont amplement le temps de se rendre, mais Gertrude a tellement chaud qu'elle est à la veille d'exploser. Marcella immobilise son cheval le temps que Gertrude s'installe à côté d'elle. Elle remonte la peau d'ours sur leurs genoux et elle reprend le rang en direction de la ville.

— Madame Pelletier, pouvez-vous expliquer à la cour ce que vous reprochez à monsieur Demers ?

Une goutte de sueur coule le long de la colonne vertébrale de Gertrude pendant qu'elle essaie de trouver le courage de répondre. Les secondes passent sans qu'un son parvienne à franchir ses lèvres. Elle tremble comme une feuille lorsque le juge revient à la charge. C'est le bruit que le père Demers fait en se raclant la gorge qui la sort de sa torpeur. Elle se tourne dans sa direction et retrouve instantanément l'usage de la parole en se disant qu'il est hors de question que le vieux s'en tire sans conséquence.

— J'ai pris monsieur Demers sur le fait, alors qu'il s'enfuyait avec deux poules qu'il venait de voler dans notre poulailler. Ma sœur Marcella est partie après lui et ce n'est qu'à ce moment qu'il les a laissé tomber. Ce n'était pas la première fois que des poules disparaissaient, mais je ne peux pas jurer que c'est lui qui les a toutes prises bien que j'aie de gros doutes. Une chose est certaine, dans aucun des cas, ça n'a été l'œuvre d'une bête.

Gertrude répond ensuite aux questions qu'on lui pose avec assurance. C'est maintenant au tour de monsieur Demers.

— Qu'avez-vous à dire pour votre défense ? émet sévèrement le juge.

— Rien, répond l'homme en haussant les épaules. Vous n'avez pas besoin de chercher plus loin, c'est moi qui ai volé les poules des Pelletier. J'ai dû en voler au moins une douzaine seulement depuis l'automne.

— Pourquoi avez-vous fait ça ?

Le père Demers hausse les épaules à nouveau en se passant la main sur la bouche et le menton, puis dit :

— Pourquoi je m'en serais privé ? Les Pelletier ont toujours eu beaucoup de poules, alors que moi j'en ai juste assez pour fournir les œufs qu'on mange. Il ne faut pas chercher midi à quatorze heures, comme on dit, l'occasion fait le larron. Quand j'avais envie d'en manger, je passais m'en chercher et c'est tout.

— Mais vous n'avez jamais pensé que c'était voler ?

— J'ai pour mon dire qu'il faut partager dans la vie. Le bonhomme Pelletier n'a jamais rien dit lui, mais il fallait que sa chère fille s'en prenne à moi.

— Parce que ça fait longtemps que ça dure…

— Trois ans, peut-être quatre. Comment voulez-vous que je le sache ? Au cas où vous ne l'auriez pas remarqué, la vie est dure par ici.

Plus elle en entend, plus Gertrude sent la moutarde lui monter au nez. Comment peut-il s'en prendre à elle alors que c'est lui le voleur.

— Est-ce que vous regrettez ce que vous avez fait ?

— Pas une miette. Tant que les Pelletier auront des poules, je ne vois pas pourquoi je me priverais.

Le juge secoue la tête subtilement, mais son geste n'échappe pas à Gertrude qui a jeté son dévolu sur lui depuis que monsieur Demers a dit qu'il n'avait aucun regret.

— Je vous condamne à remplacer toutes les poules que vous avez volées à monsieur Pelletier. Comme je ne connais pas le nombre exact, je vais fixer celui-ci à cinquante. Je vous accorde une semaine pour le faire, sans quoi je vous condamne à un mois de prison.

— Mais où croyez-vous que je vais trouver l'argent pour acheter cinquante poules?

— Malheureusement, monsieur Demers, il aurait fallu y penser avant.

Le juge donne un coup de maillet sur son bureau et dit:

— L'affaire Pelletier-Demers est classée. Suivante!

Le sourire aux lèvres, Gertrude se dépêche d'aller rejoindre Marcella.

— Pauvre bonhomme, s'écrie cette dernière en sortant de la salle avec Gertrude sur les talons.

— Au cas où tu l'aurais déjà oublié, il nous a volé pas moins de cinquante poules, argumente Gertrude. Tu ne t'attendais quand même pas à ce que ce soit moi qui sois punie…

— Bien sûr que non, mais je trouve que le juge a été bien sévère envers lui. C'est un pauvre vieux.

— On s'en fiche, de l'âge qu'il a, il n'a eu que ce qu'il méritait.

Cela n'a rien de nouveau que les deux sœurs s'asticotent pour une question de justice. Alors que Marcella est toujours prête à défendre la veuve et l'orphelin, Gertrude a pour son dire qu'il y a des choses qu'on ne peut pas laisser passer et le geste du père Demers en fait partie. Gertrude a même été étonnée que Marcella s'acharne autant pour le rattraper lorsqu'elles l'ont pris en flagrant délit. Mais le pire, c'est qu'à la grande surprise de Gertrude, Marcella n'a même pas insisté pour la décourager lorsqu'elle lui a dit qu'elle allait déposer une plainte contre lui.

— Ne t'emporte pas comme ça, l'implore Marcella en mettant la main sur le bras de sa sœur, ce n'est pas bon pour toi dans ton état.

Bien que Gertrude n'ait pas une grande expérience en matière de grossesse, elle commence à en avoir assez que tout le monde lui dise quoi faire. Pas trop de sel, pas trop de sucre, pas trop d'alcool, pas d'énervement, pas de surmenage, pas de… Ce n'est pas mêlant, si elle écoutait tout un chacun, sa vie ne serait plus qu'une longue suite d'interdits, ce qu'elle refuse catégoriquement.

— Veux-tu bien arrêter de me casser les oreilles avec mon état, l'intime Gertrude, je ne suis pas malade, je suis seulement enceinte.

— Oui, mais…

— Il n'y a pas de *mais* qui tienne, je ne me suis jamais sentie aussi bien de toute ma vie et ce n'est pas toi qui vas m'empêcher de m'emporter si j'en ai envie. Pour une fois que je suis libre de mes actes, j'ai bien l'intention d'en profiter au maximum. Tu sais aussi bien que moi que ma vie va reprendre son cours comme avant aussitôt que la mère va revenir. Je ne sais pas si tu es au courant, mais la seule pensée de revenir en arrière me donne la chair de poule.

Comme si ce n'était pas suffisant, Gertrude ajoute en montant dans la voiture :

— Si tu veux tout savoir, j'ignore comment je vais faire pour survivre jusqu'à ce que notre maison soit prête.

S'il y en a une qui est bien placée pour comprendre Gertrude, c'est bien Marcella. Même si Lucille n'a jamais été aussi dure avec elle, on peut dire qu'elle lui en a fait voir de toutes les couleurs, particulièrement pendant la période où elle a fréquenté Léandre.

— Excuse-moi, dit Marcella, je ne voudrais surtout pas remplacer la mère.

— Tu n'y arriverais pas même si tu le voulais, réplique gentiment Gertrude. Je ne connais personne d'aussi méchant qu'elle. Depuis qu'elle est partie chez Adjutor, il ne se passe pas une seule journée sans que je réalise à quel point elle m'a pourri la vie et j'ai bien peur que ça ne finisse jamais. Il m'arrive de penser que je suis l'ennemie à abattre, et rien de plus. Quoi que je fasse, quoi que je dise, elle n'est jamais contente, et elle ne le sera jamais non plus. Je suis son petit soldat et je dois lui obéir au doigt et à l'œil.

Marcella aimerait trouver les mots pour encourager Gertrude à tenir le coup jusqu'à ce que Camil et elle s'en aillent, mais elle ne les trouve pas. Vivre sous le même toit que Lucille est un exploit en soi, et de ça, elle n'en doute pas une seule seconde.

Elles pourraient continuer à en parler pendant des heures, mais aucune des deux ne trouverait une solution. Lucille est ce qu'elle est et que ça leur plaise ou non, elle ne changera pas.

— Si ça ne te dérange pas, ajoute Marcella, je vais passer au bureau de poste avant de te ramener chez vous.

— Allons-y, j'ai tout mon temps. Je suis seule jusqu'à ce que Camil revienne de travailler.

Gertrude regarde la lettre que lui a remise Marcella en souriant. Depuis le temps qu'il est parti de la maison, c'est la première fois qu'Adjutor lui écrit. Elle n'est pas devin, mais elle se doute que s'il a pris la peine de le faire, c'est qu'il en a assez de leur mère.

— Et si je ne l'ouvrais pas? lance-t-elle. Je n'aurais qu'à dire que je ne l'ai jamais reçue…

Occupée à guider son cheval entre les amoncellements de neige qui jonchent la rue Saint-Dominique, Marcella ironise sans regarder sa sœur:

— Au nombre de fois qu'Adjutor t'a écrit, je me dépêcherais de la lire.

— Tu ne comprends pas, je n'ai pas envie de lire ses doléances envers la mère.

— Qu'est-ce qui te dit que c'est ce qu'il a écrit?

— Je le sais, c'est tout. De quoi d'autre voudrais-tu qu'il me parle, alors que c'est à peine s'il m'adresse la parole quand on est dans la même pièce?

Malgré ses réticences, Gertrude retire ses mitaines et ouvre proprement l'enveloppe.

— Écoute bien, dit-elle avant de commencer sa lecture.

Les deux sœurs éclatent de rire comme deux gamines avant que Gertrude arrive au bout de sa lecture.

— Loin de moi l'intention de souhaiter du malheur à autrui, s'écrie Gertrude, et surtout pas à mon frère le curé, mais entre toi et moi, le mieux qui pourrait arriver c'est que la police ne mette jamais la main sur le meurtrier.

— Même si c'était le cas, plaisante Marcella, la mère ne passera quand même pas sa vie chez Adjutor.

— Tant qu'à moi, elle peut rester à Saint-Irénée aussi longtemps qu'elle le voudra, elle pourrait même déménager là-bas si c'est ce qu'elle souhaite.

— Vas-tu lui répondre?

— Pour lui dire quoi? Qu'il était temps que la mère jette son dévolu sur quelqu'un d'autre? Ou qu'il est hors de question que je lève le petit doigt pour l'inciter à revenir à la maison. Non! Elle est bien là où elle est, et moi aussi.

Gertrude reconnaît la voiture du ramancheur lorsqu'elles arrivent à la maison familiale.

— Arrête-toi vite, il a dû arriver quelque chose à papa.

À peine Marcella a-t-elle le temps d'immobiliser sa voiture que Gertrude en descend. Elle monte rapidement les quelques marches pour accéder à la galerie et ouvre la porte de la maison. Elle s'essuie rapidement les pieds et elle file à la chambre de son père. Elle ne s'était pas trompée. Le ramancheur est en plein travail.

— Papa ! Qu'est-ce qui vous est arrivé ?

— Rien de grave, répond Joseph d'une voix sourde, j'ai glissé sur une plaque de glace et je me suis déplacé l'épaule.

— Prenez une grande respiration, dit le ramancheur, elle est presque à sa place.

En entendant ça, Gertrude détourne le regard. Depuis le temps que le ramancheur vient chez eux, elle aurait dû s'habituer, mais elle est incapable de le regarder faire.

— Ça y est ! confirme-t-il. Il ne vous reste plus qu'à vous faire frotter à l'alcool matin et soir pendant quelques jours et tout va rentrer dans l'ordre. Si ce n'est pas le cas, vous savez où me trouver.

Joseph sourit à ses filles.

— Comment faites-vous pour sourire quand vous souffrez le martyre ? lui demande Gertrude.

— J'ai connu bien pire. Maintenant, dites-moi comment ça s'est passé avec le juge.

Marcella se met en frais de raconter leur expérience au tribunal, sans oublier bien sûr de dire qu'elle trouve ça trop injuste pour le père Demers.

— Contrairement à Marcella, ajoute Gertrude, je trouve qu'il n'a eu que ce qu'il méritait.

— Ça peut sembler dur à première vue, dit Joseph, mais il faut parfois secouer les gens pour qu'ils comprennent. Le père Demers n'est pas aussi pauvre qu'il veut bien le laisser croire, vous savez. Je vous remercie de vous en être occupé.

— Il n'y a pas de quoi! s'exclame Gertrude. J'espère que vous ne comptez pas retourner dans le bois arrangé de même?

— J'allais justement te demander d'avertir Arté qu'on va attendre une couple de jours avant de remonter.

Gertrude sort en même temps que Marcella et emprunte le chemin entre la maison d'Arté et celle de Joseph. Une fois devant la porte, elle frappe trois petits coups et attend que quelqu'un lui dise d'entrer. C'est Marie-Laure qui vient lui ouvrir la porte avec son petit dernier dans les bras.

— Entrez vite! Arté voulait justement vous parler. Il dort dans sa chaise au salon.

— Mais je ne voudrais pas le réveiller, dit Gertrude, je reviendrai plus tard.

— Ne vous en faites pas avec ça, il n'aura qu'à dormir ce soir. Suivez-moi!

S'il y a une chose que Gertrude déteste, c'est bien de réveiller les gens, et encore plus de se faire réveiller. Marie-Laure brasse un peu l'épaule de son mari et lui dit que Gertrude est là. Arté se frotte les yeux et lui sourit.

— Comment va le père? se renseigne-t-il.

— Plutôt bien dans les circonstances, mais il te fait dire que vous allez attendre une couple de jours avant de remonter.

— J'espère, parce qu'il ne s'est pas manqué. Est-ce qu'il t'a dit pourquoi il était tombé?

Gertrude regarde son frère en fronçant les sourcils et elle lui répète ce que Joseph leur a dit.

— Disons que ce n'est pas exactement comme ça que c'est arrivé, rectifie Arté. Tu ne devineras jamais sur qui on est tombé dans le bois. On était en train de faire tomber un arbre, quand René est apparu devant nous comme un revenant. C'est papa qui l'a vu en premier. Il était tellement blême que j'ai cru qu'il avait vu le diable en personne. Il a reculé, il s'est enfargé dans une branche et s'est déboîté l'épaule en tombant.

— René? Veux-tu bien me dire ce qu'il faisait là? demande Gertrude d'un ton chargé d'impatience.

— Il voulait voir le père pour lui demander s'il pourrait l'aider à se cacher si jamais le gouvernement finit par obliger le monde à s'enrôler. Tu le connais, la vue d'une seule goutte de sang lui fait perdre connaissance. Pauvre gars, il me disait qu'il a toutes les misères du monde à dormir rien qu'à penser qu'il pourrait se retrouver de l'autre bord.

Même si Gertrude était très attachée à son petit frère, les années ont fait qu'elle a oublié qu'il n'était pas le seul responsable de ce qui est arrivé.

— Le moins qu'on puisse dire, prononce-t-elle du bout des lèvres, c'est que ça prend un front de bœuf pour réapparaître après ce qu'il a fait. À moins que ma mémoire fasse défaut, ça devait faire dix ans qu'on n'avait pas eu de ses nouvelles.

Arté fixe sa sœur avec intensité, tellement qu'elle commence à se sentir mal à l'aise.

— Il faut que je te dise quelque chose, avoue-t-il en baissant légèrement la tête. Je le vois au moins deux fois par année depuis qu'il est parti.

— Comment arrives-tu à lui parler encore?

— Il a fait une erreur, c'est vrai, mais il a toujours été là pour moi. Je n'allais certainement pas le laisser tomber alors qu'il avait besoin de moi. Je vais peut-être te paraître dur, mais si j'avais été à sa place, j'aurais probablement fait la même chose.

Les paroles d'Arté surprennent Gertrude au point qu'elle se mordille la lèvre inférieure. Elle serait incapable d'oublier ce passage à vide même si elle le voulait. René est le plus jeune de la famille, mais aussi le plus têtu et le plus rebelle. Quand il habitait encore chez les parents, il ne se passait pas une seule journée sans qu'il s'obstine à mort avec Lucille. À la fin, il suffisait qu'elle dise blanc pour qu'il dise noir, et vice versa. Joseph avait beau lui dire d'arrêter, il ne voulait rien comprendre. Quant à Lucille, on aurait dit qu'elle se faisait un malin plaisir à le faire enrager dès qu'elle avait une chance. Un jour, il était tellement à bout qu'il a levé la main sur elle, et pour Joseph, il venait de dépasser les bornes. Joseph lui avait pratiquement cassé le bras en essayant de l'empêcher de frapper sa mère. Et les pires mots que l'homme avait pu inventer avaient défilé les uns après les autres entre le père et le fils jusqu'à ce que Joseph dise à René qu'il le reniait. Le pauvre avait ramassé ses affaires et était sorti de la maison sans même claquer la porte. Même si cette histoire remonte à plus de dix ans, Gertrude n'a pas oublié une seule des paroles qui ont été prononcées ce jour-là. Chaque fois qu'elle a essayé de parler de René, elle s'est heurtée à un mur. Joseph ne veut plus en entendre parler. Quant à sa mère, elle a répété pendant des semaines à qui voulait l'entendre qu'il n'avait eu que ce qu'il méritait et que pour elle, il était mort et enterré.

Gertrude réfléchit pendant quelques secondes. Les paroles d'Arté viennent de la confronter à sa propre réalité avec leur mère. Elle n'a encore jamais levé la main sur elle, c'est vrai, mais elle le fait régulièrement dans sa tête. Est-ce par lâcheté qu'elle n'a jamais osé poser le geste ? D'une certaine manière, l'expérience de René l'avait mise en garde. Si elle ne voulait pas se retrouver à la rue, il valait mieux qu'elle plie l'échine et qu'elle obéisse en bougonnant, mais pas trop.

— Pour être honnête, ajoute Gertrude d'une voix plus douce, ça aurait très bien pu m'arriver à moi aussi, et ça pourrait encore m'arriver. Alors, comment va-t-il?

— Il va bien. Il a une petite maison dans la Basse-Ville, à Québec. Il travaille dans une manufacture de chaussures et il est toujours célibataire. Mais si tu veux en savoir plus, je peux te dire où il est, puisqu'il ne repart que dans deux jours.

Cette fois, c'est plus que Gertrude en demandait.

— Mais avant, raconte-moi ce qui s'est passé avec papa dans le bois.

— Il s'est relevé aussi vite qu'il était tombé en se tenant l'épaule et il a fixé René comme s'il venait de voir un revenant. Une fois rassuré, il s'est approché et quand il a été assez proche pour le toucher, il s'est mis à pleurer comme un bébé. Je ne te mens pas, j'aurais voulu être ailleurs tellement j'étais mal. C'était la première fois que je voyais papa dans cet état. Et ç'a ensuite été au tour de René de fondre en larmes dans les bras de papa. Ne me demande surtout pas si ça a duré longtemps parce que ça m'a semblé une éternité. Quand ils se sont enfin détachés l'un de l'autre, René lui a expliqué pourquoi il était là et papa lui a dit que jamais il ne laisserait un de ses enfants aller se faire tuer à la guerre, et qu'il pouvait compter sur lui pour l'aider à se cacher.

— Et après?

— Après, on s'est assis et on a mangé. Une fois la glace cassée, j'avais l'impression de m'être retrouvé comme avant que René nous quitte. J'ai ramené papa à la maison avant d'aller chercher le ramancheur. Alors, aimerais-tu le voir?

— Oui ! s'entend répondre Gertrude.

— Je passerai te prendre à neuf heures demain matin. Tu feras ce que tu voudras, mais je ne suis pas certain que ce soit nécessaire d'en parler à papa.

— Je verrai en temps et lieu. Ah oui, il faudrait au moins en parler à Marcella. Tu sais à quel point ils étaient proches l'un de l'autre.

Pendant la courte distance qui sépare les deux maisons, Gertrude se demande ce qui lui a pris d'accepter de voir René. Comme elle ne trouve pas de réponse, elle finit par se dire que rien ne l'oblige à comprendre pour l'instant. Elle a envie de le revoir et ça lui suffit amplement.

Chapitre 14

Tous les jours, Alida et Charlotte prennent le chemin de l'orphe-linat et n'en reviennent qu'à l'heure du souper. On pourrait croire de prime abord que bercer des enfants n'a rien de fatigant en soi, mais pour elles, c'est aussi agréable que douloureux. Pour Charlotte, chaque retour chez elle les mains vides lui rappelle qu'elle ne connaîtra jamais la joie de la maternité, alors que pour Alida, chacun des enfants qu'elle berce lui ramène le souvenir de Ghislain et de ses deux autres enfants morts quand ils avaient leur âge.

Attablée devant un bol de soupe aux pois fumante, Alida dit le bénédicité avant de saisir sa cuillère, mais au lieu de la remplir, elle la met dans son bol et dit :

— Ça ne peut plus durer comme ça, ma fille.

Occupée à beurrer son morceau de pain, Charlotte plonge son regard dans celui de sa mère et attend la suite.

— Il est temps que je te dise pourquoi Gisèle a insisté pour que je vienne te voir. Elle espérait que je finirais par oublier Ghislain en me changeant les idées, mais ce qu'elle ignorait, tout comme moi d'ailleurs, c'est que tu passes tes journées à l'orphelinat. Je sais aujourd'hui que peu importe ce que je ferai, jamais je ne pourrai oublier mon fils. Par contre, tous les enfants que j'ai bercés depuis que je suis arrivée ici m'ont aidée à panser mes plaies et je leur serai éternellement redevable de ce qu'ils ont fait pour moi. Grâce à eux, je peux enfin tourner la page et c'est aujourd'hui que ça se passe.

Charlotte met la main sur le bras de sa mère et lui sourit avec tendresse.

— J'ai toujours admiré la force de caractère avec laquelle vous passez à travers toutes les épreuves que la vie vous envoie et je paierais cher pour être comme vous, mais ce n'est pas le cas. Contrairement à vous, ajoute Charlotte en reniflant, je n'arrive pas à me faire à l'idée que je n'aurai jamais d'enfant. Il y a des matins où je me dis que je ne retournerai plus jamais à l'orphelinat parce que ça me fait autant de mal que ça me fait de bien, mais la seconde d'après je me dépêche de m'habiller et je sors de la maison avec le sourire aux lèvres. Ces jours-là, je me dis que les enfants ont trop besoin de moi pour que je les abandonne sous prétexte que c'est trop difficile.

De tous les enfants d'Alida, Charlotte est la plus sensible, et la plus douce aussi. Déjà quand elle était petite, elle n'arrêtait pas de répéter qu'elle aurait au moins une douzaine d'enfants. Chaque fois qu'il en entrait un dans la maison, elle lui tendait les bras et elle s'en occupait jusqu'à ce que les visiteurs s'en aillent. Avant d'accepter la demande en mariage de Laurier, elle lui avait dit qu'elle voulait avoir une grande table remplie d'enfants.

— On en aura autant que tu voudras, lui avait-il répondu en lui caressant la joue.

Mais voilà que la vie en a voulu autrement. Dix ans plus tard, à son grand désespoir, Charlotte n'est toujours pas enceinte.

— Pour toi non plus, ça ne peut plus durer comme ça, dit Alida en plongeant son regard dans celui de sa fille. Le Bon Dieu ne t'a pas encore donné d'enfant, et peut-être bien qu'il ne t'en donnera jamais non plus, mais il faut que tu arrêtes de t'apitoyer sur ton sort. Regarde tout le bien que tu fais autour de toi et ne pense plus à rien d'autre. Ta présence à l'orphelinat ne change pas la réalité des petits orphelins, mais elle leur apporte la force de passer à travers l'épreuve de leur vie malgré leur jeune âge.

De grosses larmes coulent maintenant sur les joues de Charlotte, mais elle ne fait rien pour les essuyer. Elle pleure en silence depuis plusieurs minutes, et Alida se contente de lui tenir la main. Au bout d'un moment, Charlotte relève la tête et dit :

— J'ignore si j'y arriverai, mais je vous promets d'essayer de toutes mes forces. Les enfants m'ont sauvé la vie, et je sais que je n'ai pas le droit de les décevoir. Seulement, quand je m'endors seule dans ma grande maison, je ne peux pas m'empêcher d'implorer Dieu de m'en donner un.

— J'ai confiance en toi, ma fille, dit Alida avant de remplir sa cuillère de soupe.

Elle réalise vite que cette dernière est froide.

— Donne-moi ton bol, dit Alida, c'est presque aussi froid que la neige.

Alida s'active au poêle pendant que Charlotte s'essuie les yeux.

— J'ai une question pour toi, lance Alida. Pourquoi vous n'adoptez pas un petit orphelin, Laurier et toi ?

La réponse de Charlotte ne se fait pas attendre. Elle explique en long et en large la position de son mari sur l'adoption.

— Je suis revenue à la charge des dizaines de fois depuis qu'on est marié, conclut Charlotte, mais il reste sur ses positions.

— Dommage que les hommes soient aussi bornés, laisse tomber Alida. Je n'ai jamais compris pourquoi c'était si important pour eux que l'enfant qu'ils élèvent soit absolument le leur. As-tu déjà pensé l'emmener à l'orphelinat ?

— Vous n'y pensez pas, réagit aussitôt Charlotte, tous les enfants m'appellent par mon prénom… Je peux me tromper, mais je crois que ce serait suffisant pour qu'il me renie. Ce n'est pas le seul sujet chaud entre nous, mais c'est de loin le plus chatouilleux. Comme j'aime Laurier, je n'ai pas envie de courir le risque de le perdre.

Alida lâche un grand soupir. Depuis le temps qu'elle est veuve, elle a oublié à quel point la vie à deux exige de la souplesse, particulièrement de la part des femmes. Alida a eu quelques prétendants au cours des premières années de son veuvage, mais elle a décliné toutes les offres qui se sont présentées à elle. Alors que sa tête lui disait d'accepter, son cœur lui interdisait de flancher. Certes, la présence d'un homme à ses côtés l'aurait aidée à assurer la survie des siens de bien des manières, mais le prix à payer était beaucoup trop élevé pour qu'elle accepte de sacrifier sa liberté. Elle avait eu la chance de partager la vie d'un homme qui la respectait dans tout ce qu'elle était, et c'était sa seule condition pour se lancer dans une nouvelle aventure à deux.

— Et tu n'as pas peur qu'il finisse par apprendre que tu passes ton temps à l'orphelinat?

— En réalité, je fais tout ce que je peux pour ne pas y penser.

— Mais il doit bien te demander comment tu occupes tes journées?

— Oui, répond Charlotte en étirant le mot, mais j'ai à peine le temps de répondre qu'il passe à autre chose. Pour tout vous dire, je suis loin d'être certaine qu'il écoute ma réponse. Vous savez aussi bien que moi que les hommes s'intéressent bien peu à ce qu'on fait en autant que leurs besoins soient satisfaits.

Aussitôt qu'elle réalise ce qu'elle vient de dire, Charlotte met sa main sur sa bouche et est prise d'un petit rire nerveux.

— Tant qu'à ça, dit Alida en rigolant, tu as bien raison. Notre monde tourne autour d'eux et on n'a pas grand-chose à dire. Tu n'as qu'à regarder autour de toi, à part les hôpitaux et les écoles, et encore, le clergé a la main longue, tout est dirigé par les hommes. En as-tu déjà vu un laver la vaisselle ?

— Oui, répond Charlotte sans hésiter, mon père.

Alida est touchée par ce qu'elle vient d'entendre.

— Mais tu n'avais que six ans lorsqu'il est mort…

— Je sais, mais je me souviens très bien du plaisir que vous aviez à faire la vaisselle ensemble. Je le vois encore vous faire danser après avoir mis son linge à vaisselle sur son épaule alors qu'il n'y avait même pas de musique.

— Ton père était un oiseau rare. C'est d'ailleurs à cause de lui que je ne me suis jamais remariée. Je n'ai jamais rencontré un homme qui lui arrivait à la cheville. Donne-moi les bols, la soupe est bouillante.

* * *

Adrien a tout de suite pensé qu'il devrait remplacer son père au bois lorsqu'il a su qu'il s'était démis l'épaule. Évidemment, c'était loin de faire son affaire. Tout le monde le sait, il déteste autant aller bûcher qu'il aime conduire les gens ou transporter des marchandises. Malgré toutes les précautions qu'il prend pour se tenir au chaud dans sa voiture, il lui arrive d'être gelé jusqu'aux os quand il revient pour faire le train, mais jamais autant que lorsqu'il va au bois.

Pour une fois, Ernest déjeune avec eux, ce qui fait plaisir à Adrien, mais pas à Gertrude ni à Joseph.

— D'après moi, dit Ernest, tante Lucille n'est pas près de revenir.

— Qu'est-ce qui te fait dire ça ? lui demande aussitôt Joseph.

— Vous n'avez pas lu le journal, à ce que je vois… il y a un troisième curé qui a été retrouvé pendu dans sa sacristie à Chicoutimi, exactement comme les deux premiers. Mais le pire, c'est qu'il paraît que la police n'est sur aucune piste.

— Voulez-vous bien me dire dans quel monde nous vivons? s'écrie Adrien. Ce n'est pas rien, c'est rendu qu'on s'en prend à nos curés. Je vais dire comme toi, la mère n'est pas prête de revenir. Pauvre elle, elle doit vraiment avoir hâte de retrouver sa maison.

— C'est plutôt Adjutor qui est à plaindre, ne peut s'empêcher de souligner Gertrude. Depuis le temps qu'elle a débarqué à son presbytère, je suis certaine qu'il a hâte qu'elle parte.

Gertrude pourrait ajouter qu'elle a reçu une lettre de son frère et que celle-ci confirme ce qu'elle vient de dire, mais elle décide de n'en rien faire. De son côté, Adrien est tellement choqué par les paroles de sa sœur qu'il n'hésite pas une seconde avant de s'en prendre à elle.

— Quand est-ce que tu vas finir par arrêter de taper sur la tête de la mère? Elle ne t'a rien fait, à ce que je sache!

Cette fois, Adrien a dépassé les bornes et Gertrude décide qu'il va en prendre pour son rhume.

— Et toi, quand vas-tu enlever tes lunettes roses? La mère n'est pas de service. Te connaissant, je te garantis que tu ne tiendrais pas le coup une journée à te faire commander comme elle seule sait le faire. Et si tu veux savoir, plus longtemps elle restera à Saint-Irénée et mieux je me porterai.

— Tu ne penses qu'à toi, comme d'habitude, réagit Adrien.

Gertrude regarde son frère avec des fusils dans les yeux.

— Tu ne me fais pas peur tu sais, se sent obligé d'ajouter Adrien en soutenant son regard.

— Si j'étais à ta place, lance Ernest d'un ton rempli d'ironie, je ferais attention à ce que je dis, parce que ta sœur a pas mal de caractère.

— Toi le cousin, réagit aussitôt Gertrude, si tu ne veux pas que je te donne ton bleu, tu es mieux de la fermer parce qu'au cas où tu l'ignorerais, tu es ici à cause de la mère et je te ferai remarquer qu'elle n'est pas là pour te défendre.

— OK! OK! Si on ne peut plus parler… ajoute Ernest d'un ton beaucoup plus conciliant.

— Et si vous voulez autre chose, ajoute Gertrude en se levant de table, vous n'aurez qu'à aller vous servir.

— Mais je n'ai même pas de café dans ma tasse, se plaint aussitôt Adrien.

— Gertrude a pourtant été claire, dit Joseph d'un ton autoritaire. S'il te manque quelque chose, ou tu te sers ou tu t'en passes. Tant qu'à y être, je vais vous dire le fond de ma pensée. Je suis bien triste pour le curé de Chicoutimi, mais ce n'est certainement pas moi qui vais plaindre Adjutor parce que depuis que Lucille est partie, l'air est beaucoup plus respirable ici. Quant à toi, Ernest, ça fait assez longtemps que tu habites ici, je te donne deux semaines pour te trouver un logement ou une pension, ou même une grange. Est-ce que je me suis bien fait comprendre?

— Oui mon oncle, répond Ernest d'une petite voix.

— Mais vous n'avez pas le droit de faire ça, argumente Adrien.

— Jusqu'à preuve du contraire, ajoute Joseph, je suis chez moi ici et c'est moi qui décide. Et si ma décision ne fait pas ton affaire, eh bien, tu n'as qu'à le prendre chez toi.

— Vous savez aussi bien que moi que je n'ai pas de place pour héberger personne.

— Alors, ne te mêle pas de ça.

Joseph ne fait ni une ni deux et il se lève pour aller remplir sa tasse de café. En le voyant faire, Gertrude soulève les fesses de sa chaise berçante, mais son père lui fait signe de ne pas bouger.

— On aura tout vu! s'indigne Adrien, même vous vous êtes obligé de vous servir.

— Et moi, lance Joseph, je t'ai assez vu pour aujourd'hui. Tu connais le chemin…

C'est la première fois que Gertrude voit son père agir ainsi et elle n'en revient tout simplement pas. En quelques minutes seulement, il a remis Adrien à sa place et il a donné son bleu à Ernest. Elle imagine déjà la réaction de sa mère quand elle va vouloir retrouver la vie qu'elle avait avant de partir pour Saint-Irénée. Nul doute, son retour ne manquera pas de faire des flammèches.

Aussitôt Adrien et Ernest sortis de la maison, Joseph regarde Gertrude et il se met à rire de bon cœur en se tenant l'épaule, et Gertrude se tient le ventre à deux mains, tellement elle rit elle aussi.

Chapitre 15

Plus les jours passent, plus Adjutor est désespéré. Lucille s'est mise au fourneau après le départ de Béatrice et elle s'entête à mettre les petits plats dans les grands, mais ça ne le console pas une miette. Il a fait plusieurs tentatives auprès de Béatrice pour qu'elle revienne, mais elle a refusé chaque fois.

— Revenez me voir quand votre mère sera partie. Avec tout le respect que je vous dois, c'est au-dessus de mes forces d'être dans la même pièce qu'elle.

Adjutor voudrait lui dire qu'il est bien placé pour la comprendre, mais sa soutane ne lui permet pas de faire un tel commentaire à l'égard de sa propre mère. Le pire s'est produit quand il a lu dans le journal qu'un troisième prêtre avait été tué. Ce n'est pas mêlant, c'est comme si le ciel venait de lui tomber sur la tête. Il s'est empressé de cacher le journal, mais le premier paroissien qui s'est présenté au presbytère s'est fait un plaisir d'apprendre la nouvelle à Lucille.

— Je trouve qu'il se rapproche un peu trop, lui a dit Lucille au dîner, heureusement que je suis là pour te protéger.

— Mais je suis capable de me défendre tout seul, a-t-il objecté d'un ton impatient. Vous devriez retourner chez vous, je suis certain que papa a hâte que vous reveniez.

— Laisse ton père en dehors de tout ça. Je te l'ai déjà dit, je ne partirai pas d'ici tant et aussi longtemps que la police n'aura pas mis la main sur le meurtrier.

— Mais ça peut être long...

— J'ai tout mon temps, même que je commence à aimer jouer à la bonne.

Adjutor est arrivé très vite au bout de ses ressources. Il a écrit deux lettres à Gertrude, mais elle n'a même pas daigné répondre à la première. Quant à la deuxième, elle lui a écrit de demander à Dieu, parce que c'est le seul qui peut l'aider. Il a insisté et insisté auprès de sa mère pour qu'elle parte, mais elle ne veut rien entendre. Et si ça continue longtemps, il va finir par perdre Béatrice. Des bonnes de sa trempe ne courent pas les rues de nos jours. C'est en allant chercher son courrier qu'Adjutor retrouve le sourire. En voyant le seau sur l'enveloppe qui lui est adressée, il l'ouvre avant même de sortir du bureau de poste.

Mon cher Adjutor,

Vous avez sûrement appris la mort tragique du curé Légaré de Chicoutimi. Son départ précipité laisse la paroisse dans un tel état que je ne peux pas me résoudre à abandonner les paroissiens sans soutien trop longtemps. Comme vous avez travaillé aux côtés du curé Légaré pendant quelques mois, j'ai un grand service à vous demander. Pourriez-vous venir prendre sa place le temps qu'on lui trouve un remplaçant?

Je sais que vous en avez déjà plein les bras avec votre propre cure, mais j'espère de tout cœur que vous acquiescerez à ma demande dans les plus brefs délais.

Votre tout dévoué,

Mgr Michel-Thomas Labrecque

Adjutor s'approche du comptoir et demande à quelle heure le courrier est ramassé.

— Dans une heure.

— Auriez-vous ce qu'il faut pour écrire?

— Bien sûr monsieur le curé, tenez ! Vous pouvez vous installer à la table de cuisine si vous voulez.

— Merci !

Si Adjutor peine à écrire ses sermons semaine après semaine, cette fois les mots lui viennent plus vite que sa main ne peut les transcrire.

Monseigneur.

C'est avec un immense plaisir que j'accède à votre demande. Le temps de m'organiser ici et je prendrai aussitôt la route pour Chicoutimi. Qui sait, j'arriverai peut-être même avant ma lettre.

Votre dévoué,

Adjutor Pelletier, curé de Saint-Irénée

Il y a bien longtemps qu'Adjutor ne s'est pas senti aussi bien. Il fait un petit détour par la maison des parents de sa bonne Béatrice avant de retourner au presbytère.

— J'ai besoin de vous, Béatrice.

Et il lui explique la situation.

— Il faut d'abord que vous me promettiez que votre mère part avec vous.

— Faites-moi confiance, c'est une occasion en or de la ramener chez elle.

— Le temps de faire ma valise et je suis prête, répond Béatrice en lui souriant. Vous savez, monsieur le curé, je commençais à penser que ce jour n'arriverait jamais.

Si Adjutor a le sourire fendu jusqu'aux oreilles en arrivant au presbytère, Lucille se met à bougonner lorsqu'elle voit Béatrice.

— Pourquoi es-tu allé la chercher ? demande-t-elle aussitôt à son fils. On n'avait pas besoin d'elle ici.

— Vous, peut-être pas, mais moi oui. Je vous ramène chez vous demain.

Alors que Lucille s'apprête à lui servir sa sempiternelle raison pour ne pas partir, Adjutor reprend vite la parole.

— Monseigneur m'a demandé de remplacer le curé Légaré jusqu'à ce qu'il lui trouve un remplaçant.

— Tu ne vas quand même pas y aller ? C'est bien trop dangereux !

— Je lui ai déjà envoyé ma réponse avant d'aller chercher Béatrice.

— Il n'est pas question que tu ailles te jeter dans la gueule du loup, objecte Lucille.

Lucille aura beau dire tout ce qu'elle veut, aucun de ses arguments n'arrivera à faire changer Adjutor d'idée cette fois. Il tient enfin une occasion en or de se débarrasser de sa mère et il ne la laissera certainement pas passer.

— Vous pouvez avoir peur autant que vous voudrez, mais ça ne changera rien à ma décision. J'ai promis à monseigneur de lui rendre service et je le ferai. Alors, si j'étais à votre place, je profiterais de la présence de ma bonne Béatrice pour aller faire ma valise.

— Si c'est comme ça, eh bien, je resterai avec toi au presbytère.

En entendant ça, Adjutor voit rouge. Il aurait dû penser que sa mère ne s'en laisserait pas imposer aussi facilement. Il faut vite qu'il trouve une façon de s'en sortir.

— Il n'en est pas question, répond-il d'une voix autoritaire. Je vous conduirai chez vous moi-même et je vous interdis de débarquer au presbytère pour quelque raison que ce soit. De quoi aurais-je l'air auprès de monseigneur, si je devais arriver avec ma mère ?

— Mais c'est pour te protéger…

— Gardez donc vos peurs pour vous, il y a déjà assez de Dieu qui veille sur moi.

Adjutor soupire un bon coup et ajoute d'un ton tout aussi autoritaire :

— Et allez donc faire votre valise. Béatrice vous avertira quand le souper sera prêt.

Cette fois, Lucille n'ajoute rien avant de sortir de la cuisine. Ce n'est qu'à ce moment qu'Adjutor réalise que Béatrice a tout entendu. Il la regarde en levant les mains au ciel.

— Je suis désolé, mais ma mère a beaucoup de mal à comprendre quand on ne pense pas comme elle.

— Tout ce que je peux vous dire, c'est que vous êtes beaucoup plus patient que moi. Qu'est-ce que vous aimeriez manger pour souper ?

— Des patates fricassées, répond spontanément Adjutor, il n'y a que vous pour les faire aussi bonnes.

Adjutor fait une courte pause avant d'ajouter :

— Et un pouding au pain…

— Tout ce que vous voulez, monsieur le curé. Je suis si contente d'être rentrée à la maison.

— Pas autant que moi !

* * *

Les employés de la Ville sont venus installer l'électricité la semaine passée. À part le fait qu'ils n'ont plus besoin d'allumer les lampes avec une allumette, on ne peut pas dire que ça a changé la vie des Pelletier tant que ça. Le premier soir, ils s'amusaient à tirer sur la corde des lampes pour les allumer ou pour les éteindre chaque fois qu'ils passaient à proximité d'une. Comme disait Gertrude à son père et à son mari, le meilleur est à venir avec l'électricité.

Marie-Laure est venue voir Gertrude hier soir et elle lui a dit qu'elle ne devrait plus sortir de la maison si elle ne veut pas accoucher au beau milieu du chemin. Elle lui a aussi dit qu'elle viendrait faire son tour tous les jours.

Depuis que Joseph a rabroué Adrien, il n'est pas revenu déjeuner, ce qui somme toute fait l'affaire de tout le monde. Et vu que son père est retourné bûcher et que Camil ne revient que pour le souper, Gertrude passe ses grandes journées toute seule. Elle met un peu plus de temps que d'habitude à faire son ordinaire, mais elle finit par y arriver. Elle fait une sieste tous les après-midi et ensuite elle en profite pour tricoter ou pour lire.

Ernest les a quittés hier. Ni Gertrude, ni Joseph, ni Camil n'ont prononcé un mot pour le retenir. À peine avait-il fermé la porte que Joseph allait chercher sa bouteille de whisky pour fêter son départ. L'un comme l'autre, ils savent que Lucille va être en furie quand elle apprendra que Joseph lui a donné son bleu, mais en attendant l'orage, ils profitent du beau temps au maximum. Au moment de se lever de sa chaise, Gertrude perd ses eaux. Partagée entre le plaisir de tenir enfin son enfant dans ses bras et la peur d'accoucher, elle est incapable de bouger pendant quelques secondes. Lorsqu'elle parvient à reprendre sur elle, Gertrude va chercher le balai et elle frappe au plafond pour avertir Marie-Paule que c'est le temps.

Marie-Paule dit aussitôt à André de s'habiller et d'aller dire à tante Marie-Laure que Gertrude a besoin d'elle. Le petit garçon s'habille à toute vitesse et au moment de sortir de la maison, sa mère le met en garde de bien se tenir pour descendre l'escalier.

— Ne t'inquiète pas maman, je vais faire comme tu m'as montré.

Dès qu'elle referme la porte, Marie-Paule court dans la chambre des garçons pour surveiller son fils par la fenêtre. Elle sourit en le voyant courir sur la neige. Il frappe ensuite à la porte de sa tante et il disparaît dans la maison avant de réapparaître quelques minutes plus tard avec Marie-Laure et ses enfants. Les belles-sœurs ont convenu que Marie-Laure les emmènerait chez Marie-Paule le temps qu'elle aide Gertrude à accoucher.

De retour dans la cuisine, Marie-Paule entend des petites pattes qui montent l'escalier. Elle leur ouvre la porte aussitôt que le premier est sur la galerie et elle les accueille chaleureusement.

— Allez vite trouver Gertrude, dit-elle à Marie-Laure, je m'occupe des enfants.

Marie-Laure ne prend même pas le temps d'embrasser ses enfants et elle sort de la maison. C'est une Gertrude pâle à faire peur qui l'accueille en bas.

— Ça me tire tellement dans le bas du ventre, s'écrie-t-elle en voyant sa belle-sœur.

— Le temps d'enlever mon manteau et mes bottes et je vais aller préparer votre lit. Essayez de ne pas trop bouger pour le moment.

— Même si je voulais partir en courant, je n'y arriverais pas.

Quelques minutes plus tard, Marie-Laure installe Gertrude dans son lit et s'assure que le travail continue.

— Ça ne devrait pas être trop long, dit-elle, je vois déjà sa tête.

Et Marie-Laure prend le contrôle à ce moment. Elle guide Gertrude pas à pas dans sa descente aux enfers et trouve toujours les bons mots pour l'encourager à continuer de pousser.

Gertrude est aussi fatiguée que si elle avait lavé dix planchers à genoux. Elle a chaud, elle a froid, elle a mal et elle voudrait mourir.

— Encore deux bonnes poussées et ça va y être, lui promet Marie-Laure entre deux gémissements.

Si Gertrude avait su que c'était aussi souffrant d'accoucher, elle y aurait pensé à deux fois.

— Poussez! l'encourage Marie-Laure. Encore! Plus fort!

Cette fois, Gertrude donne tout ce qu'il lui reste de force et de courage et c'est dans un grand cri que son bébé fait enfin son entrée dans le monde.

— Bravo Gertrude! s'exclame aussitôt Marie-Laure, vous avez accouché d'un beau gros garçon et il a tous ses morceaux, et même des cheveux. Le temps de faire sa toilette et je vous l'emmène.

Restée seule dans sa chambre, Gertrude se met à pleurer comme une Madeleine. Lorsqu'elle réalise ce qu'elle est en train de faire, elle se dit qu'elle devrait être heureuse puisqu'elle a enfin un bébé. Mais elle est tellement épuisée qu'elle est incapable de s'arrêter de pleurer.

Lorsque Marie-Laure lui tend son bébé, ses larmes redoublent d'ardeur en lui voyant la binette, ce qui fait sourire sa belle-sœur. Gertrude s'essuie les yeux comme elle peut et elle regarde son fils avec amour.

— C'est ton père qui va être content de te voir, s'écrie-t-elle en lui caressant les joues.

Marie-Laure s'affaire ensuite à tout nettoyer. Une fois sa tâche terminée, elle demande à Gertrude si elle a besoin de quelque chose.

— J'ai tout ce qu'il me faut, répond-elle en souriant. Je vous remercie infiniment, Marie-Laure. Je ne sais pas si j'y serais arrivée sans vous.

— C'est à vous que le mérite revient, pas à moi. Êtes-vous bien certaine de pouvoir rester toute seule jusqu'à ce que Camil revienne de travailler ?

— Mais oui !

— Avez-vous au moins quelqu'un pour vous aider ?

— Marcella s'est offerte. Camil ira l'avertir ce soir.

— En attendant, vous savez quoi faire pour que je vienne.

— Oui ! Encore merci.

Ce n'est pas parce que Marie-Laure s'inquiète pour ses enfants, elle sait qu'ils sont en sécurité avec Marie-Paule, mais disons qu'elle préfère les avoir à l'œil.

Chapitre 16

Lucille est tellement fâchée qu'Adjutor ait osé refuser son aide qu'elle est restée enfermée dans sa chambre jusqu'au moment de partir. Elle n'a même pas répondu lorsque Béatrice l'a saluée au passage. Adjutor voit très bien son petit jeu, mais il n'en fait pas de cas. Libre à elle de bouder pendant tout le voyage. Au moins, pendant ce temps-là, elle ne lui chauffera pas les oreilles avec toutes ses histoires de protection.

Adjutor remonte la peau d'ours sur ses genoux et sur ceux de sa mère et il enfonce son casque de poil autant qu'il peut avant de lancer son cheval sur la route. Le voyage ne prendra pas seulement deux heures, mais Adjutor est rempli de courage et de détermination à la seule idée de le refaire sans sa mère au retour. Malgré les nombreux arrêts qu'ils ont faits en cours de route, Lucille n'a pas rompu le silence une seule fois. Pire, elle n'a répondu à aucune des questions qu'il lui a posées.

Les voilà enfin à Chicoutimi. Impatient d'aller au presbytère, Adjutor hésite un peu avant de prendre cette direction.

— On devrait arrêter au presbytère, lance Lucille du bout des lèvres en guise de premières paroles, ça nous permettrait de nous dégourdir les jambes un peu.

Le son de la voix de sa mère suffit à lui seul pour qu'Adjutor retrouve ses esprits. Il prend la direction de Jonquière sans aucune hésitation juste au cas où Lucille espère encore lui coller aux fesses.

— Hey! s'indigne Lucille en voyant ça, je n'ai pas ton âge moi! Il faut que je fasse quelques pas, parce que je suis en train d'ankyloser.

— Ne vous inquiétez pas, la mère, dit Adjutor très gentiment, je vais vous arrêter au premier magasin général qu'on va voir.

Il n'en faut pas plus pour que Lucille se renfrogne jusqu'au moment de débarquer chez elle.

La première chose qu'elle entend en ouvrant la porte, ce sont les pleurs d'un bébé. Au lieu de la rendre heureuse, ça ne fait que la conforter dans sa mauvaise humeur.

— Gertrude! s'écrie-t-elle pendant qu'elle enlève son manteau, je suis revenue et je veux que tu me fasses un thé.

Si Lucille voyait l'air de sa fille, elle exploserait. Gertrude redoutait ce moment plus que tout au monde. À vrai dire, elle préférerait accoucher, et Dieu sait combien elle a détesté cela, que de se remettre en ménage avec sa mère. Elle prend une grande respiration avant de se lever de son lit et elle vient rejoindre Lucille dans la cuisine avec son bébé dans les bras.

— Bonjour la mère, dit-elle d'un ton rempli de gentillesse, j'espère que vous avez fait bon voyage.

— À part de geler comme un rat du début à la fin, je ne vois pas comment j'aurais pu faire un bon voyage! Maintenant, occupe-toi de me faire du thé.

Gertrude s'approche de Lucille.

— Je vous présente mon fils, il s'appelle Jean.

Lucille ne lui jette pas un regard. Même si Gertrude ne s'attendait pas à ce que sa mère s'extasie devant son bébé, elle s'était imaginé qu'elle serait assez polie pour au moins le regarder.

— Va le coucher et fais-moi du thé.

C'est à ce moment qu'Adjutor fait son entrée avec la valise de Lucille. Le sourire fendu jusqu'aux oreilles, il n'a pas besoin de parler pour que Gertrude comprenne à quel point il est content d'enfin se débarrasser de leur mère. Contrairement à cette dernière, il n'a d'yeux que pour le bébé de sa sœur.

— Il est vraiment beau! s'exclame-t-il. C'est dommage que je sois aussi froid parce que tu peux être certaine que je le prendrais. Si tu veux que je le baptise, tu n'auras qu'à me le dire, puisque je serai à Chicoutimi pour au moins deux semaines.

Devant l'air ahuri de sa sœur, Adjutor se dépêche de lui donner plus de détails.

— C'est donc pour ça que tu as ramené la mère…

— Oui et non! Disons qu'elle en avait fait suffisamment pour moi.

La tentation est forte de faire étriver un peu Adjutor, mais Gertrude se retient en se disant qu'elle pourra se reprendre quand Lucille ne sera pas là.

— Alors ce thé? insiste Lucille d'un ton bourru.

Contre toute attente, Adjutor prend la parole :

— Vous n'avez qu'à le faire vous-même! Depuis le temps que vous habitez ici, vous savez sûrement où sont les choses, d'autant que je suis certain que Gertrude n'a pas changé l'ordre des armoires, elle.

Pendant que Lucille le fusille du regard, Gertrude se demande bien ce que son frère veut dire. Et comme si ce n'était pas suffisant, Adjutor ajoute :

— Et puis, ça fait des semaines que vous vous pratiquez à jouer à la bonne chez moi… vous serez sûrement capable de vous faire un thé. Gertrude vient d'accoucher, laissez-la tranquille un peu. Bon, je vous laisse, j'ai encore de la route à faire.

Cette fois, c'en est trop pour Lucille. Au lieu de mettre de l'eau à chauffer pour son thé, elle va s'asseoir dans sa chaise berçante et se met à se bercer. C'est à ce moment qu'elle se rend compte que les portes du salon sont grandes ouvertes.

— Qui a osé les ouvrir ? siffle-t-elle entre ses dents.

Cette fois, c'est Gertrude qu'elle trouve sur son chemin.

— Non seulement les portes sont ouvertes depuis que vous êtes partie, mais j'aime autant vous dire avant que vous l'appreniez par un de mes frères que j'ai joué du piano à tous les jours et pour papa le soir.

— Je t'interdis de toucher à mon piano, et va fermer les portes.

Malgré le ton utilisé par sa mère, Gertrude ne bouge pas d'un iota, et c'est avec un petit sourire en coin qu'elle lui fait face. Son absence lui a donné du courage, en tout cas suffisamment pour qu'elle lui tienne tête lorsque ça ne fera pas son affaire. Elle a fini de servir madame comme la reine qu'elle n'est pas et de satisfaire ses innombrables caprices.

— Rien ne vous empêche de le faire, si vous y tenez tant. C'est comme pour le thé, on n'est jamais si bien servi que par soi-même. Vous devriez commencer à vous habituer, parce que je ne serai pas toujours là pour vous servir.

Le ton doucereux utilisé par Gertrude a tout pour déplaire à Lucille. Elle n'est partie que quelques semaines, pourtant, et sa fille n'est plus la même. Mais Lucille en a vu d'autres et elle a bien l'intention de remettre sa maison, et sa fille, à sa main.

— Où est ton père ? demande-t-elle sans bouger de sa chaise.

— Il est allé bûcher avec Arté, ils vont revenir demain.

Ce n'est pas que Gertrude tienne absolument à détendre l'atmosphère, mais elle se dit que tant qu'à être prise dans la maison avec sa mère pour plusieurs mois encore, il vaudrait peut-être mieux mettre la pédale douce.

— Aussi bien vous mettre au courant de ce qui est arrivé ici pendant votre absence.

Devant le peu d'intérêt manifesté par sa mère, Gertrude est tentée de se taire, mais elle finit par se dire qu'il vaut mieux qu'elle donne sa version des faits avant qu'Adrien donne la sienne.

— D'abord, il y a deux semaines qu'Adrien ne vient pas déjeuner. Ensuite, Ernest s'est enfin trouvé un logement, il est parti la semaine passée. Papa s'est démis l'épaule la dernière fois qu'il est allé bûcher, mais il va mieux. Et il a fait installer l'électricité aussi.

Gertrude fait une pause de quelques secondes avant de poursuivre sur sa lancée :

— Au cas où ça vous intéresserait, j'ai accouché hier et c'est Marie-Laure qui est venue m'aider. Enfin, vous avez manqué Marcella de peu, elle vient juste de partir, c'est elle qui me relève.

À voir l'air de sa mère, Gertrude jurerait qu'elle parle à un mur. Comme elle n'a pas envie de s'obstiner, elle retourne dans sa chambre sans rien ajouter. Marcella a préparé le souper avant de partir, ce qui fait que Gertrude n'aura qu'à le faire réchauffer quand Camil reviendra de travailler. Elle est tellement habituée à servir tout le monde qu'elle avait du mal à rester assise pendant que Marcella, qui avait pourtant été claire, s'affairait à la cuisine :

— Ne t'avise pas de venir m'aider, parce que je m'en vais. Profite des quelques jours de répit que je peux te donner pour te remonter, tu vas vite t'apercevoir que ça va faire une différence.

Bien qu'elle ait eu des fourmis dans les jambes, Gertrude a réussi à écouter sa sœur et elle s'est reposée toute la journée. Mais le pire dans tout ça, c'est qu'elle irait se coucher si elle ne se retenait pas.

Gertrude a à peine le temps de poser les fesses sur le pied de son lit qu'elle entend sa mère l'appeler, mais elle n'en fait aucun cas. Elle va même fermer la porte de sa chambre et elle retourne s'asseoir pour admirer son fils qui dort à poings fermés. Le petit Jean fait partie de sa vie depuis quelques heures seulement et, pourtant, elle serait prête à tout pour le protéger. Elle espère de tout son cœur que sa mère va changer d'attitude envers lui, mais dans le cas contraire, elle se dit qu'il a une autre grand-mère et qu'elle est beaucoup plus gentille. Et puis, connaissant Lucille, elle ne se fait pas d'illusions, il faudrait qu'elle se fasse frapper par la foudre, ou alors qu'un miracle se produise, pour qu'elle change. Comme Dieu a bien mieux à faire que de se préoccuper de sa petite personne, il vaut mieux qu'elle se fasse une carapace pour les mois qui lui restent. Depuis qu'elle sait qu'elle va partir, elle fait le même cauchemar, pas toutes les nuits, mais trop souvent à son goût. Au moment de sortir ses quelques biens de la maison familiale, une légion de soldats armés jusqu'aux dents l'obligent à reculer. Elle les implore de la laisser passer, mais à chacune de ses demandes, ils se rapprochent un peu plus d'elle jusqu'à pouvoir la toucher en allongeant le bras. C'est alors qu'elle se met à pleurer toutes les larmes de son corps pendant qu'elle entend rire sa mère dans son dos. «Tu es à moi», répète inlassablement Lucille entre deux éclats de rire.

C'est à ce moment que Gertrude se réveille en pleurs et en sueur. Chaque fois, Camil la prend dans ses bras et lui dit à l'oreille :

— Ce n'était qu'un rêve…

Curieusement, Gertrude n'a fait aucun cauchemar pendant l'absence de sa mère.

***

Heureux comme un roi, Camil chantonne pendant qu'il dételle son cheval. La nouvelle que sa femme a eu son bébé s'est répandue comme une traînée de poudre au magasin général, et plusieurs clients sont revenus lui porter un petit cadeau. Il en a tellement eu qu'il a rempli une pleine caisse de bouteilles de lait. Il a de tout : des pots de confiture, du beurre, un pain, du sucre à la crème, des petites pattes tricotées, des couches… Même son patron lui en a offert un :

— Je t'offre toutes les vitres de ta maison.

Camil était fou de joie. Il ne veut pas inquiéter Gertrude, mais il commence à avoir peur de manquer d'argent. Comme il est trop fier pour solliciter l'aide de qui que ce soit, même celle de son père, il se ronge les sangs pour trouver une solution. Il a tout le bois qu'il lui faut et ses portes aussi. Pour ce qui est de la brique, il se réserve le droit de faire seulement la façade.

Camil a très vite réalisé que ce n'est pas tout de bâtir la maison, il faut aussi la remplir. Pour le moment, tout ce qu'ils ont c'est le *set* de chambre de Gertrude, le berceau du bébé et les quelques cadeaux de mariage qu'ils ont reçus. Il doit trouver un poêle, une glacière, une table, des chaises… Il sait qu'il pourra trouver quelques bricoles dans la grange de son père, mais c'est à peu près tout. Hier, il a eu une idée en discutant avec un client. Il s'est dit qu'il y a sûrement des trésors qui dorment dans les greniers et dans les granges. Il a d'abord pensé à mettre une annonce à l'entrée, mais étant donné que plusieurs ne savent ni lire ni écrire, il ne rejoindrait pas tout le monde. C'est alors qu'il a songé à faire une petite tournée dans les campagnes avec sa voiture. Il en a glissé un mot à son patron avant de quitter le magasin, et ce dernier l'a encouragé à faire les deux.

— Commence par dresser la liste des choses dont tu as besoin et épingle-la bien en vue sur le tableau. Je te garantis que tu ne seras pas déçu, même que je serais étonné que les gens te fassent payer pour leurs vieilleries. Et s'il te manque quelque chose, tu pourras toujours faire le tour des maisons.

Camil sourit chaque fois qu'il revient de l'étable et qu'il voit les lampes allumées à l'électricité. Certes, ils n'utilisent qu'une parcelle de ce qu'elle permet de faire, mais c'est un début. Il dépose sa caisse pour ouvrir la porte et s'écrie :

— Je suis là !

— Moi aussi ! lui répond Lucille d'un air bourru. Si vous voulez voir votre femme, il faudra d'abord la réveiller. J'ignore ce qui s'est passé pendant que j'étais partie, mais je peux vous garantir que les choses vont revenir comme avant.

— Bonjour quand même, la belle-mère, dit Camil en soupirant. Au cas où vous ne seriez pas au courant, Gertrude a accouché seulement hier et quant à moi, elle peut dormir tout son saoul si c'est ce dont elle a besoin. Avez-vous vu votre petit-fils ?

Lucille ne se donne même pas la peine de répondre. Devant son peu d'enthousiasme, Camil comprend que la vie de château a pris fin avec le retour de la reine. Il enlève ses bottes, accroche son manteau et reprend sa caisse avant de se diriger vers sa chambre à coucher.

— Hey ! Hey ! Qui va me faire à souper ?

Camil fige sur place et il se demande comment il doit réagir.

— Vous savez, la belle-mère, la cuisine c'est comme monter à cheval : on ne l'oublie jamais. Je peux me tromper, mais ça sent tellement bon ici que vous ne devriez avoir qu'à réchauffer ce qui est dans la casserole. Sinon, pour ma part, des œufs feront largement l'affaire.

Ce n'est pas ce que Lucille voulait entendre, loin de là. Si son gendre pense qu'elle va se mettre au fourneau pour lui faire des œufs, il se met un doigt dans l'œil jusqu'au coude. Plutôt jeûner que de mettre son tablier dans sa propre maison.

Dès que Camil tourne la poignée de la porte de leur chambre, Gertrude ouvre les yeux et lui sourit.

— Je ne voulais pas te réveiller, dit-il d'une voix douce.

— Il va bien falloir que je me lève pour aller manger.

— En tout cas, j'en connais une qui n'attend que ça. Tu vas me trouver bête, mais j'avais réussi à oublier qu'elle finirait par revenir. Je te plains de tout mon cœur d'avoir à passer tes journées avec elle.

Il s'accroupit près du berceau de son fils et il lui caresse la joue. Il n'en revient pas à quel point sa peau est douce. Avant de rencontrer Gertrude, il avait renoncé à son rêve de devenir père un jour et voilà qu'il a un fils. Pour Camil, c'est impossible d'être plus heureux qu'en ce moment.

— Et je peux te dire qu'elle a commencé en lion, riposte Gertrude.

— Ça te dirait qu'on mange une dernière fois seulement tous les trois ?

Le regard de Gertrude s'illumine aussitôt, ce qui confirme à Camil que ça lui ferait plaisir.

— Je reviens tout de suite, dit-il avant de sortir de la chambre.

À peine a-t-il mis un pied dans la cuisine que Lucille lui tombe dessus :

— Est-ce que je vais devoir aller la réveiller moi-même ? demande-t-elle d'un ton bourru à souhait.

— Ne vous donnez pas cette peine, la belle-mère, elle est déjà réveillée.

— Et le souper, quand va-t-elle venir le faire ?

Cette fois Camil ne peut s'empêcher de rire. Il sort deux assiettes, un couteau et une cuillère et retourne dans la chambre.

— Hey, le gendre, je vous ai parlé !

Mais Camil ne se donne même pas la peine de répondre avant de refermer la porte derrière lui.

— Tu ne me croiras pas, dit Camil le sourire aux lèvres, mais elle n'a pas bougé de sa chaise.

— Ça ne m'étonne pas du tout. C'est moi la bonne ici, pas elle.

— Eh bien, qu'elle crève de faim si c'est comme ça !

La seconde d'après, Camil s'excuse pour ce qu'il vient de dire.

— Au lieu de perdre ton temps à t'excuser, dis-moi vite ce qu'il y a dans ta caisse.

— Un tas de cadeaux de la part des clients du magasin, répond-il en la déposant sur le lit, et même notre souper.

* * *

Heureusement que Laurier ne pouvait pas rester plus de deux jours avant de repartir, parce que Charlotte n'aurait pas tenu le coup. À peine avait-il mis les pieds dans la maison qu'il lui tombait dessus. Il était arrêté à la poste avant de rentrer et il avait croisé une des femmes qui va bercer des enfants à l'orphelinat. Évidemment, cette dernière s'était fait un devoir de vanter en long et en large les mérites de Charlotte. Laurier a accusé le coup sans rien laisser paraître devant elle, mais il s'est drôlement repris quand il est rentré chez lui par exemple. Si Charlotte se vantait d'avoir le meilleur mari du monde, elle a vite découvert qu'il pouvait aussi être méchant, et même encore plus qu'elle aurait pu l'imaginer.

— Je viens d'en apprendre une belle, s'est-il écrié sans même la saluer. Il paraît que ma femme passe ses journées à bercer des enfants à l'orphelinat. C'est fini ce temps-là ! Je t'interdis d'y retourner, sinon...

Le regard pâle et les yeux noyés de larmes, Charlotte attendait patiemment la suite.

— Tu vas avoir affaire à moi. J'ai pourtant été clair, jamais je n'élèverai le bâtard d'un autre ! Et je refuse que tu traînes là-bas.

— Mais je ne fais rien de mal, s'exclame Charlotte d'une voix plaintive, je...

— Le sujet est clos, a tranché Laurier. Et je te conseille d'obéir, parce que maintenant que je suis au courant, tu peux être certaine que je vais aller aux nouvelles avant de rentrer.

Ce soir-là, Charlotte a fait son devoir conjugal pour la première fois depuis le jour de son mariage. Elle a fermé les yeux et elle a attendu que ça finisse. Lorsque Laurier est reparti, elle s'est mise à pleurer et elle est incapable de s'arrêter depuis. Elle s'est endormie en pleurant hier soir et elle s'est réveillée dans le même état. Sans la possibilité d'aller au moins bercer les enfants des autres à l'orphelinat, elle ignore comment elle va pouvoir passer au travers. Les paroles de Laurier lui martèlent encore les tempes :

— Tresse des tapis, tricote, couds, je ne sais pas, moi, mais occupe-toi à autre chose. Ne m'oblige pas à t'enlever le cheval et la voiture !

Recroquevillée dans sa chaise berçante, Charlotte frissonne. Plutôt que d'allumer le poêle, elle remonte son châle autour de ses épaules et elle revoit chacun des enfants qu'elle a bercés depuis le jour où elle s'est présentée à la sœur supérieure. Elle sait qu'une femme doit obéissance à son mari, mais cette fois, c'est au-dessus de ses forces. Même le temps n'arrivera pas à panser sa plaie. Laurier a réussi à lui enlever sa raison de vivre en quelques minutes seulement, et elle sait que rien ne pourra jamais la remplacer. Mais il y a pire encore, en imposant son autorité, Laurier a cassé le mince fil qui les unissait, celui-là même qui leur donnait accès au bonheur malgré une vie tout sauf parfaite.

C'est dans un état comateux que Charlotte entend de petits coups secs frappés à la porte. Comme elle n'a pas l'intention de répondre, elle fait la morte. Allez savoir pourquoi, même si ce n'est pas dans son habitude d'insister, Léandre frappe de nouveau. Charlotte se lève péniblement de sa chaise et va lui ouvrir. Depuis le temps que Léandre parcourt les villes et les campagnes, il en a vu de toutes les couleurs, mais jamais il n'a vu une femme aussi désespérée. Un manteau de fourrure sur le bras, il lui sourit et se présente à elle. En temps normal, il aurait reviré de bord, mais il y a quelque chose qui le retient ici, quelque chose qu'il ne s'explique pas.

— Ça ne va pas, madame? lui demande-t-il en poussant la porte pour entrer.

Même si elle voulait lui répondre, Charlotte est trop gelée pour prononcer une seule parole. Le regard vide, elle retourne se bercer après avoir remonté les jambes sur sa chaise.

— Il fait encore plus froid que dehors, ici. Si ça continue, vous allez attraper votre coup de mort.

Léandre s'approche de Charlotte et dépose le manteau de fourrure sur elle avant de se mettre en frais d'allumer le poêle.

— Ça vous réchauffera en attendant que la maison soit chaude.

Il remplit ensuite la bouilloire d'eau et la met à chauffer.

— Voulez-vous un café ou un thé ?

Étant donné que sa question reste sans réponse, Léandre choisit pour elle. Il s'assoit en face de Charlotte et la regarde. Il ignore pourquoi, mais il jurerait qu'il l'a déjà vue quelque part.

— Ça ne devrait pas être long, dit-il doucement.

Ses paroles apaisantes ont pour effet de faire redoubler les larmes de Charlotte. Elle n'en revient tout simplement pas. Un pur étranger a allumé son poêle, il est même en train de lui faire un café et, en plus, il est gentil, alors que son propre mari l'a traitée comme une moins que rien parce qu'elle avait osé défier son autorité.

— Je suis désolé, dit Léandre, je ne voulais pas vous faire pleurer.

Charlotte lève les yeux vers lui et lui sourit à travers ses larmes. Sa misère touche Léandre en plein cœur. Il s'approche d'elle et lui tend la main.

— Venez ici !

La seconde d'après, il la serre doucement dans ses bras. Il n'en faut pas plus pour que Charlotte laisse sortir toute la peine qui lui oppresse la poitrine. Elle pleure tellement qu'elle est maintenant prise de soubresauts. C'est ainsi que s'installe sournoisement entre eux une drôle de sensation qui les pousse à se coller davantage. S'ensuit alors un rapprochement soudain et imprévisible qui les conduit tout droit dans la chambre à coucher pendant que la bouilloire siffle de toutes ses forces. Ce n'est que lorsqu'ils arrivent au bout de leur pulsion qu'ils réalisent ce qu'ils viennent de faire.

— Je suis désolé, madame, dit Léandre, je vous jure que ce n'est pas dans mes habitudes.

— Et moi non plus. Disons simplement qu'on a perdu la tête.

— C'est le moins qu'on puisse dire, riposte Léandre en se dépêchant de se rhabiller. Je ferais mieux d'y aller avant que les voisins se doutent de quelque chose.

Charlotte pourrait essayer de le retenir, mais elle est aussi mal à l'aise que lui après ce qu'ils viennent de faire.

— Je m'en voudrais de partir sans vous demander pourquoi vous étiez si triste.

Et Charlotte lui explique brièvement la raison de son chagrin.

— Mais qu'est-ce que ça peut bien lui faire, que vous alliez bercer les enfants ? Je n'ai pas de conseil à vous donner, mais si j'étais à votre place, je continuerais à y aller. Il n'ira quand même pas jusqu'à vous tuer. Je ne vous connais pas, mais si je me fie à ce que vous venez de me dire, vous allez mourir si vous restez enfermée ici.

Léandre sort de la chambre. Il remet du bois dans le poêle et prépare un café pour celle dont il ignore toujours le prénom.

— Votre café est sur la table. Si vous n'y voyez pas d'objection, je passerai prendre de vos nouvelles quand je serai dans le coin.

— Si vous voulez, s'entend répondre Charlotte en finissant de boutonner son corsage. Merci pour tout !

Ce n'est qu'une fois assis dans sa voiture que Léandre réalise vraiment ce qu'il vient de faire. Il a couché avec une autre femme que la sienne alors qu'il ne la connaît même pas. Un grand frisson parcourt sa colonne vertébrale au grand complet. Il remonte son col, enfonce son chapeau sur ses oreilles et commande à son cheval d'avancer. Avant même de sortir de la cour de Charlotte, il se promet que c'était la première et la dernière fois qu'il trompait Marcella.

Alors qu'elle se réchauffe les mains sur sa tasse de café, Charlotte n'en revient tout simplement pas de ce qui vient d'arriver. Jamais l'idée de tromper son mari n'a même effleuré son esprit et, pourtant, elle s'est retrouvée au lit avec un parfait inconnu. Elle ignore totalement ce qui s'est passé, mais tout ce qu'elle sait, c'est que ses yeux sont complètement secs et qu'elle va se battre de toutes ses forces pour convaincre Laurier de la laisser aller à l'orphelinat. Elle remplit la bassine d'eau et elle la met sur le feu. Elle va en profiter pour prendre une bouchée pendant que l'eau chauffe et elle va ensuite se laver des pieds à la tête pour enlever toute trace de cet homme dont elle ne se souvient même pas du nom. Après, elle mettra sa plus belle robe et prendra vite le chemin de l'orphelinat. Elle ira voir la supérieure en arrivant et lui dira qu'elle accepte qu'elle parle à Laurier pour tout ce qui touche ses visites à l'orphelinat et l'adoption. Elle serait très étonnée qu'il accepte d'adopter un petit orphelin, et s'il refuse, eh bien, elle se consolera en venant bercer les enfants chaque fois qu'elle le pourra, parce que sans eux, sa vie n'a plus aucun sens. Pour le peu de temps que Laurier passe à la maison, ce n'est pas vrai qu'il va régenter ses moindres faits et gestes.

Chapitre 17

Adrien était comme un enfant quand il a vu sa mère à la fenêtre au moment de rentrer chez lui après le train. Il est entré la saluer sur-le-champ, a pris de ses nouvelles et lui a promis de venir déjeuner le lendemain.

Mais quelle n'est pas sa surprise quand il la voit au fourneau.

— Depuis quand portez-vous un tablier, la mère ? Voyons donc, ce n'est plus à vous de faire ça.

— Je sais, répond Lucille d'un ton plaintif en haussant les épaules, mais je n'ai pas d'autre choix si je ne veux pas mourir de faim. J'ai même dû me faire à souper hier. Ta sœur n'a pas levé une paille depuis que je suis revenue, c'est le monde à l'envers. Depuis quand les vieux doivent-ils servir les jeunes ?

— Ça ne se passera pas de même ! Voulez-vous que j'aille la réveiller ?

— Tu peux bien essayer si tu veux, mais elle m'a déjà envoyée paître deux fois depuis que Camil est parti travailler. Même lui n'a pas manqué de me dire de la laisser se reposer. Ce n'est pas parce qu'elle vient d'avoir un bébé que c'est le temps de se la couler douce. Je suis là moi, et il faut que quelqu'un s'occupe de moi. Je me demande bien dans quel monde nous vivons ! En tout cas, tout ce que je peux te dire, c'est que j'ai hâte que les choses reviennent comme avant et, crois-moi, je vais tout faire pour que ça arrive au plus vite. Ce n'est pas vrai que je vais servir madame et son mari.

Adrien est outré par ce qu'il vient d'entendre. Il veut bien croire que Gertrude vient d'accoucher, mais ça ne lui donne pas le droit de négliger ses devoirs de fille de la maison. Il retire ses bottes avant de se diriger vers la chambre de sa sœur d'un pas assuré et il frappe à la porte avec vigueur. Il attend quelques secondes et joint la parole à une nouvelle volée de coups encore plus insistants que les premiers.

— Debout paresseuse, la mère a besoin de toi. N'attends pas que j'aille te…

Mais Adrien n'a pas le temps de finir sa phrase que la porte s'ouvre brusquement sur Gertrude. Les cheveux en bataille et le regard mauvais, elle pousse son frère de la main pour refermer la porte derrière elle et lui lance à la tête d'une voix sourde :

— Tu étais bien mieux de ne pas réveiller mon fils, parce que c'est toi qui l'aurais bercé. Je viens à peine de l'endormir. Qu'est-ce que tu me veux ?

— Que tu viennes nous préparer à déjeuner, cette affaire !

Le visage de Gertrude se métamorphose instantanément. Un peu plus et elle se mettrait à rire comme une folle. Décidément, son frère a un front de bœuf et cette fois, quitte à réveiller le petit Jean, il ne s'en tirera pas aussi facilement. Elle prend la peine de faire un pas en avant et de lui mettre la main sur le torse pour le pousser :

— Disparais de ma vue pendant qu'il est encore temps. Tu devrais avoir honte d'être venu réveiller une pauvre femme qui vient à peine d'accoucher. Aussi bien t'y faire au plus vite, parce que je ne te ferai plus jamais à déjeuner. Ou tu montes manger avec ta famille, ou tu t'organises avec la mère, mais moi je ne suis plus de service ni pour toi ni pour elle d'ailleurs. Ça fait assez longtemps que je joue à la bonne, et j'ai fini d'être votre esclave.

Adrien est abasourdi. Que Gertrude ne veuille pas le servir, c'est une chose, mais qu'elle soit aussi méchante à l'égard de leur pauvre mère le dépasse. Gertrude a changé du tout au tout depuis le jour où Lucille est partie pour Saint-Irénée. Avant, elle avait son caractère et elle ne se gênait pas pour dire ce qu'elle pensait, mais au moins elle faisait son travail sans rouspéter, elle était même gentille. Là, c'est rendu que madame ne veut plus lever le petit doigt. Et le pire dans tout ça, c'est qu'elle se croit tout permis depuis qu'elle s'est mariée. Elle sait très bien qu'elle n'a pas le droit de toucher au piano, mais Lucille n'était pas encore rendue chez Adjutor qu'elle pianotait déjà. Adrien le sait, il pouvait l'entendre de chez lui. Comme si ce n'était pas suffisant, leur père l'encourage. Depuis quand Joseph aime-t-il la musique au point de l'écouter jouer chaque soir alors qu'elle ne sait même pas jouer ? Adrien ne comprend plus rien, tellement qu'il en a parlé avec Marie-Paule encore hier soir, il lui disait qu'il espérait que Gertrude reviendrait à de meilleures intentions maintenant que leur mère était de retour.

— Je ne voudrais pas être méchante, lui avait dit Marie-Paule, mais ta mère ne s'est sûrement pas transformée en ange pendant son voyage chez Adjutor. Si tu veux savoir, je trouve que Gertrude a eu beaucoup de mérite de la servir jusqu'ici. Moi, il y a longtemps que j'aurais perdu patience.

— Explique-moi donc une bonne fois pour toutes pourquoi tu ne l'aimes pas.

— Ta mère ? Parce qu'elle n'est pas aimable. Tu n'as qu'à regarder comment elle traite Gertrude, et vous tous. Jusqu'à ton père qui se fait brasser par elle. Je suis certaine que même Arté, qui n'aime pas les animaux, est plus gentil avec vos vaches que ta mère avec sa propre fille.

Adrien avait beau essayer de comprendre, il n'y arrivait pas. D'aussi loin qu'il s'en souvenait, Lucille avait toujours traité Gertrude de cette manière. Marie-Paule avait bien vu que ses paroles avaient du mal à se faire un chemin dans la tête de son mari.

— Pense seulement à son attitude avec Marcella. Ta mère est bourrue avec tout le monde, c'est son caractère, mais lorsqu'elle parle à Marcella, elle met ses gants blancs jusqu'aux coudes, comme avec la visite. Ce n'est pas normal que Marcella soit la seule à avoir le droit de jouer du piano.

— Parlons-en, du piano. La mère avait à peine fermé la porte que Gertrude se précipitait dans le salon pour en jouer, alors qu'elle sait très bien qu'elle n'a pas le droit. Ce n'est pourtant pas si difficile à comprendre, la mère l'a choisie pour qu'elle soit son poteau de vieillesse. C'est tout un honneur pour une fille.

La dernière phrase d'Adrien avait fait sursauter Marie-Paule.

— Es-tu vraiment sérieux ? Moi, j'adore ma mère, mais jamais je n'aurais voulu passer ma vie à la servir.

Adrien n'avait pas l'intention de passer plus de temps là-dessus, parce que pour lui, ça demeure un privilège d'être choisi par les parents pour prendre soin d'eux.

— En tout cas ! Et comme si ce n'était pas assez qu'elle se marie, il faut en plus qu'elle parte de la maison. Peux-tu me dire qui va s'occuper de la mère ?

— Certainement pas moi ! a confirmé Marie-Paule avec vigueur. Plutôt mourir que d'être sa bonne ne serait-ce qu'une seule minute. Mais revenons à Gertrude, la pauvre a passé sa vie à servir tout un chacun, il était temps que le vent tourne pour elle.

— Mais la question demeure toujours : qui va s'occuper de ma mère ?

— Ta chère mère n'est pas à bout d'âge, à ce que je sache… elle n'aura qu'à s'occuper d'elle toute seule. C'est ce que la mienne fait, Gisèle n'est pas là pour la servir, mais pour l'aider au besoin.

— Oui, mais qui va la réveiller le matin ?

Cette fois, c'en était trop pour Marie-Paule qui s'était mis aussitôt à rire.

— Je ne vois vraiment pas ce que tu trouves de drôle là-dedans. Je suis en train de te dire qu'on a un problème et qu'il va falloir trouver une solution avant que Gertrude s'en aille dans sa maudite maison. Voyons donc, la mère ne peut pas passer ses journées couchée, ça n'a pas de bon sens. Tu le sais aussi bien que moi, il n'y a que Gertrude pour la remonter pour la journée.

Au lieu de calmer Marie-Paule, la nouvelle intervention d'Adrien l'avait fait rire encore plus. Voilà maintenant que de grosses larmes coulaient sur ses joues.

Elle riait tellement qu'Adrien avait fini par se fâcher et qu'il était allé se coucher, même s'il n'était que huit heures.

Lorsqu'Adrien revient dans la cuisine pour le déjeuner, Lucille a déjà mis les œufs à cuire.

— Ma sœur est folle, s'exclame-t-il en levant les bras, elle ne veut rien entendre.

— Je t'avais prévenu. Va t'asseoir, ça va être prêt dans une minute. En passant, pourrais-tu m'emmener en ville ce matin et me laisser chez Anna après ?

— Ça tombe bien, j'ai justement affaire au magasin général. Je pourrai même aller vous chercher avant de faire le train, si vous voulez.

— C'est parfait pour moi !

***

Lorsque Marcella fait son entrée dans la maison familiale et qu'elle voit dans quel état est la cuisine, elle se dit que ce n'est certainement pas l'œuvre de Gertrude ni de Camil. Elle s'avance jusqu'à la chambre de ses parents et pousse suffisamment la porte pour voir la valise de sa mère. Le désordre qui règne ici lui confirme que Lucille est partie en guerre contre Gertrude. Marcella soupire un bon coup. Aucun doute pour elle, sa sœur n'aura pas la vie facile jusqu'à son départ, malheureusement prévu seulement dans huit mois.

Marcella met une bûche dans le poêle avant de commencer à nettoyer. C'est à ce moment qu'elle remarque que les portes du salon sont fermées à double tour, ce qui la fait sourire. Nul besoin de se faire confirmer que c'en est bien fini pour Gertrude de toucher au piano, encore moins d'en jouer. Elle trouve ça très dommage pour sa sœur.

— Je ne t'ai même pas entendu arriver, dit Gertrude d'une voix ensommeillée.

— C'est normal, répond Marcella en s'approchant de sa sœur, j'ai fait attention de ne pas faire de bruit. Tu es certaine que tu vas bien? Tu es toute pâle!

— Disons que je n'irais pas me promener, mais ça va aller. Jean a eu des coliques toute la nuit, ce qui fait que je n'ai pas beaucoup dormi. Tu as sûrement vu que la mère était revenue…

— Difficile de faire autrement, la coupe Marcella, la cuisine ressemblait à un vrai champ de bataille.

Gertrude sait ce qui l'attend aussitôt qu'elle sera d'attaque, mais pour le moment, elle préfère ne pas y penser. Elle disait justement à Camil hier soir qu'elle ne savait pas comment elle pourrait tenir le coup jusqu'à l'automne, et elle s'était mise à pleurer. Il l'avait prise dans ses bras et lui avait promis de faire tout ce qu'il pouvait pour finir la maison au plus vite.

— Et elle ne s'est pas gênée pour venir me réveiller deux fois plutôt qu'une, ajoute Gertrude. Comme si ce n'était pas assez, elle a même envoyé Adrien. Ils parlaient si fort tous les deux que je me serais crue en plein jour de l'An. J'étais si fatiguée que j'ai fini par me rendormir malgré tout. Je ne te mens pas, ça ne fait même pas vingt-quatre heures qu'elle est revenue et je suis déjà à bout.

— On le serait pour moins ! s'exclame Marcella.

— Mais tu aurais dû voir à quel point Adjutor était heureux de s'en débarrasser.

— Il me semblait qu'il s'entendait bien avec elle. Tu ne me feras pas accroire qu'il a fait le trajet juste pour la ramener ?

— Non, il est venu remplacer le curé Légaré de Chicoutimi, celui qui s'est fait tuer.

— Il me semblait aussi…

Gertrude peut comprendre qu'il y a longtemps que Marcella est partie de la maison et que leur mère se montre sous son plus beau jour quand elle vient en visite. Mais il y a des moments où Gertrude la trouve bien naïve de la sous-estimer, surtout qu'elle l'a vue à l'œuvre pendant tellement longtemps. C'est sans compter qu'il arrive régulièrement à Lucille de s'échapper devant Marcella pour prendre Gertrude en défaut.

— Crois-tu vraiment que la mère aurait accepté de partir avec quelqu'un d'autre ou même qu'Adjutor fasse un voyage spécial pour la ramener s'il n'avait pas eu une bonne raison ? C'est bien mal la connaître. Elle était allée pour le protéger et, crois-moi, elle serait restée à Saint-Irénée tant et aussi longtemps que la police n'aurait pas arrêté le meurtrier.

Marcella regarde sa sœur en fronçant les sourcils. Elle sait bien que sa mère est têtue, mais elle a du mal à croire qu'elle serait allée jusque-là. En même temps, elle n'a qu'à se rappeler certains passages du temps où elle vivait ici pour se dire que Gertrude a sûrement raison.

— Excuse-moi, on dirait que depuis que je ne vis plus ici, je n'arrive plus à la voir comme elle est réellement. Une chance que tu es là pour me rappeler à l'ordre. Plus j'en entends, plus je pense qu'elle est pire qu'avant.

Poursuivre cette discussion ne les mènera nulle part, les deux sœurs le savent très bien. À ce jour, rien ni personne n'a réussi à faire changer Lucille et ce n'est certainement pas elles qui vont y arriver.

— Va t'asseoir à table, dit Marcella, je vais te faire à manger.

— Je n'ai pas faim, déclare aussitôt Gertrude.

— Il va quand même falloir que tu manges un peu. Veux-tu des crêpes avec du sirop d'érable?

— Si tu me prends par les sentiments…

Marcella va chercher une lettre dans la poche de son manteau et la remet à Gertrude.

— Tiens, René m'a écrit. Tu peux la lire si tu veux.

Ma chère Marcella,

Tu ne peux pas savoir à quel point ça m'a fait plaisir de vous revoir Gertrude et toi. Être séparé de ma famille m'est toujours aussi difficile même après autant d'années. Pour tout te dire, il ne se passe pas une seule journée sans que je pense à vous.

Ici, le ton commence à monter chaque fois qu'il est question de conscription dans les journaux. J'aimerais te dire que notre cher gouvernement n'ira pas jusqu'à obliger les hommes âgés de vingt à quarante-cinq ans à s'enrôler comme il est question, mais je n'y crois pas. Et si jamais ça arrive, je serai le premier à m'y opposer. Cette guerre n'est pas la nôtre et je refuse de mettre ma vie au service de purs étrangers. Je sais que Québec n'est pas la porte d'à côté, mais je veux que tu saches que tu seras toujours la bienvenue dans ma maison, et Gertrude aussi. Québec est une ville qui vaut la peine d'être vue. Écris-moi!

René

Gertrude s'essuie les yeux du revers de la main et renifle un bon coup.

— Je suis contente qu'Arté ait gardé contact avec lui.

— Moi aussi, confirme Marcella. Crois-tu qu'un jour papa va accepter qu'il revienne à la maison?

— Pas avant que la mère meure. S'il fallait que René se présente devant elle sans avertir, ce serait suffisant pour qu'elle se paie une crise d'apoplexie. Et si papa lui en parle, c'est certain qu'elle va refuser de le revoir. Elle a la rancune tellement longue qu'elle ne reviendra jamais sur sa position. Pourquoi le ferait-elle puisque c'est elle qui a raison?

Gertrude réalise tout à coup à quel point elle est dure à l'endroit de sa mère, mais c'est plus fort qu'elle. Elle se dit aussi qu'il vaudrait mieux qu'elle adopte une autre attitude si elle veut avoir une chance de tenir le coup jusqu'à l'automne.

— Je suis désolée, ajoute-t-elle en balayant l'air de la main, plus ça va, moins je lui en laisse passer.

— Voyons donc! s'exclame Marcella, c'est elle qui devrait s'excuser de te pourrir la vie, pas toi.

— Peut-être, mais si je continue comme ça, je ne me rendrai pas à l'automne avant qu'il m'arrive la même chose qu'à René.

Marcella n'aime pas du tout ce qu'elle entend. Sa poêle à la main, elle s'approche de la table et dépose une première crêpe dans l'assiette de sa sœur. Au lieu de retourner en mettre une autre à cuire, elle prend place en face de Gertrude et lui sourit.

— Je te plains de tout mon cœur, ma pauvre Gertrude, et je ne voudrais pas être à ta place ne serait-ce qu'une minute. Je peux même te dire que tu vas devoir t'armer de patience tant que le père ira bûcher, parce que tu n'auras personne pour prendre ta défense le jour. Et crois-moi, elle va en profiter.

Les yeux dans l'eau, Gertrude écoute religieusement sa sœur. Cette dernière ne lui a rien appris qu'elle ne savait déjà, mais l'entendre de sa bouche l'inquiète encore plus pour ce qui s'en vient.

— Tout ce que tu peux faire, poursuit Marcella, c'est en parler à papa.

— Que veux-tu qu'il fasse ? La mère va faire semblant de l'écouter et aussitôt qu'il aura fermé la porte de la maison elle va faire à sa tête comme elle l'a toujours fait. Aussi bien me préparer au pire, parce que je ne suis pas sortie de l'auberge.

— Ça te dirait qu'on profite de l'absence de la mère pour jouer du piano ?

— Après les crêpes et la lettre de René…

Puis sur un ton taquin, Gertrude ajoute :

— Est-ce que je pourrais en avoir une autre ?

— Oui, mon commandant !

Et les deux sœurs éclatent de rire à en avoir mal au ventre. Ce sont les cris d'un enfant qui les ramènent à l'ordre.

— On dirait que ça vient de dehors, s'écrie Gertrude.

— Je vais voir !

Marie-Paule sort sur sa galerie en même temps que Marcella descend du perron.

Comme elle ne reçoit pas de réponse à son appel, Marie-Paule s'approche du garde et quand elle aperçoit son fils étendu par terre, elle descend l'escalier aussi vite qu'elle peut. Alertée par les cris de sa belle-sœur, Marcella vient la rejoindre.

— Ah mon dieu ! s'exclame Marie-Paule, il a déboulé l'escalier et il ne bouge plus.

Marcella voudrait lui dire de se calmer, mais elle n'en fait rien. De toute façon, ça ne donnerait pas grand-chose. Agenouillée près de son neveu, Marcella lui parle doucement.

— Michel, c'est tante Marcella, est-ce que tu m'entends ?

Devant le silence de son fils, Marie-Paule lui brasse l'épaule un peu trop fort au goût de Marcella.

— Allez mettre votre manteau et vos bottes, et descendez avec les enfants chez Gertrude. Je vais emmener Michel dans la maison des parents.

— Il est sorti pendant que j'étais en train de faire les lits.

— Allez-y tout de suite Marie-Paule, dit-elle d'un ton autoritaire.

Elle prend ensuite son neveu dans ses bras et le porte jusque dans la maison.

— Qu'est-ce qui lui est arrivé ? se renseigne Gertrude en lui ouvrant la porte.

— Il a déboulé l'escalier et il n'est pas encore revenu à lui.

— Pauvre enfant ! Va vite le coucher sur le lit de la mère.

Au lieu de prendre cette direction, Marcella file au salon et le dépose sur le divan.

— Apporte-moi vite une débarbouillette d'eau froide.

— Tout de suite. Veux-tu que j'aille chercher Marie-Laure ?

— Pas question que tu coures jusque chez elle, on va attendre que Marie-Paule arrive et j'irai.

Énervée au plus haut point par ce qui arrive au petit Michel, Gertrude ne se possède plus. Elle n'arrête pas de penser au pire et ça la rend folle. Voilà maintenant qu'elle fait les cent pas dans le salon pendant que Marcella s'acharne à mouiller le visage de son neveu.

— Va me chercher une autre débarbouillette, demande-t-elle à Gertrude plus pour l'occuper que parce que la sienne est devenue trop chaude.

Marie-Paule fait son entrée avec ses deux autres fils lorsque Gertrude arrive dans la cuisine.

— Est-ce qu'il est revenu à lui ? s'enquiert aussitôt Marie-Paule d'une voix à la limite de l'hystérie.

— Laissez-moi les enfants et allez rejoindre Marcella dans le salon, se contente de répondre Gertrude.

L'instant d'après, Marcella sort du salon en trombe, met son manteau et ses bottes et court chercher Marie-Laure. De la cuisine, Gertrude entend Marie-Paule qui ne cesse de répéter en pleurant :

— Réveille-toi mon petit chou, je t'en prie, réveille-toi, c'est maman.

Les paroles de sa belle-sœur arrachent le cœur à Gertrude et lui font prendre conscience que la vie tient à un fil. Mais plus encore, elles lui confirment que même si elle fait tout pour le protéger, son fils n'échappera pas lui non plus aux aléas de la vie et ça l'inquiète déjà.

Lorsque Marie-Laure fait son entrée dans le salon, Michel ouvre enfin les yeux et sourit à sa mère.

— Pourquoi pleures-tu, maman ? fait-il en la prenant par le cou. Je voulais aller voir le bébé de tante Gertrude.

— Tu m'as fait tellement peur…

Et Marie-Paule le serre de toutes ses forces dans ses bras alors que son fils essaie de se dégager.

— Tu m'étouffes, maman.

Témoin de la scène, Marie-Laure s'approche et dit doucement à Marie-Paule en lui mettant la main sur l'épaule.

— Attention pour ne pas lui faire mal.

C'est seulement en entendant André appeler son frère que Marie-Paule desserre enfin son étreinte.

— Viens me voir un peu, dit Marie-Laure à Michel en s'accroupissant pour se mettre à sa hauteur.

Elle l'examine de la tête aux pieds et conclut qu'il y a eu plus de peur que de mal.

— Mais il a mis beaucoup de temps à revenir à lui, plaide Marie-Paule en s'essuyant les yeux.

— Ne lui faites pas faire de sieste cet après-midi et couchez-le un peu plus tard ce soir. D'après moi, il n'a rien.

Bien que Marie-Paule sache que Marie-Laure n'est pas médecin, ses paroles la rassurent suffisamment pour qu'elle cesse de s'inquiéter.

— Merci d'être venue, dit Marie-Paule. Si ça continue, je vais finir par être en dette avec vous.

— Voulez-vous bien me laisser tranquille avec ça ?

Venue les rejoindre dans le salon, Gertrude leur offre un café.

— Pas si c'est vous qui le faites, répondent en chœur Marie-Laure et Marie-Paule.

— Hey ! s'offusque Gertrude, je ne suis pas manchote.

Marcella arrive sur ces entrefaites avec les enfants de Marie-Laure. En voyant Michel courir avec son frère, Marcella respire mieux. Comme elle n'a entendu que la réplique de Gertrude, elle lance à la blague :

— Elle n'est quand même pas en train de vous dire qu'elle veut laver le plancher ?

* * *

Joseph relève légèrement les yeux au ciel quand il aperçoit sa Lucille en train de se bercer. Depuis le temps qu'elle était partie, il avait pratiquement oublié qu'elle finirait par revenir. C'est un peu difficile à admettre, mais elle ne lui manquait pas du tout.

— Tiens, s'écrie-t-il d'une voix forte, de la visite rare de Saint-Irénée. Tu ne me diras pas que la police a enfin mis la main sur le meurtrier…

— Non ! répond sèchement Lucille. Imagine-toi donc que notre cher fils a décidé d'aller remplacer le curé de Chicoutimi pour deux semaines et il a refusé que je l'accompagne.

Lucille bouge la tête des deux côtés pendant quelques secondes avant d'ajouter en levant les mains au ciel :

— Sa grande bonté va finir par le perdre…

La dernière phrase de sa femme fait sourire Joseph. Même si elle en a dit peu, il en sait suffisamment pour imaginer le reste. La vérité, c'est qu'Adjutor n'en pouvait plus d'elle et il a sauté à pieds joints sur la première occasion pour s'en débarrasser. Malgré sa grande bonté, comme le dit si bien Lucille, jamais il n'aurait accepté de laisser ses paroissiens en plein cœur de l'hiver pour aller en secourir d'autres, alors que la dernière fois qu'il est venu il a chanté sur tous les tons qu'il finirait ses jours à Saint-Irénée. Adjutor n'est pas seulement bon, il sait saisir tout ce qui l'avantage.

Alors qu'il allait poser les fesses sur sa chaise berçante, Joseph se redresse et va ouvrir les portes du salon.

— Referme ces portes au plus vite ! s'impatiente Lucille.

Joseph pivote sur lui-même et lui dit d'une voix monocorde :

— Elles étaient ouvertes quand tu es revenue et c'est comme ça qu'elles vont être, désormais. Et ne t'avise pas de les refermer, parce que tu vas avoir affaire à moi. Mais ce n'est pas tout. Gertrude peut jouer du piano chaque fois qu'elle en a envie, et je t'interdis de lui faire de la misère.

Plus Joseph parle, plus Lucille sent la pression lui monter au visage.

— Écoute-moi bien, Joseph Pelletier, hurle pratiquement Lucille. Non seulement les portes resteront fermées, comme avant, mais Gertrude ne touchera pas à mon piano. Est-ce que je me suis bien fait comprendre ?

Joseph ne se laisse pas impressionner par sa femme. Il la regarde avec un petit sourire en coin et ajoute :

— C'est chez moi ici et, que ça te plaise ou non, c'est moi qui décide. Ou tu te plies à mes règles, ou tu vas trouver le service dur. Ton petit séjour chez Adjutor m'a fait réaliser à quel point tu nous pourrissais la vie et c'est terminé. À compter de maintenant, je reprends les rênes et ne t'avise pas d'essayer de me les enlever, parce que je les tiens bien solidement.

— Ça ne se passera pas de même. J'ai toujours dirigé cette maison et ça va rester ainsi. Ferme les portes du salon, et plus vite que ça.

Au lieu de crier plus fort que Lucille, Joseph va chercher sa chaise berçante et l'installe entre les deux portes du salon. Il fixe ensuite sa femme dans les yeux avec un petit sourire en coin.

— Et ce n'est pas tout, ajoute-t-il, à tous les soirs, Gertrude joue pour moi pendant que je prends un petit verre de whisky.

Cette fois, c'en est trop pour Lucille.

— Je t'avertis, Joseph Pelletier, s'écrie-t-elle aussi fort qu'elle peut, ça ne se passera pas de même !

Réveillée en sursaut par les cris de sa mère, Gertrude se lève aussi vite qu'elle peut pour aller aux nouvelles. Dès qu'elle voit où son père est assis, la tentation est forte de rebrousser chemin sans demander son reste. Au lieu de ça, elle s'avance encore et lui dit :

— Suivez-moi, je vais vous présenter votre petit-fils.

Ce n'est qu'à ce moment que Joseph réalise que sa fille n'a plus de bedaine. Le sourire aux lèvres, Joseph se lève de sa chaise et la suit jusque dans sa chambre où le petit Jean dort à poings fermés. En le voyant, Joseph se penche au-dessus de son berceau et lui caresse la joue de sa grosse main rugueuse.

— C'est un bien beau bébé que tu nous as fait là, ma fille, confirme-t-il d'un ton bas, j'ai hâte de le bercer.

— Je vous l'emmènerai aussitôt qu'il se réveillera.

Puis, Gertrude met la main sur l'épaule de son père et lui dit :

— Vous n'avez pas besoin de vous battre avec la mère pour moi, vous savez…

— Mais ce n'est pas seulement pour toi que je le fais… le règne de terreur a assez duré.

Gertrude aimerait pouvoir crier victoire, mais entre la volonté de son père grosse comme les deux terres d'améliorer les choses et la force de caractère inébranlable de sa mère, c'est certain qu'il y aura plusieurs ondes de choc à venir.

Lucille s'est dépêchée d'aller fermer les portes du salon pendant que Joseph était avec Gertrude. Lorsqu'il voit ça, Joseph les ouvre promptement, mais sans replacer sa chaise dans l'entrée.

— Je t'avertis Lucille, cette fois c'est moi qui vais gagner.

Joseph peut parler tant qu'il veut, mais elle ne s'en laissera pas imposer par lui. Pendant toutes ces années, il l'a laissé faire la pluie et le beau temps sans jamais dire un mot et Lucille a bien l'intention que ça continue ainsi.

— Et Ernest? demande-t-elle sans porter aucune attention à ce qu'il vient de dire.

— Le neveu? Hein, je l'ai sommé de s'en aller et c'est ce qu'il a fait.

Cette fois, Lucille n'est vraiment pas contente et elle ne se gêne pas pour l'exprimer.

— Par ta faute, on va passer pour du monde pas recevant. Veux-tu bien me dire ce qu'il t'a fait?

Joseph hausse les épaules avant de répondre d'un ton détaché.

— Je l'avais assez vu.

— Avoue donc que tu ne l'as jamais aimé!

— Je n'ai rien à avouer, il vivait à nos crochets alors qu'il avait largement les moyens de se payer un logement. Je veux bien rendre service à la parenté, mais pas les adopter.

Lucille secoue la tête à plusieurs reprises. Si elle avait su qu'on lui ferait payer son absence aussi cher, elle y aurait pensé à deux fois avant de se précipiter à Saint-Irénée. Ce n'est pas qu'elle ait peur de devoir changer ses habitudes, parce qu'elle sait d'avance qu'elle ne le fera pas, mais disons qu'elle n'aurait pas cru que Joseph se rangerait du côté de Gertrude aussi facilement. En y réfléchissant de plus près, elle sait que si Adjutor a encore besoin d'elle, elle va voler à son secours sans penser une seconde à ce qui lui pendra au bout du nez à son retour. Ça prend quelqu'un pour protéger le prêtre de la famille et elle s'est octroyé ce rôle le jour où il a été ordonné. Plus encore, elle s'est engagée devant Dieu et jamais elle ne faillira à sa tâche.

— Ce que tu peux être borné quand tu veux! lance Lucille en serrant les poings.

C'est à ce moment que Gertrude fait son entrée dans la cuisine avec son bébé. Elle se dirige vers son père sans hésiter et dépose le nourrisson dans ses bras.

— Il est très beau, dit Joseph en regardant son petit-fils avec amour. Que dirais-tu de me jouer quelques airs pendant que je le berce?

Si l'objectif de Joseph était de faire enrager Lucille, eh bien, il a réussi. Malgré ses chances quasi inexistantes de remporter la partie, elle espère que le gros bon sens va influencer Gertrude. Elle lui a répété toute sa vie qu'elle ne savait pas jouer, elle ne peut pas croire que Joseph a réussi à la convaincre du contraire.

Le temps de quelques secondes, Gertrude se sent prise entre l'arbre et l'écorce. Elle veut jouer du piano pour son père, mais en même temps elle sait qu'elle sera la première à payer si elle ose le faire. Si elle joue, elle conteste automatiquement l'autorité de sa mère qui le lui a toujours interdit. Si elle ne joue pas, elle vient affaiblir tous les efforts que son père a mis de l'avant pour améliorer non seulement son sort, mais la vie de tous les gens de la maison, son fils compris. Elle jette un coup d'œil rapide à ses parents et fait son entrée dans le salon la tête haute.

Lorsque Lucille entend la première mesure, elle met les mains sur ses oreilles en se disant que ça ne finira pas comme cela.

Chapitre 18

Lucille chuchote quelque chose à l'oreille d'Adrien entre deux bouchées.

— Hey les messes basses, s'écrie Joseph, personne ne t'a appris que c'était impoli à la table !

— Depuis quand est-ce interdit de parler à ses enfants ?

— Tu sais très bien ce que je veux dire, ajoute Joseph en se levant de table.

— Vous revenez quand du bois ? demande Gertrude à son père.

— Vendredi au plus tard. Embrasse le petit Jean pour moi.

— Je n'y manquerai pas. J'espère pour vous que le temps va s'adoucir un peu.

— J'ai pas mal plus de contrôle sur ma hache que sur la température. Ne t'inquiète pas pour moi, j'en ai vu d'autres.

Joseph se tourne ensuite vers Adrien et lui dit de venir les aider à tout embarquer dans la voiture. Les hommes n'ont même pas fini de descendre les quelques marches du perron que Lucille reprend du service.

— Donne-moi du café, ordonne-t-elle en levant sa tasse, et ramasse la table. Allez, plus vite que ça.

Mais ce que Lucille ignore, c'est que Joseph a fait promettre à Gertrude de ne plus céder à aucun de ses caprices. Pendant les quelques jours qu'il a passés à la maison, il a tout fait pour que Lucille collabore et, même si ce n'était pas de bon cœur, elle s'est exécutée.

— Penses-y un peu, lui a dit son père, si tu acceptes de faire ses quatre volontés comme avant ne serait-ce qu'une fois, on aura fait tout ça pour rien.

— Mais si elle ne se lève pas toute seule le matin…

— Elle passera sa journée couchée si c'est ce qu'elle veut. Elle s'est piégée en allant chez Adjutor et il n'en tient qu'à nous pour que les choses ne redeviennent pas comme avant.

— Je vous promets de faire mon gros possible.

Joseph lui avait caressé la joue et avait ajouté :

— Tu as toute ma confiance, ma fille. Si tu ne le fais pas pour toi, fais-le pour ton vieux père, parce que moi je n'endurerai plus qu'elle te traite comme une esclave, ni même qu'elle me parle comme elle l'a toujours fait. C'est peut-être un peu tard pour mettre mes culottes, mais je me dis qu'il est encore temps. Et je ne veux pas courir le risque de perdre un autre de mes enfants à cause d'elle. Si ce n'avait pas été de son acharnement après René, il serait toujours dans la région.

En voyant Gertrude se lever de table, un petit sourire s'affiche au coin des lèvres de Lucille. Au lieu d'aller chercher la cafetière sur le poêle, Gertrude se met en frais de commencer la vaisselle.

— Et mon café, s'écrie Lucille, vas-tu finir par me le servir ?

Gertrude se tourne vers sa mère et lui dit gentiment :

— Vous savez où est la cafetière…

Et elle se remet à la vaisselle sans plus se préoccuper de Lucille.

***

Ce que Mgr Labrecque avait omis d'écrire à Adjutor, c'est qu'il lui réservait une surprise. Il l'a choisi pour remplacer le curé de Chicoutimi qui a été assassiné. Devant le peu d'enthousiasme de son protégé, il ajoute :

— C'est une occasion en or que je vous offre. Si j'étais à votre place, je n'hésiterais pas une seule seconde et j'accepterais.

— Malheureusement, je…

— Mais je ne comprends pas comment vous pouvez oser lever le nez sur ce que je viens de vous offrir, s'empresse d'ajouter Mgr Labrecque. Je ne voudrais pas dénigrer Saint-Irénée, mais votre petit village au fond des bois n'a rien à voir avec Chicoutimi, et il ne vous emmènera jamais plus loin non plus. Ici, vous serez en plein cœur de l'action, et à quelques pas de l'évêché. Et qui sait, peut-être qu'un jour c'est vous qui prendrez ma place.

Adjutor savait que l'évêque l'appréciait, mais jamais à ce point. Ça lui fait un petit velours, mais il n'est pas du genre que l'on appâte aussi facilement. Il n'a pas besoin de réfléchir longtemps pour savoir que s'il ne répond pas par l'affirmative dans les secondes qui suivent, il ne vivra pas assez vieux pour obtenir son pardon. Il sait parfaitement que s'il ose refuser son offre, monseigneur le laissera croupir à Saint-Irénée jusqu'à la fin de ses jours, et ce, même si Adjutor le supplie à genoux de le sortir de là. Mais ça non plus, ça ne l'influence pas dans son choix. Adjutor aime ses paroissiens et sa bonne Béatrice plus que tout. C'est sans compter le plaisir qu'il a à plonger son regard dans le fleuve chaque fois qu'il ouvre la fenêtre de sa chambre. Saint-Irénée a peut-être tout à envier à Chicoutimi aux yeux de l'évêque, mais aux siens, cet endroit est parfait et en plus il le protège de sa mère, enfin la plupart du temps.

— Je suis très flatté, dit Adjutor, mais je préfère rester à Saint-Irénée.

L'humeur de l'évêque change du tout au tout. Autant il voyait Adjutor dans sa soupe, autant il voudrait qu'il disparaisse de sa vue.

— Vous allez le regretter toute votre vie… et votre mère encore plus. Je vous le demande une dernière fois. Voulez-vous remplacer le curé Légaré ?

Même si la politesse voudrait qu'Adjutor prenne au moins quelques secondes pour réfléchir avant de répondre, il n'en fait rien.

— Comme je viens de vous le dire, je préfère rester à Saint-Irénée.

— Puisque c'est ainsi, vous n'avez plus rien à faire ici.

Adjutor pourrait argumenter qu'il peut rester jusqu'à ce qu'ils aient trouvé un remplaçant au curé Légaré, mais sa réponse vient de le faire passer instantanément dans le camp des mal-aimés de l'évêque.

— Je ramasse mes affaires et je m'en vais, dit-il avant de sortir.

Il s'en faut de peu pour qu'Adjutor fasse quelques pas de danse une fois à sa chambre. Il ramasse vite ses affaires et il s'en va sans demander son reste.

— Enfin, je rentre chez moi ! s'écrie-t-il une fois installé dans sa voiture. Ya ! Ya !

* * *

Adrien attend sa mère dans la voiture à l'heure convenue avec elle au déjeuner. Aussitôt qu'elle l'aperçoit, Lucille enfile son manteau de fourrure et ses bottes et elle sort de la maison en prenant soin de faire claquer la porte. Affairée à plier une pile de couches, Gertrude se croise les doigts pour que le bruit n'ait pas réveillé Jean. Devant le silence de son fils, elle pousse un soupir et poursuit sa tâche en se disant que Marcella va sûrement la chicaner quand elle va la voir au travail, mais elle commence à en avoir assez de se reposer.

Marcella fait son entrée avant que Gertrude finisse de plier sa couche.

— Je savais bien que je finirais par te prendre en flagrant délit, s'exclame Marcella en mettant les pieds dans la maison. Pose cette couche tout de suite, sinon tu vas avoir affaire à moi!

Gertrude la brave du regard et lève la couche au bout de ses bras pour que Marcella voie bien ce qu'elle s'apprête à faire avec elle, ce qui fait sourire Marcella. Elle sait bien que rester à ne rien faire commence à être au-dessus des forces de Gertrude.

— Ça tombe bien que tu te sois remise au travail, parce je comptais t'apprendre que c'était ma dernière journée avec toi.

— Tu en as déjà fait beaucoup pour moi et je veux que tu saches que si je peux te rendre la pareille un jour, ce sera avec plaisir que je le ferai.

— Si j'étais à ta place, je ne m'avancerais pas trop. Je n'ai pas un enfant moi, mais six… et un septième en route.

Un large sourire s'affiche aussitôt sur les lèvres de Gertrude.

— Espèce de cachottière! s'écrie-t-elle, qu'est-ce que tu attendais pour me le dire?

— D'être certaine! Entre toi et moi, j'espère bien que ce sera le dernier.

— Et Léandre?

— Il ne porte plus à terre depuis que je lui ai appris la nouvelle et il n'arrête pas de me dire qu'il m'aime. Des fois, je me demande s'il n'est pas tombé sur la tête.

Même si Marcella ne parle plus de ses craintes que Léandre voie d'autres femmes, elle n'est pas rassurée pour autant. Depuis quelque temps, il est aux petits soins avec elle, tellement qu'elle n'arrête pas de penser qu'il a sûrement quelque chose à se faire pardonner. Elle a pour son dire qu'il y a des choses qui ne s'expliquent pas, et la sensation qu'elle ressent face au nouveau comportement de Léandre en fait partie.

— Sais-tu où la mère est partie ? demande Marcella.

— Tout ce que je sais, c'est qu'elle a chuchoté quelque chose à l'oreille d'Adrien au déjeuner, ce qui lui a d'ailleurs valu les foudres de papa, et qu'elle est sortie en claquant la porte. Depuis que je refuse d'être son esclave, c'est à peine si elle daigne me regarder.

— Crois-tu que tu vas tenir le coup ?

— Il le faut, parce que je ne pourrais plus la servir comme je le faisais.

— Et elle se lève toute seule le matin ?

— À moins que tu te portes comme volontaire, elle n'a pas d'autre choix.

— Je te remercie, ça va aller. Je me demande encore comment tu as fait pour endurer ça aussi longtemps.

Gertrude hausse les épaules. C'est une question qu'elle s'est posée plus d'une fois depuis le jour où sa mère est partie chez Adjutor, mais elle n'a pas trouvé la réponse encore. Tout ce qu'elle sait, c'est qu'elle était tellement habituée de le faire que s'il n'y avait pas eu de coupure, elle le ferait sûrement encore. Elle rouspéterait comme elle le faisait chaque matin, mais elle le ferait en croyant que c'est son devoir. Mais maintenant qu'elle a goûté à autre chose, il n'est pas question qu'elle reprenne du service au lever du corps de sa mère.

— Tout ce que je peux te dire, c'est que ça faisait partie de ma routine matinale. C'est quand Adjutor m'a dit qu'elle jouait à la bonne chez lui que j'ai réalisé que ça n'avait pas de bon sens. La mère était capable de tout faire chez Adjutor, y compris se lever le matin, alors qu'elle se faisait servir dans les dents ici. Je sais que ce ne sera pas facile maintenant que papa est parti au bois, mais je vais tout faire pour lui résister. C'est ça ou je vais commencer à la détester.

— Si j'étais à ta place, lance Marcella, il y a longtemps que j'aurais commencé. Je n'habite même plus ici et j'ai de la misère à la supporter plus de quelques minutes à la fois. On aura beau dire, on aura beau faire, la mère est loin d'être facile.

— Mais elle est adorable, sauf avec nous. En tout cas, j'ai hâte de voir si elle va rentrer dans le rang comme papa l'espère.

— Je peux me tromper, mais j'ai bien l'impression qu'elle va ruer dans les brancards avant de se ranger, si jamais elle finit par se ranger un jour. Après tout, ce n'est pas d'hier que tout doit lui passer par la raie. Mais on a assez parlé d'elle. Que dirais-tu si on écrivait enfin à René ?

Mais Gertrude n'a pas le temps de répondre que la voiture d'Adrien entre dans la cour avec Lucille à son bord.

— Pas déjà ! s'exclame Gertrude.

— Laisse-moi le temps de la saluer et on ira s'enfermer dans ta chambre.

Avant que Lucille mette le pied à terre, une deuxième voiture avec un grand traîneau à l'arrière fait son entrée. Deux gros et grands gaillards sautent à terre aussitôt celle-ci immobilisée. Une fois sa mère descendue de la voiture, Adrien repart en direction de la ville. C'est donc suivie des deux hommes que Lucille fait son entrée dans la maison.

— Bonjour la mère, dit joyeusement Marcella.

Pour toute salutation, Lucille lui fait un signe de la tête avant de se tourner vers ses invités.

— Essuyez bien vos pieds pour ne pas salir le plancher et suivez-moi, il est dans le salon.

Marcella et Gertrude essaient de comprendre de quoi leur mère parle.

— Et n'oubliez pas de faire très attention, parce que c'est fragile. Une fois que vous l'aurez mis sur votre traîneau, il faudra le recouvrir comme il faut et ne pas traîner en route, parce qu'il n'aime pas le froid.

Les hommes se contentent de froncer les sourcils. Quant aux filles, il n'en faut pas plus pour qu'elles comprennent que leur mère parle du piano et ça les rend malades de voir que Lucille l'a sûrement vendu, puisqu'elle s'apprête à le sortir de la maison.

— Mais qu'est-ce que vous faites au juste ? demande Gertrude en espérant qu'elle se trompe.

— Toi, va t'occuper de ton rejeton, ça ne te regarde pas.

Loin de se laisser intimider par sa mère, Gertrude revient à la charge :

— Est-ce que papa est au courant, au moins ?

— Je suis encore capable de m'arranger avec lui. Dépêchez-vous pendant qu'il ne neige pas, lance-t-elle à l'adresse des hommes, et plus vite il sera sorti d'ici, mieux je me porterai.

— Je ne peux pas croire que vous avez vendu le piano, s'écrie Marcella les mains sur les hanches.

— Ne m'oblige pas à être impolie avec toi, riposte Lucille. Que ça vous plaise ou non, je sors le piano de la maison et que je n'en entende pas une seule rouspéter parce qu'elle va avoir affaire à moi.

Sans se consulter, les deux sœurs vont se placer devant le piano alors que les hommes cherchent encore comment s'y prendre pour ne pas l'abîmer.

— Tassez-vous de là, et vite, les intime Lucille en prenant sa grosse voix.

Les filles ne bougent pas d'un iota tant que leur mère ne vient pas se placer en face d'elles. Lucille les agrippe par un bras et les tire de toutes ses forces pour que les hommes puissent soulever le piano. Devant la détermination de leur mère, Gertrude fait signe à Marcella de la suivre dans sa chambre.

— Elle est folle, murmure Marcella pour ne pas réveiller son neveu.

— Papa va vouloir la tuer quand il va savoir ce qu'elle a fait, riposte Gertrude.

— Jamais je n'aurais pensé qu'elle irait jusque-là.

— Avec elle, plus rien ne m'étonne.

Lorsqu'elles entendent fermer la porte, elles se dépêchent d'aller voir à la fenêtre. Recouvert tant bien que mal d'une couverture, leur piano repose sur le traîneau qui n'en finit plus de se promener de gauche à droite sur le rang Saint-François.

— Il fallait vraiment qu'elle le déteste pour le traiter de la sorte, laisse tomber Marcella dans un souffle.

— De qui parles-tu? De papa?

— Du piano! Si elle aimait la musique ne serait-ce qu'un peu, elle aurait au moins attendu le beau temps pour s'en débarrasser.

— Tu sais aussi bien que moi qu'elle avait un piano seulement parce que ça paraissait bien.

Le lendemain à la même heure, Lucille fait son entrée dans la maison vêtue d'un nouveau manteau de vison.

— Gertrude! s'écrie-t-elle d'une voix doucereuse. Viens vite, j'ai quelque chose à te montrer.

Comme elle ne voulait pas courir le risque que sa mère réveille son fils une fois de plus, Gertrude vient tout de suite la rejoindre dans la cuisine. Lorsqu'elle voit le manteau que sa mère a sur le dos, elle met sa main sur sa bouche pour s'empêcher de crier.

— Comment osez-vous porter le piano sur votre dos?

Fière de son coup, Lucille se met à pivoter sur elle-même devant elle.

— Arrêtez ça tout de suite!

— Regarde-le comme il faut, j'ai pris le plus beau. Le vendeur m'a dit qu'il m'allait comme un gant.

Comme si ce n'était pas suffisant, Lucille ajoute sur un ton ironique:

— Je t'en prie, dis-moi qu'il ne s'est pas trompé…

Les larmes aux yeux, Gertrude n'ose pas imaginer la réaction qu'aura son père quand il verra qu'en plus de vendre le piano, sa Lucille s'est acheté un manteau de vison avec l'argent alors qu'elle en avait déjà un.

— Je savais que vous pouviez être méchante, lance Gertrude, mais jamais autant. Vous n'aviez qu'à le dire et je n'aurais plus touché au piano.

— Toi peut-être, mais ton père aurait fini par te gagner. Maintenant que je l'ai vendu, ça fait une affaire de réglée.

Devant l'attitude victorieuse de sa mère, Gertrude réalise très vite qu'elle n'a aucune chance de la faire changer d'idée. C'est pourquoi elle ne se donne même pas la peine d'argumenter et retourne dans sa chambre. Si la tendance se maintient, elle risque de passer plus de temps là que dans le reste de la maison d'ici à ce qu'elle parte pour la ville. En réalité, depuis que Gertrude a repris du service, elle fait son travail et s'organise pour ne pas être dans la même pièce que sa mère. Le simple fait de ne plus obliger Lucille à se lever le matin la ravit, mais surtout lui permet de commencer sa journée fraîche et dispose comme une rose plutôt que fatiguée et harassée. Lorsque Gertrude voit Lucille se pointer dans la cuisine avec le sourire aux lèvres matin après matin depuis son retour de chez Adjutor, elle a envie de hurler, et parfois même de la frapper. Dire qu'elle s'est acharnée pendant tellement d'années à lui brasser les puces pour que Lucille finisse par se lever alors que maintenant elle le fait sans que personne ne l'y oblige… ça l'enrage carrément. Comment une mère peut-elle être assez méchante pour se servir de sa fille de la sorte ? De quel droit Lucille se permettait-elle de l'obliger à assister à chacun de ses réveils comme si elle était une reine ? Il ne faut pas avoir de cœur pour traiter les siens ainsi, et Gertrude commence à penser sérieusement que sa mère n'en a pas, ou alors si peu. Une chose est certaine, Lucille n'en a pas pour elle, pas même une miette. Son absence a permis à Gertrude de comprendre bien des choses. Elle s'en veut terriblement de s'être laissé contrôler par sa mère, mais en même temps, il y a tellement longtemps qu'elle était prise dans cet engrenage qu'elle était parvenue à penser que c'était normal qu'une fille s'occupe ainsi de sa mère, surtout si celle-ci l'avait choisie. La déception de Gertrude n'en a été que plus grande. Aujourd'hui, elle sait que les choses ne seront plus jamais pareilles avec sa mère. Lucille a perdu à jamais l'emprise qu'elle avait sur elle et rien ni personne n'arrivera à la faire revenir en arrière. Elle aime sa mère parce c'est sa mère, mais une partie d'elle la déteste de toutes ses forces. Chaque fois que Gertrude va se confesser, elle ne manque pas de s'en accuser. La dernière fois, le curé lui a demandé ce qu'elle attendait pour lui pardonner et faire son devoir de fille comme il se doit et tout ce qu'elle a trouvé à répondre c'est :

— Aussi bien vous habituer, parce que ce n'est pas près d'arriver. Je me confesserai de ce péché jusqu'à mon dernier souffle.

— Si vous continuez sur cette voie, mon enfant, c'est l'enfer qui vous guette.

— Votre enfer, monsieur le curé, ne me fait pas peur, parce que ma mère est parfois le diable en personne.

— Je vous interdis de parler de lui dans mon confessionnal. Pour votre pénitence, vous direz deux dizaines de chapelets supplémentaires. Allez, sortez vite, j'en ai assez entendu.

Gertrude est très croyante, en Dieu comme aux prêtres, sauf en Adjutor parce que c'est son frère et qu'elle connaît trop bien l'homme qui se cache sous la soutane, mais cette fois elle a volontairement oublié de dire deux dizaines de chapelets et elle n'en a aucun remords.

Chapitre 19

Ça fait trois jours que Charlotte vomit chaque fois qu'elle prend une bouchée. Elle est tellement malade qu'elle a fini par se décider à aller voir le docteur.

— Avez-vous saigné ce mois-ci? lui pose-t-il comme première question.

Charlotte prend quelques secondes pour se rappeler à quand remonte la dernière fois.

— À bien y penser, je suis en retard de plusieurs jours.

— Aucun doute alors, confirme le médecin d'un ton monocorde, vous êtes enceinte.

Les mots que le docteur vient de prononcer ont du mal à se frayer un chemin jusqu'au cerveau de Charlotte. Elle se répète les trois derniers en boucle et lorsqu'elle finit par leur donner du sens elle s'écrie :

— Êtes-vous bien certain de ça, docteur?

— Que voulez-vous que ce soit d'autre? D'après mes calculs, vous tiendrez votre bébé dans vos bras quelque part avant Noël. Félicitations!

Charlotte est tellement contente qu'elle bondit de sa chaise et elle se met à danser sous le regard ébahi du bon vieux médecin.

— Est-ce que je pourrais vous embrasser? lui demande-t-elle subitement.

— Mais je n'ai rien à voir dans tout ça, répond-il d'un ton bourru. C'est votre mari que vous devriez embrasser, pas moi.

— Il faudrait qu'il soit là pour ça. Je vous en prie docteur, depuis le temps que j'en rêvais…

Devant l'enthousiasme de Charlotte, le bon vieux docteur se lève péniblement de sa chaise et passe de l'autre côté de son bureau. La seconde d'après, Charlotte lui saute au cou et l'embrasse sur les joues.

— Vous ne pouvez même pas vous imaginer à quel point je suis heureuse.

— Ah oui, je le peux! J'en vois de toutes les couleurs ici, vous savez, mais c'est la première fois que je me fais embrasser par une femme parce que je viens de lui annoncer qu'elle est enceinte.

Lorsque Charlotte sort du bureau, elle flotte littéralement. Bien qu'elle soit terrassée par un mal de cœur, elle prend la direction de l'orphelinat pour aller annoncer sa nouvelle. Elle est trop heureuse pour rester chez elle aujourd'hui. Ce n'est qu'une fois en route que sa petite aventure extra-conjugale avec le vendeur de manteaux de fourrure dont elle ne s'est toujours pas rappelé le nom lui revient en mémoire. *Et si c'était son enfant?* L'instant d'après, elle se met à rire toute seule en se disant que le plus important, c'est qu'elle soit enfin enceinte. Et si par malheur il n'a rien de Laurier, eh bien, elle jouera la carte que dans sa propre famille, sa sœur Gisèle ne ressemble à personne.

Après bien des efforts, les religieuses ont réussi à convaincre Laurier de la laisser aller bercer les enfants, ce qu'elle fait toujours avec le même plaisir, mais elles ne sont pas parvenues à lui faire avaler que Dieu ne lui avait pas donné d'enfant, mais qu'il avait un autre dessein pour Charlotte et lui.

— Dans sa grande bonté, Dieu est prêt à donner une deuxième chance aux petits orphelins. Choisissez celui que vous préférez et vous pourrez repartir avec.

Charlotte se doutait bien que Laurier ne mordrait pas à l'hameçon. Il avait regardé la sœur supérieure droit dans les yeux et lui avait dit d'un ton acerbe :

— Je peux bien accepter que ma femme vienne les bercer si ça peut occuper ses journées, mais vous pouvez être certaines que jamais je ne laisserai entrer un bâtard chez moi, par exemple.

Et il était sorti sans ajouter un mot. Lorsque Charlotte est retournée à l'orphelinat après son départ, la sœur supérieure a demandé à la voir dans son bureau.

— Je suis très contente que vous soyez de retour, ma bonne dame. Quant à votre mari, je dois vous dire que j'ai rarement rencontré un homme aussi entêté. Accordez-moi un peu de temps et je vais finir par le convaincre d'adopter un de nos enfants.

— Vous croyez ? demande Charlotte alors qu'un large sourire illumine son visage.

— Oh oui ! Ramenez-le aussitôt que vous le pourrez et on s'organisera pour le mettre en contact avec les enfants.

— Déjà que j'ai été obligée de lui tordre un bras pour l'emmener ici une fois, d'après moi, il ne voudra pas revenir.

— Vous n'aurez qu'à lui dire que nous avons absolument besoin de lui pour réparer une porte. S'il hésite, jouez la carte de la charité chrétienne, ça marche à tout coup. Je ne l'ai pas vu longtemps, mais suffisamment pour voir que c'est un homme bon malgré son entêtement.

Charlotte est tellement heureuse qu'elle voudrait partager son bonheur avec la terre entière. Elle a hâte de le dire à sa mère et à ses sœurs. Si elle ne se retenait pas, elle irait chercher quelques affaires et elle prendrait la direction de Jonquière. Comme elle ne veut courir aucun risque de perdre son bébé, elle se contentera de leur écrire aussitôt qu'elle sera de retour chez elle.

* * *

— Écoutez bien ça, la belle-mère, s'exclame Camil. Ils ont enfin mis la main sur celui qui a tué les trois curés.

— Il était temps! s'exclame Gertrude. Est-ce qu'ils expliquent pourquoi il a fait ça?

— C'est écrit noir sur blanc, répond Camil. Je vais te lire le passage.

François-Xavier Belley a été arrêté il y a quelques jours alors qu'il s'apprêtait à commettre un autre meurtre dans la sacristie de l'église de Chambord. Alerté par les cris de son curé, le sacristain a assommé l'homme avec un bout de bois et il l'a attaché solidement à une des poutres. Interrogé, le suspect a avoué ses trois crimes sans se faire prier. Il a expliqué qu'il cherchait à venger sa jeune sœur qui avait été excommuniée pour avoir conçu un enfant et avoir accouché de ce dernier hors du mariage.

— Il était plus que temps qu'ils l'attrapent! lance joyeusement Lucille. Je vais enfin pouvoir dormir sur mes deux oreilles... j'avais tellement peur pour mon Adjutor.

— Vous vous inquiétiez pour rien, la belle-mère, dit Camil, il n'était jamais allé dans Charlevoix.

— Peut-être, mais rien ne garantissait qu'il n'y irait pas un jour, plaide Lucille.

— Je ne voudrais pas être impoli, ajoute Camil, mais ce n'est certainement pas vous qui l'auriez empêché d'agir s'il avait décidé de s'en prendre à Adjutor.

— Tu serais surpris de voir de quoi est capable une mère quand on s'en prend à son enfant, plaide Lucille.

Gertrude n'ira pas jusqu'à garantir que sa mère aurait eu le dessus sur le meurtrier, mais une chose est certaine, elle lui aurait fait la vie dure. Et puis, elle a la couenne solide pour son âge. Gertrude n'a qu'à penser au jour où Lucille les a tassées, elle et Marcella, alors qu'elle avait vendu le piano. Était-ce la force du désespoir qui la rendait aussi forte, ou encore sa rage ? Les deux sœurs n'ont pas encore réussi à mettre le doigt dessus, mais ce qu'elles savent, par exemple, c'est qu'il vaut mieux être fort et déterminé pour s'attaquer à elle.

— Fais-moi un thé, réclame Lucille d'un ton autoritaire.

Lucille n'a pas besoin de nommer Gertrude pour que cette dernière sache que l'ordre s'adresse à elle. En entendant ça, Camil ne peut pas s'empêcher de sourire en regardant sa belle-mère.

— Qu'est-ce qui est si difficile à comprendre pour vous, la belle-mère ? lui demande-t-il gentiment. On est une famille, pas une armée et vous n'êtes plus le commandant en chef. Si vous voulez un thé, faites-vous-en un.

Si Lucille avait des fusils à la place des yeux, Camil serait mort sur-le-champ. Gertrude observe la scène de sa place en prenant bien garde de ne pas s'en mêler. Celle-ci se porte beaucoup mieux depuis que Camil remet Lucille à sa place au besoin. Certes, elle doit se débrouiller seule pendant la journée, mais comme sa mère sort souvent, elle tient le coup.

— Et si vous en faites, ajoute Camil le plus naturellement du monde, j'en prendrai un avec vous. Et toi, Gertrude ?

Prise de court, Gertrude met quelques secondes avant de répondre.

— Avec du sucre, s'il vous plaît.

Depuis que son père a mis Lucille au pas, Gertrude collectionne les petits plaisirs de se faire servir par sa mère et elle doit dire que ça commence sérieusement à lui plaire.

Lucille a tellement envie d'un thé qu'elle finit par se lever pour aller mettre de l'eau à chauffer. Camil et Gertrude l'observent à distance avec un petit sourire en coin. Devant l'air piteux de sa mère, Gertrude se lève et va la rejoindre à la cuisine.

— Pendant que vous vous occupez du thé, je vais en profiter pour sortir les tasses et le sucre.

— Retourne d'où tu viens, l'intime Lucille, je n'ai pas besoin de toi.

Gertrude est tellement surprise par la réaction de sa mère qu'elle fige sur place. Alors que son intention était de l'aider, voilà que cette dernière vient de lui faire perdre la face comme elle seule est capable de le faire. Deux petites larmes se pointent au coin des yeux de Gertrude.

Témoin de la scène, Camil vient au secours de sa femme.

— Viens ici, Gertrude, j'ai quelque chose à te montrer dans le journal pour notre maison.

Comme si elle n'avait pas assez blessé sa fille, Lucille lance d'une voix forte :

— Ne te donne pas autant de mal pour elle, c'est une bonne à rien.

Cette fois, Lucille vient de dépasser les bornes et elle trouve Camil sur son chemin. Il se lève comme une furie et se retrouve à deux pouces de sa belle-mère en moins de temps qu'il en faut pour crier *ciseaux*.

— Je vous interdis de parler ainsi à ma femme, siffle-t-il en la pointant du doigt.

Lucille le regarde de haut en plissant le nez.

— Tu ne me fais pas peur, le gendre !

— Ne me poussez pas à bout, la belle-mère, parce que vous risquez de le regretter.

La seconde d'après, Lucille lève la main dans les airs. Camil ne fait ni une ni deux, l'agrippe par le poignet et le serre de toutes ses forces.

— Lâche-moi, tu vas me casser le bras si tu continues.

— Pas avant que vous ayez fait des excuses à Gertrude.

Malgré la douleur qui gagne en intensité à mesure que les secondes s'écoulent, Lucille ne cède pas.

— C'est comme vous voulez, la belle-mère, dit Camil, j'ai tout mon temps et, au cas où vous ne le sauriez pas, j'ai la tête encore plus dure que vous.

Lucille grimace, tant son poignet lui fait mal. Gertrude suit la scène sans grand intérêt. Elle est reconnaissante que Camil prenne sa défense, mais en même temps, elle n'aime pas qu'il fasse souffrir sa mère.

— Je n'ai pas besoin d'excuses, dit Gertrude en désespoir de cause.

— Moi, oui, confirme Camil. Ça fait assez longtemps que ça dure. Ou ta mère te traite avec respect ou elle va me trouver sur son chemin chaque fois. Personne n'a le droit de te traiter comme une moins que rien, et surtout pas ta propre mère. Tu lui as donné le meilleur de ta vie et tout ce qu'elle trouve à faire, c'est de te critiquer. C'est fini ce temps-là !

Gertrude a maintenant les yeux pleins d'eau. Elle est à la fois touchée par les propos de son mari et triste à mourir de voir à quel point sa mère est entêtée alors qu'elle n'a aucune chance de remporter la partie cette fois. Gertrude commence à avoir hâte que son père revienne du bois. Elle sait qu'il y aura d'autres crises dès qu'il mettra les pieds dans la maison, mais elle se sentira bien mieux lorsqu'il sera là.

Les pleurs de Jean ramènent très vite Gertrude sur terre. Elle bondit de sa chaise et saisit l'occasion de sortir enfin de la cuisine. Elle change son bébé de couche alors que les larmes inondent son visage et elle le recouche après l'avoir embrassé doucement sur le front. Au lieu d'aller rejoindre les autres, elle s'allonge sur son lit et laisse libre cours à toute la peine qui l'habite.

Pendant ce temps-là à la cuisine, Camil resserre de plus en plus son étreinte sur le poignet de Lucille qui refuse toujours de faire des excuses à l'égard de Gertrude.

Camil et Lucille sont si occupés à se défier du regard que ni l'un ni l'autre n'entend entrer Adrien.

— Lâche ma mère, s'écrie ce dernier.

Son entrée les fait sursauter. Lucille profite de la diversion pour se libérer de son bourreau. Un sourire victorieux s'affiche instantanément sur ses lèvres lui faisant oublier toute la douleur causée par les doigts de Camil sur son poignet.

— Prendrais-tu un thé avec moi, mon garçon ? lui offre Lucille le plus naturellement du monde.

— Que je ne te vois plus toucher à un cheveu de ma mère, parce que tu vas le regretter le reste de tes jours. Espèce de lâche, tu n'as pas honte de t'en prendre à une pauvre vieille ?

Pendant quelques secondes, Camil est tenté de rouspéter, mais il n'en fait rien pour la simple et unique raison qu'Adrien refuse de voir le moindre petit défaut chez sa mère alors qu'elle lui réserve le même traitement qu'à Gertrude la plupart du temps. Camil regarde son beau-frère d'un air désolé et prend la direction de sa chambre sans prononcer un seul mot. Gertrude ouvre les yeux aussitôt qu'elle entend ouvrir la porte.

— Elle est folle, ta mère, et ton frère Adrien n'est pas mieux qu'elle, clame Camil. Il faut qu'on sorte d'ici au plus vite. Demain, j'irai voir mes frères et je leur demanderai de m'aider à construire notre maison au plus sacrant.

Gertrude regarde son mari avec amour alors que de grosses larmes coulent encore sur ses joues. Camil s'étend à côté d'elle et la prend dans ses bras.

— Ne pleure pas, elle n'en vaut pas la peine.

— Je sais tout ça, mais c'est plus fort que moi. Chaque fois que j'essaie de me rapprocher d'elle, elle se fait un malin plaisir à me lancer une vacherie encore plus grosse que la précédente. La prochaine fois que j'irai me confesser, je devrai m'accuser d'un gros péché. Au risque de passer pour une méchante femme, je commence sérieusement à la détester.

— N'oublie jamais que c'est elle qui est méchante avec toi, et non l'inverse. Si tu veux un conseil, ne perds pas ton temps à te confesser pour un péché que tu n'as pas commis.

— Mais…

— Il n'y a pas de *mais* qui tienne. Tu es la bonté incarnée et je t'aime de tout mon cœur.

Camil pose ses lèvres sur celles de sa femme et lui fait très vite oublier sa mère et toutes ses frasques.

Chapitre 20

Adrien n'a pas encore commencé le train lorsque Joseph et Arté reviennent de bûcher. Leur seule vue lui fait plaisir. Chaque fois qu'Adrien se retrouve seul, non seulement il doit traire les vaches une heure plus tôt, mais il finit une heure plus tard. Je suis content que vous soyez revenus, s'écrie Adrien en les voyant entrer dans la grange. Ça s'est bien passé ?

— Comme d'habitude, répond Arté.

Arté l'emporte haut la main sur Adrien lorsqu'il est question d'aller bûcher. Contrairement à lui, Arté n'a jamais trouvé d'excuses pour se défiler. Il aime aller dans le bois et il saisit toutes les occasions d'y aller. Quand il était plus jeune, il suppliait Joseph de l'emmener avec lui. Le jour où Joseph a accepté, il a dit à Lucille qu'il ignorait combien de jours il resterait. À sa grande surprise, Arté s'est tout de suite avéré un compagnon parfait pour aller bûcher, et il en est encore de même aujourd'hui.

— Comptez-vous y retourner encore bien des fois ? s'informe Adrien.

— S'il n'en tient qu'à moi, répond Joseph en se tournant vers Arté, c'était notre dernière virée. Ça fait déjà deux semaines qu'on a tout le bois qu'il nous faut pour chauffer l'année prochaine, mais tu connais ton frère…

— Moi, ajoute Arté, je pense qu'il faudrait y retourner encore une fois si on veut en vendre valant la peine.

— On va commencer par arriver avant de penser à repartir, tranche Joseph. Si vous pouvez vous passer de moi pour la traite, je me mettrais les deux pieds sur la bavette du poêle et je ne bougerais pas de la veillée.

— Vous avez ma bénédiction ! dit Arté.

Puis, à l'adresse d'Adrien, il ajoute :

— Le temps d'aller porter mon bagage chez nous et je viens te rejoindre à l'étable.

Même si Lucille savait que Joseph n'arriverait pas le matin, elle guette son arrivée depuis qu'elle est levée. Elle se déplace d'une fenêtre à l'autre comme si sa surveillance assidue allait le faire apparaître plus tôt.

— Est-ce qu'il y a quelque chose qui ne va pas, la mère ? a fini par lui demander Gertrude en la voyant sans arrêt changer de chaise berçante.

Malgré son insistance, tout ce que Gertrude a réussi à tirer de Lucille, c'est un petit sourire en coin à chacune de ses questions, ce qui n'avait rien pour la rassurer. Mais au moins, sa mère ne l'avait pas encore abîmée de bêtises alors que la journée était déjà fort avancée, fait exceptionnel en soi. C'est seulement en voyant entrer la voiture de son père dans la cour que Gertrude a compris. En l'espace de quelques secondes seulement, le visage de Lucille s'est transformé du tout au tout. On pouvait y lire une joie indes-criptible, un bonheur parfait, voire même une jouissance victo-rieuse du genre de celles que l'on ne vit pas souvent dans une vie. On aurait dit que Lucille célébrait quelque chose qui n'était pas encore arrivé, mais qui allait la propulser hors de tout doute aux plus hauts sommets de la joie.

Occupée à éplucher les patates pendant que son fils dort à poings fermés dans son berceau, Gertrude surveille la porte avec inquié-tude. Contrairement à sa mère, elle est habitée par une inquiétude palpable tant elle est forte. Gertrude sait que son père ne passera pas par-dessus la vente du piano. La seule chose qu'elle ignore, c'est comment il réagira et ça lui fait peur. Gertrude a la chair de poule lorsqu'elle entend tourner la poignée de la porte d'en arrière.

— Bonjour ma fille, clame Joseph en lui souriant.

— Je suis contente de vous voir, papa, venez vite vous réchauffer.

Gertrude voudrait l'avertir de ce qui l'attend, mais sa mère est si proche qu'elle l'entendrait même si elle chuchotait.

— C'est justement ce que j'ai l'intention de faire, je suis gelé jusqu'aux os. Je ne sais pas si c'est parce que je vieillis, mais j'ai de plus en plus de mal à supporter l'humidité et c'est ce qu'on a eu toute la semaine comme température au bois. Où est mon petit-fils ?

— Il dort, mais il devrait se réveiller bientôt.

— Tant mieux, parce que j'ai hâte de le bercer.

Voir l'amour que porte Joseph à son fils fait du bien à Gertrude. Contrairement à lui, c'est à peine si Lucille lève les yeux sur lui, même si elle est à côté. À vrai dire, elle ne l'a pas pris une seule fois encore et ce n'est certainement pas Gertrude qui va le lui mettre dans les bras, pas plus d'ailleurs qu'elle va le laisser seul avec elle.

— Aimeriez-vous que je vous fasse un café ?

— Je te remercie, mais je vais plutôt prendre un whisky.

— C'est bien toi, crache Lucille de sa chaise berçante, tu n'as pas le temps de rentrer que tu te dépêches de boire.

— Bonjour Lucille, tu m'as l'air de bien belle humeur.

Pressée de répandre son venin sur son mari, Lucille se dépêche d'ajouter d'un ton rempli de méchanceté :

— Attends de savoir ce que j'ai fait et tu vas comprendre pourquoi.

Sans même savoir de quoi il retourne, Joseph se sent soudainement envahi par une grande vague de colère.

— J'ai vendu le piano, s'écrie fièrement Lucille en gonflant la poitrine et je me suis acheté un nouveau manteau de vison.

Et comme si ce n'était pas assez, elle ajoute :

— Aimerais-tu que je te le montre ?

Gertrude n'en revient tout simplement pas de ce que sa mère vient de faire. Elle dépose son couteau sur le comptoir et elle attend la réaction de son père en voûtant légèrement les épaules comme si elle voulait se protéger de quelque chose qui allait lui tomber sur la tête d'une seconde à l'autre. Alors qu'elle croyait que Joseph allait exploser, il se contente de jeter un regard noir à Lucille et va chercher sa bouteille de whisky. Il prend un verre à eau dans l'armoire au passage et il le remplit à ras bord avant d'aller ouvrir les portes du salon. Il s'installe ensuite dans sa chaise et il sort sa pipe. Devant l'absence de réaction de son père, Gertrude relâche les épaules et remercie le ciel.

Lucille était tellement impatiente de voir la réaction de son mari qu'elle en ajoute :

— Ce n'est plus la peine de les ouvrir, puisque le piano n'y est plus.

Depuis que Lucille a ouvert la bouche que Joseph se retient de parler, mais surtout de s'en approcher. Il est si fâché contre elle qu'il a peur de ce qu'il pourrait faire. Reste maintenant à trouver une façon élégante et percutante de renverser la vapeur. Lucille n'avait pas le droit de vendre le piano et elle va le payer cher. Joseph prend une grande respiration pour se calmer, alors qu'au-dedans, il gronde aussi fort que le tonnerre en plein orage.

Il se tourne pour regarder l'heure et c'est là que l'idée lui vient. Il se lève, décroche l'horloge et la dépose sur la table. Il va ensuite chercher les deux manteaux de vison de Lucille et les place à côté. Tout se passe si vite que Lucille met un peu de temps à réaliser ce qui arrive. Pendant qu'elle se questionne, Joseph s'habille en vitesse et il prend les manteaux d'une main et l'horloge de l'autre, avant de se diriger vers la sortie.

— Ouvre-moi la porte, ma belle fille.

— Mais où allez-vous comme ça? lui demande Gertrude.

— Tu le sauras bien assez tôt.

Et c'est à ce moment que Lucille se lève de sa chaise en hurlant :

— Joseph Pelletier, tu as intérêt à remettre mon horloge sur son clou et mes manteaux à leur place.

Mais Joseph ne porte aucune attention à ce qu'elle dit et sort de la maison les bras chargés. Alors que Gertrude ferme la porte derrière lui, Lucille la pousse de toutes ses forces et elle poursuit son mari jusque dehors. Les baguettes en l'air, elle lui crie :

— Ils sont à moi! Arrête-toi tout de suite, tu vois bien que je ne suis pas habillée.

Mais Joseph ne l'entend pas. C'est ainsi que chaussée seulement de ses pantoufles de laine, Lucille le poursuit jusque dans la grange. À peine Joseph a-t-il déposé son butin sur le siège arrière de la voiture que Lucille attrape un de ses manteaux, puis l'autre. Lorsque Joseph voit ça, il s'approche et les lui enlève sans aucun ménagement.

— Tu aurais dû y penser avant, vocifère-t-il d'une voix sourde. Tasse-toi.

— Il faudra d'abord que tu me passes sur le corps si tu veux sortir d'ici. Tu n'as pas le droit de faire ça.

— Je t'aurai avertie.

Alerté par les cris, Adrien vient voir ce qui se passe. Aussitôt qu'elle l'aperçoit, Lucille se précipite vers lui.

— Ton père est devenu fou, se plaint-elle, il m'a pris mes manteaux de vison et mon horloge.

Si Adrien se fie à l'air qu'a son père, il vaudrait mieux pour lui qu'il ne s'en mêle pas.

— Qu'est-ce que tu attends pour les reprendre ? lui demande Lucille. Aide-moi, j'ai essayé, mais il ne veut rien comprendre.

— Si j'étais à ta place, l'avertit Joseph d'une voix sourde, je ne me mêlerais pas de ça.

Adrien n'avait pas besoin de se faire mettre en garde. Il sait très bien qu'il aurait dû continuer à traire tranquillement sa vache plutôt que de venir se fourrer dans ce merdier. Peu importe ce qu'il fera, il est piégé de tous bords tous côtés. Après réflexion, Adrien dit :

— Vous allez m'excuser, mais je dois retourner travailler.

— Hey ! s'écrie Lucille. Es-tu sourd ? Je viens de te dire que j'ai besoin de ton aide. Tout ce que tu as à faire, c'est de prendre mes manteaux et mon horloge et de les rapporter à la maison. Allez, bouge-toi espèce de grand flanc mou.

Adrien avale de travers en entendant les dernières paroles de sa mère, mais il sort de la grange sans rien dire.

Désespérée, Lucille se laisse tomber sur une botte de foin et elle se met à pleurer toutes les larmes de son corps. Il s'en faut de peu pour que Joseph se mette à rire. Devant le sérieux de la situation

– c'est quand même la première fois qu'il la voit pleurer –, il se retient. Il attelle son cheval et sort de la grange avec deux manteaux de vison et une horloge grand-père. Il se dit qu'il devrait demander à Gertrude d'aller chercher sa mère, mais à bien y penser, il préfère poursuivre sa route et prend la direction de la ville.

Le nez collé à la fenêtre depuis que sa mère est partie à la poursuite de Joseph, Gertrude sourit malgré elle en voyant son père sortir de la cour à toute vitesse. Plutôt que de s'inquiéter pour sa mère, elle se remet à éplucher ses patates en chantonnant. Elle ne sait pas exactement ce que son père a en tête, mais elle se doute bien que Lucille ne reverra jamais ses manteaux de vison ni son horloge grand-père. Joseph lui a retiré ce à quoi elle tenait le plus. Même si Gertrude voulait s'apitoyer sur le sort de Lucille, elle en serait incapable, parce que pour une fois, sa mère n'a que ce qu'elle mérite.

C'est Adrien qui ramène Lucille après le train. Roulée en boule, elle pleure comme un bébé. Il l'a prise par le bras pour l'aider à se lever et il a eu droit à un chapelet d'insultes.

— Vous pouvez dormir ici, si vous voulez, lui a-t-il dit en faisant mine de s'en aller.

— Aide-moi à me lever.

Lucille n'a pas voulu manger. Au moment où Gertrude et Camil sont allés se coucher, elle se berçait encore dans sa chaise, et Joseph n'était toujours pas rentré.

***

Il ne se passe pas une seule journée sans qu'Adjutor savoure la chance qu'il a depuis qu'il s'est débarrassé de sa mère. Et il n'est pas le seul !

— Vous ne pouvez pas savoir à quel point je suis contente que vous soyez revenu, s'écrie Béatrice en piquant sa fourchette dans un morceau de patate bouillie.

Comme si ce n'était pas assez, elle ajoute :

— Mais ce qui me rend le plus heureuse, c'est que votre mère soit restée à Jonquière.

Adjutor choisit de ne pas livrer le fond de sa pensée à sa bonne. Après tout, en tant que curé, il est de son devoir de montrer l'exemple.

— Il n'était pas question que je la ramène, confie Adjutor, mon père avait besoin d'elle. Et c'était justement pour la laisser chez elle que j'avais accepté l'offre de l'évêque.

En s'entendant parler, Adjutor se dit qu'il devra s'accuser d'avoir menti à Béatrice la prochaine fois qu'un prêtre passera par ici. Adjutor n'a soufflé mot à personne de sa mésaventure avec l'évêque, pas même à Béatrice. Il s'est dit qu'il allait laisser retomber la poussière avant de revenir à la charge auprès de lui.

— Je ne voudrais pas vous manquer de respect, dit Béatrice, mais il me semble que vous avez été pas mal moins longtemps que prévu.

Adjutor feint de chercher dans sa mémoire. Les sourcils froncés, il laisse passer quelques secondes avant de répondre.

— Je croyais pourtant vous l'avoir dit, monseigneur m'a libéré aussitôt qu'il a trouvé quelqu'un. Je ne vous cacherai pas que ça faisait mon affaire de revenir plus tôt.

Satisfaite de la réponse de son curé, Béatrice change de sujet.

— Partez-vous pour la journée ?

— Au nombre de malades que j'ai à visiter, j'ai bien peur de revenir juste pour le souper.

* * *

Adrien a hésité avant de se pointer chez ses parents pour le déjeuner, mais il n'a pas pu résister à l'envie d'aller aux nouvelles. Aussitôt que Joseph l'aperçoit, il s'écrie :

— Sers-toi un café en passant et viens t'asseoir avec moi.

Joseph est de bien belle humeur, ce matin, alors que Lucille brille par son absence.

— Je te remercie pour hier, ajoute Joseph.

Bien qu'il ne sache pas exactement de quoi parle son père, Adrien lui sourit et hoche la tête en guise de remerciement.

— Ne te sauve pas trop vite après le déjeuner, poursuit Joseph, je risque d'avoir besoin de toi.

— Parfait, papa !

Le père et le fils discutent allègrement pendant que Gertrude leur fait des crêpes. C'est ce que Joseph veut manger chaque fois qu'il revient de bûcher.

Gertrude commence à avoir hâte que sa mère se lève. Elle a demandé à son père comment elle allait, mais disons que sa réponse a été tellement brève et vague qu'elle n'en sait pas plus qu'avant de poser sa question. Elle n'a pas de mal à s'imaginer qu'il n'a pas passé la nuit à la regarder dormir, surtout après ce qui venait de se passer. À sa connaissance, son père est revenu les mains vides, mais c'est tout ce qu'elle sait pour le moment. Quand elle a raconté à Camil ce qui s'était passé, il lui a dit que son père mériterait une médaille.

— Ta mère a un front de bœuf et il est grand temps qu'elle commence à payer.

— Je suis loin d'être certaine que ça va la calmer, a argumenté Gertrude. La mère a toujours tout décidé ici, c'est normal qu'elle se révolte.

— Normal ou pas, c'est ton père le chef de la maison, pas elle.

Même si elle sait déjà tout ça, il n'en demeure pas moins qu'il y a des jours où Gertrude changerait volontiers de peau avec son mari. Elle n'en a jamais parlé à personne, et elle ne le fera pas aujourd'hui non plus, mais elle a parfois du mal à accepter que tout doive absolument passer par les hommes. Heureusement, elle est tombée sur quelqu'un de bien, mais c'est loin d'être le cas de toutes les femmes. À l'inverse, les femmes comme sa mère ne pleuvent peut-être pas, mais il y a des hommes, comme Joseph, qui n'ont pas besoin d'aller à la guerre pour se faire diriger. Aux yeux de Gertrude, sa mère devrait battre en retraite avant qu'il soit trop tard. À force de tenir tête à Joseph, elle va finir par manger des coups.

— Je comprends tout ça, a riposté Gertrude. Moi, tout ce que je te dis, c'est que ce n'est pas demain la veille que la mère va déposer les armes. Au cas où tu ne l'aurais pas remarqué, elle a la tête aussi dure que le cap Trinité.

Lorsqu'elle vient rejoindre les hommes à table, le petit Jean se met à pleurer.

— Mange, dit Joseph, je vais aller le chercher.

Joseph revient très vite avec son petit-fils.

— Il est tellement mouillé que je ne savais pas par où le prendre, rigole Joseph.

— Vous n'êtes pas en train de me dire que vous l'avez changé ? s'exclame Gertrude en riant.

— Non ! répond aussitôt Joseph, je l'ai juste enroulé dans une couverture. Je vais le bercer pendant que tu manges.

Adrien observe son père à distance. Pendant tout le temps que Marie-Paule et lui sont restés ici, Joseph avait toujours un bébé dans les bras. Chaque fois qu'il en était témoin, Adrien se disait qu'il aurait aimé être comme son père. Certes, il aime ses enfants, mais il ne se souvient pas en avoir pris un de son propre chef. Nul doute, il tient ça de sa mère.

— Croyez-vous que le gouvernement va vraiment aller de l'avant avec la conscription ? demande Adrien à son père.

— J'ai bien peur que oui. Les Québécois sont ceux qui s'enrôlent le moins dans tout le pays depuis que la guerre est commencée. Inutile de te dire que ça ne fait pas l'affaire des Anglais. On est mieux de se préparer, parce qu'à mon idée, le monde ne se laissera pas faire. Depuis que la guerre est commencée qu'on mange de la vache maigre. Je te le dis, le jour où la police va venir chercher nos gars, il ne fera pas beau.

Joseph pourrait ajouter qu'il va faire tout ce qu'il faut pour cacher René, même si ça lui vaut la prison, mais il ne le fait pas. Il a pour son dire qu'il n'y a rien qui presse tant et aussi longtemps que la loi ne passera pas.

— Pensez-vous qu'ils vont aller jusqu'à obliger les fils de cultivateurs à s'enrôler ? s'inquiète Adrien.

— Rien n'est impossible pour le gouvernement.

Au moment où Joseph finit sa phrase, une voiture et un traîneau font leur entrée dans la cour des Pelletier. Joseph va porter Jean à sa mère et dit à Adrien de le suivre.

Gertrude va voir par la fenêtre et quand elle reconnaît la voiture, elle n'en croit pas ses yeux. Le nez collé sur la vitre, elle surveille les moindres gestes des hommes. Lorsqu'ils retirent la couverture et qu'elle reconnaît leur piano, elle se dépêche d'aller ouvrir les portes du salon. Elle file ensuite à sa chambre et se met en frais de changer son bébé de la tête aux pieds. Avec un peu de chance, elle aura le temps de finir avant que les hommes fassent leur entrée avec le piano.

Alertée par le branle-bas de combat, Lucille sort de sa chambre en même temps que la porte de la maison s'ouvre sur les livreurs.

— Bonjour madame, dit poliment un des gars, j'étais loin de penser qu'on vous le rapporterait.

Si l'homme s'attendait à ce que Lucille commente sa sortie, c'est manqué. Une partie d'elle voudrait crier les pires bêtises du monde à Joseph alors que l'autre lui dit de se taire, parce que les dés sont joués et qu'elle a bel et bien perdu la partie. Elle ne sait pas encore ce qu'elle va faire pour se venger, mais une chose est certaine : son cher mari ne l'emportera pas au paradis. Ça ? Jamais ! Elle va s'asseoir dans sa chaise et attend que les livreurs sortent de la maison pour demander à Adrien de la conduire chez Adjutor. Contre toute attente, Adrien refuse.

— Je voudrais bien, mais j'ai déjà des engagements pour aujourd'hui et pour demain. Il va falloir vous trouver quelqu'un d'autre.

Joseph rit dans sa barbe en entendant ça. Quant à Gertrude, elle évite de croiser le regard de sa mère.

— Arrange-toi comme tu voudras, argumente Lucille, mais conduis-moi chez Adjutor au plus vite.

Si Adrien n'était pas certain d'avoir bien fait en refusant de conduire sa mère chez son frère, cette fois il l'est. Il commence à en avoir plus qu'assez des ordres qu'elle lui donne pour tout et pour rien, mais aussi des bêtises qu'elle lui sert sans aucune raison. Tant et aussi longtemps que son père ne disait rien, Adrien ne se posait pas de questions, mais maintenant que Joseph affirme son autorité haut et fort, il a commencé à observer les agissements de sa mère de plus près. Il aimerait pouvoir affirmer que Lucille est comme les autres mères et que son comportement avec Gertrude est tout ce qu'il y a de plus normal, mais il ne peut plus. Pour emprunter les paroles de sa Marie-Paule, Lucille est un visage à deux faces : aussi dure que le fer avec les siens et aussi douce que le vison dans le sens du poil avec les autres. L'histoire du piano a fini de lui ouvrir les yeux. Il était tellement habitué à ce que celui-ci soit réservé à Marcella que jamais l'idée de pianoter quelques notes ne lui était venue en tête. C'est pourquoi même avec l'accord de Joseph, il trouvait normal que sa mère en fasse tout un plat quand Gertrude y avait posé les mains sans lui demander la permission, à elle. Il n'a pas sourcillé non plus lorsqu'il a vu sortir le piano de la maison. Il a reçu son coup de grâce quand sa mère est sortie de chez le fourreur avec un nouveau manteau de vison et qu'elle s'est vantée devant lui de porter leur piano sur son dos. Même s'il vit jusqu'à cent ans, jamais il n'oubliera le sourire diabolique qu'elle arborait. Au fond, voir revenir leur piano lui fait du bien.

— Je suis désolé la mère, renchérit Adrien, mais je ne peux pas.

Cette fois, la détermination d'Adrien étonne tout le monde, Lucille y comprise. Déstabilisée, elle cherche désespérément une issue pour sortir d'ici au plus vite. Lorsque la porte s'ouvre sur son fils Estrade, elle se dit qu'elle tient la solution à son problème entre ses mains et elle saute dessus à pieds joints.

— Travailles-tu demain ? lui demande-t-elle sans même le saluer.

— Non !

— Parfait ! s'écrie-t-elle. Tu vas m'emmener chez Adjutor.

Estrade regarde sa mère avec de grands yeux. Il n'a vraiment pas envie de faire un aller-retour à Saint-Irénée pendant ses jours de congé.

— Mais je ne peux pas! se défend-il. Je suis juste venu faire un tour, j'ai des choses à faire aujourd'hui. Et je n'ai rien pris avec moi...

— Après tout ce que j'ai fait pour toi, mon garçon, plaide Lucille tu es très mal placé pour refuser. Je fais ma valise et on part.

— Je ne peux pas partir sans avertir ma femme... des plans pour qu'elle mette la police après moi.

— Adrien ira la prévenir. Maintenant que c'est réglé, demande à Gertrude de te servir un café.

Et Lucille file dans sa chambre d'un pas léger.

— Pourquoi tu n'y vas pas? s'informe Estrade à Adrien aussitôt que leur mère ferme la porte de sa chambre.

— Parce que je ne peux pas.

Puis Adrien ajoute sur un ton légèrement moqueur:

— Et elle est si contente de partir avec toi... Je peux même te garantir qu'elle va faire un bien meilleur voyage avec toi qu'avec moi.

Restés en dehors de la discussion, Gertrude et Joseph savourent déjà le départ de Lucille. L'un comme l'autre, ils savent très bien qu'Adjutor va vouloir leur arracher la tête quand il va voir sa mère débarquer chez lui avec armes et bagages, mais ils s'en fichent totalement. Après tout ce qu'elle leur a fait endurer depuis qu'elle est revenue, c'est le juste retour des choses et puis c'est la volonté du Seigneur.

Quant à Estrade, il a beau chercher comment se sortir de là, mais il ne trouve pas. Depuis qu'il est parti de la maison familiale, il a fait appel à la générosité de sa mère pas seulement une fois. Ce n'est pas sa faute, il n'a jamais su comment gérer son argent. C'est moins fréquent depuis qu'il est rentré chez Price, mais ça lui arrive encore.

— Vas-tu pouvoir avertir ma femme ?

— J'aime bien trop ta femme pour la laisser s'inquiéter. J'irai avant de faire mon premier voyage.

Joseph s'en veut un peu de lui avoir enlevé son vieux manteau de vison lorsqu'il voit sortir sa femme de la maison avec son manteau de drap. Ce n'est pas qu'il fasse très froid dehors, mais c'est quand même l'hiver et la route est longue jusqu'à Saint-Irénée. Mais aussitôt que la porte se referme sur elle, Joseph lâche tout de même un grand soupir et avec lui, il évacue le moindre petit remords qui risquait de l'accabler. Il fait tellement de bruit que Gertrude et Adrien éclatent de rire.

— Ma foi du Bon Dieu, le père, dit Adrien, on croirait que vous venez de vous confesser…

— C'est encore mieux que ça, mon garçon.

— J'ai une question pour toi, dit Gertrude à Adrien. As-tu vraiment des engagements pour les deux prochains jours ?

— En réalité, répond-il, je suis libre comme l'air, mais je n'avais pas envie d'être son petit chien aujourd'hui.

— C'est vrai ? s'étonne Gertrude. Toi, Adrien Pelletier, qui voit la mère dans ta soupe, tu as refusé de l'emmener chez Adjutor ! Il faut que tu m'expliques pourquoi tu as fait ça.

— Je ne sais pas si c'est parce que je vieillis, mais plus ça va, plus j'ai de la misère avec elle. Pas plus tard qu'hier, elle m'a traité de *grand flanc mou* alors que j'essayais juste de l'aider. Et je n'ai pas apprécié qu'elle vende le piano, et surtout qu'elle s'achète un manteau de vison avec l'argent, alors que papa travaille comme un fou pour arriver à joindre les deux bouts. Tant qu'à moi, elle peut bien rester le temps qu'elle voudra chez Adjutor et je vous avertis d'avance, ce n'est certainement pas moi qui irai la chercher. J'ai toujours trouvé que Marie-Paule était trop dure avec elle, mais je commence à croire que c'est elle qui avait raison. La mère est loin d'être facile à vivre…

Les propos d'Adrien font du bien à Gertrude. Elle ne se fait pas d'illusions, sa relation avec lui ne changera pas du tout au tout pour autant, mais au moins elle sait qu'il commence à voir clair dans le jeu de leur mère.

— Moi, dit Joseph, j'aimerais bien être un petit oiseau pour voir la face d'Adjutor quand il va la voir arriver.

Et ils se mettent à rire.

— Avez-vous encore besoin de moi? demande Adrien à son père.

— Non, mon garçon.

Joseph est fier d'Adrien. C'était la première fois qu'il le voyait tenir tête à sa mère. Il se promet de faire plus attention à lui, à compter d'aujourd'hui.

— Je vais aller avertir Eugénie avant de l'oublier.

— Pourrais-tu me laisser chez Marcella en passant? fait Gertrude.

— Je peux même aller te rechercher avant de faire le train, si tu veux.

— C'est gentil! Accorde-moi cinq minutes.

— Dix si tu veux. Je vais en profiter pour offrir à Marie-Paule d'aller faire un tour chez sa mère.

Joseph sourit à l'idée de passer la journée seul. Il n'a pas beaucoup dormi cette semaine, et encore moins la nuit dernière. Il va pouvoir roupiller paisiblement dans sa chaise sans que Lucille passe son temps à le réveiller. Il ne regrette pas d'avoir pris les choses en mains, même si la chicane lui soutire tellement de jus qu'il se sent complètement épuisé. Connaissant sa femme, Joseph sait qu'il n'est pas au bout de ses peines, mais il sait aussi qu'il va tenir le coup pour Gertrude, et pour Adrien aussi. Lucille leur a fait suffisamment de mal jusqu'à maintenant. Joseph sort sa pipe et la bourre tranquillement pendant que Gertrude se prépare à partir. Avant de sortir de la maison, elle vient l'embrasser sur la joue et lui dit :

— Merci papa ! Sans vous, je ne sais pas ce que je ferais.

— Ton possible, seulement ton possible comme chacun d'entre nous. Embrasse ta sœur pour moi et ramène-moi vite mon petit-fils.

Alors que Gertrude allait sortir de la maison, Joseph lui crie :

— Crois-tu que tu vas pouvoir jouer du piano pour moi, ce soir ?

Chapitre 21

— Grand-maman, grand-maman, s'exclame Michel en se jetant dans les bras d'Alida, est-ce que tu voudrais me lire une histoire ?

— Avec plaisir, mon beau garçon ! Tu n'as qu'à aller te choisir un livre.

La bibliothèque d'Alida n'est pas la mieux garnie de Jonquière. En réalité, elle tient en quelques livres seulement et, curieusement, tous sont signés de la main de Jules Verne à part un, soit *Les trois mousquetaires* d'Alexandre Dumas. Alida aurait une bibliothèque qui ferait un mur complet si elle en avait les moyens. Comme ce n'est pas le cas, elle a dû se contenter des quelques livres rangés dans une boîte poussiéreuse qu'une dame riche chez qui elle est allée faire le grand-ménage un jour lui avait dit de jeter en partant. Alida avait sans hésiter rapporté son trésor chez elle. Elle ignorait ce qu'elle y trouverait, mais elle était folle de joie à la seule idée de posséder enfin quelques livres bien à elle. Et le soir même, elle s'était mise à lire *Le tour du monde en 80 jours*. Elle avait aimé la plume de Jules Verne dès les premières phrases. Elle aimait, et elle aime toujours d'ailleurs, son imagination débordante et son audace aussi. Encore aujourd'hui, il lui arrive de revisiter les quelques titres qu'elle possède. Mais Alida n'est pas la seule à aimer la lecture dans sa famille. Tous ses enfants, sans exception, en sont fous. L'argent était rare au moment de les élever, mais chaque fois qu'un d'entre eux avait un peu d'argent, il s'achetait un livre. Ce n'est pas arrivé seulement une fois qu'Alida a vu rentrer des livres à l'index chez elle, mais elle ne disait rien. Elle avait pour son dire que ses enfants avaient suffisamment de jugement pour faire la part des choses entre le rêve et la réalité. Il fallait voir la famille Tremblay au grand complet en train de lire pendant toute une soirée. Alors que certains étaient au salon, d'autres étaient allongés sur leur lit, ou encore avaient les deux pieds sur la bavette du poêle. Rose-Aimée, la sœur aînée d'Alida, avait l'habitude de venir passer quelques jours chez eux chaque saison. En plus d'être illettrée, la pauvre était un vrai moulin à paroles. Les deux premiers jours, les Tremblay l'écoutaient parler, mais le troisième jour, c'était immanquable, ils se payaient une soirée de lecture pour se reposer les oreilles un peu. Chaque fois qu'ils lui faisaient le coup, Rose-Aimée ne manquait pas de leur dire à quel point ils pouvaient être ennuyeux. Jeunes et vieux, les Tremblay levaient à peine les yeux de leur livre pour lui jeter un coup d'œil et se remettaient très vite le nez dedans.

— Gagez-vous qu'il va encore choisir le même? s'écrie Marie-Paule.

— Probablement, mais tu en faisais autant quand tu avais son âge.

— Mais vous deviez être tannée de toujours lire la même histoire…

— J'étais tellement contente que vous aimiez lire que même si vous aviez tous choisi le même livre, je vous l'aurais lu avec autant d'intensité. Voir l'émerveillement dans vos yeux n'avait pas de prix, et c'est pareil avec mes petits-enfants.

Michel arrive avec son livre sous le bras avant que sa mère n'ait le temps d'ajouter quelque chose.

— Tiens! s'écrie Michel en lui tendant *Vingt mille lieues sous les mers*.

— Regarde-le tout seul un peu, dit Marie-Paule, il faut que je dise quelque chose à grand-maman.

— Mais je ne sais pas lire, moi!

Marie-Paule ébouriffe les cheveux de son fils en riant.

— Regarde les lettres, lui suggère Marie-Paule, je te promets que ce ne sera pas long.

Et Marie-Paule se met en frais de raconter la saga du piano et du manteau de fourrure à sa mère.

— Ça ne m'étonne pas, dit Alida, Lucille a toujours été folle. C'est à cause d'elle que ma cousine Mariette est encore vieille fille.

— C'est celle que mon beau-père courtisait avant que Lucille y mette le grappin dessus...

— Il faisait plus que la courtiser, la corrige Alida, ils parlaient mariage.

— Je ne me rappelle plus très bien ce qui s'est passé, confie Marie-Paule.

— Laisse-moi te rafraîchir la mémoire un peu. Joseph venait de s'acheter une terre, ce qui faisait soudainement de lui un très bon parti. Aussitôt qu'elle a appris la nouvelle, Lucille, qui avait levé le nez sur lui alors qu'il n'avait rien à part ses bras, s'est mise dans la tête qu'elle l'aurait. Ta belle-mère est loin d'être une sainte, tu sais. Devant le peu d'intérêt de Joseph à son égard, elle a commencé à répandre des faussetés sur ma cousine, du genre qu'elle n'était plus vierge et qu'elle avait mis plusieurs hommes dans son lit...

Même si elle le voulait, Alida serait incapable d'oublier ce passage. À cause de Lucille, sa cousine a toujours été regardée de haut par tout le monde alors qu'il n'y avait rien de vrai dans tout ce que Lucille répandait sur son compte à la grandeur de la ville. Même le jour du mariage de sa fille avec le fils de Joseph, Alida était incapable de regarder Lucille sans ressentir une vague de colère à son égard.

— Ça me revient maintenant, je me suis toujours demandé pourquoi votre cousine ne s'était pas défendue.

— Parce que le mal était fait et que peu importe ce qu'elle aurait dit pour sa défense, personne ne l'aurait crue. Et la famille de Joseph avait vite tranché, en l'obligeant à se marier avec Lucille.

— En tout cas, d'après ce qu'Adrien m'a dit, le beau-père vient de se réveiller. Mais le plus drôle, c'est que Lucille est repartie chez son Adjutor.

— Grand-maman, dit Michel en tirant sur le coin de son tablier, quand est-ce que tu vas me lire mon histoire?

— Je donne la lettre de tante Charlotte à ta mère et je viens te rejoindre au salon.

Heureux comme un roi, Michel retourne d'où il vient et s'assoit sur le divan.

— Tu me diras ce que tu en penses, lance Alida.

Chère maman,

Tu ne peux pas savoir à quel point j'aurais aimé t'apprendre ma nouvelle en personne plutôt que de te l'écrire. Je n'ai jamais été aussi heureuse de toute ma vie, imagine-toi donc que je suis enfin enceinte.

— Wow! s'écrie Marie-Paule, c'est toute une nouvelle! Charlotte est enceinte, je n'en reviens tout simplement pas.

— Moi non plus, lance Alida entre deux phrases, mais lis vite le reste de sa lettre.

Il y avait longtemps que j'avais arrêté de croire aux miracles, mais je suis la preuve vivante que ça existe, et qu'avec la prière on finit par obtenir tout ce qu'on veut. Laurier n'est pas encore au courant, il est parti il y a trois jours, mais je suis certaine qu'il va être fou de joie, surtout qu'il refusait d'adopter un orphelin. Et s'il ne l'est pas, eh bien, je le serai pour deux. Je n'en reviens tout simplement pas, à Noël je tiendrai mon bébé dans mes bras. Mon bébé, ça me fait tout drôle d'écrire ça.

Je compte sur vous pour répandre la bonne nouvelle. Dites à Marie-Paule que je vais lui écrire.

Charlotte

— Depuis quand ma sœur est-elle aussi croyante?

— Je ne sais pas, je me suis posé la même question que toi en lisant sa lettre. J'ai bien l'intention de lui en parler.

— Grand-maman, dit Michel en tirant sur la manche de la robe d'Alida, est-ce que tu peux lire?

Alida ne fait ni une ni deux et elle poursuit sa lecture pendant que Marie-Paule berce Georges. Elle le regarde avec amour et se dit qu'il grandit bien trop vite. Elle n'en parlera pas à sa mère avant d'être certaine, mais elle croit être enceinte. Si c'est le cas, elle adorerait avoir une fille cette fois. Coudre pour des garçons n'a rien de très excitant pour elle. Elle a hâte de tailler des petites robes dans les bouts de tissus qu'elle ramasse depuis qu'elle est mariée. La plupart sont des retailles des robes cousues par les femmes de la famille. Plusieurs tissus ont l'air sévères, mais Marie-Paule a prévu de leur ajouter un peu de dentelle et quelques appliqués pour les égayer. Elle s'est dit qu'elle pourrait même faire quelques points de broderie.

Entre deux phrases, Alida lance:

— J'espère que Charlotte aura une fille, ça ferait du bien de voir des petites robes, dans cette famille, au lieu des éternels pantalons.

Marie-Paule regarde sa mère et lui sourit.

— Je me disais justement qu'il serait temps que j'aie une fille.

— Es-tu en train de me dire que tu es enceinte toi aussi?

— Il y a de grosses chances, ne peut-elle s'empêcher de répondre, mais j'aime mieux attendre d'être certaine avant d'en parler à tout le monde.

* * *

Adjutor était tellement découragé que sa mère rapplique chez lui qu'il n'a pas fermé l'œil de la nuit. Comme si ce n'était pas suffisant, sa bonne Béatrice n'a pas perdu une seconde en voyant Lucille et elle est retournée chez ses parents sur-le-champ. Si Estrade ne lui avait pas offert de la conduire, elle serait partie à pied. Elle a goûté à la médecine de cette femme et rien ni personne, pas même monsieur le curé, ne pourra l'obliger à revenir tant et aussi longtemps qu'elle sera là. Adjutor était désespéré lorsqu'il l'a vue monter dans la voiture de son frère.

Quant à Lucille, elle s'est installée à son aise sans donner aucune explication sur l'objet de son retour et la première chose qu'elle a demandée à Adjutor, c'est ce qu'il voulait manger. Décontenancé, il a répondu qu'il n'avait pas faim, ce qui au fond était la pure vérité. Sa présence à elle seule lui avait complètement coupé l'appétit.

Au retour de chez Béatrice, Estrade regardait sa mère s'activer dans la cuisine et il n'en revenait pas.

— Voulez-vous bien me dire ce qui arrive avec vous, la mère ? lui a-t-il demandé en sirotant un fond de verre de vin de messe.

Il fallait voir l'air surpris d'Adjutor lorsqu'Estrade lui a demandé s'il pouvait avoir un peu de vin. L'amour d'Estrade pour le vin de messe a commencé le jour où il a servi sa première messe à l'église Saint-Dominique. Le curé les avait laissés seuls lui et l'autre servant, le temps d'aller répondre à la porte et ils en avaient profité pour y goûter. Évidemment, Estrade s'en était vanté devant toute la famille en arrivant. Lucille lui avait administré la claque du siècle en arrière de la tête et l'avait sommé d'aller se confesser pour ce qu'il avait fait.

C'est dans des cas comme celui-là qu'on réalise que tout le monde n'a pas les mêmes goûts. Alors qu'Adjutor a l'occasion d'en boire tous les jours, il n'a pas encore réussi à l'aimer. Contrairement à plusieurs de ses collègues prêtres, c'est à peine s'il trempe les lèvres dans le spiritueux eucharistique.

— Il me semble que c'est facile à voir, a répondu sèchement Lucille, je prépare à manger pour Adjutor. Tu l'as vu comme moi, sa bonne vient de lever les feutres.

— Mais ça fait des années que je ne vous ai pas vue cuisiner.

— Eh bien, là, tu me vois.

Et Lucille n'a plus levé le nez de ses casseroles jusqu'à ce que ce soit le temps de servir. Si Estrade avait fini par se convaincre que ce serait plaisant de revoir son frère, il en a pris pour son rhume. Non seulement Adjutor était aussi froid qu'un bloc de glace depuis leur arrivée, mais les seuls sons sortis de sa bouche étaient pour répondre par monosyllabe aux questions en rafale de sa mère. Plus ça allait, plus il devenait impatient. Rendu au dessert, il soupirait aussi fort qu'un train, mais Lucille n'en faisait aucun cas. Estrade ignorait tout des gens de la place avant d'entrer au presbytère, mais maintenant, il les connaissait par leur prénom. Lucille ne se gênait pas pour donner son avis sur tout un chacun. Estrade se disait en l'écoutant qu'elle jacassait aussi fort que quinze poules dans un poulailler et encore.

Aussitôt que Lucille s'est retirée dans sa chambre, Adjutor a demandé à Estrade de lui expliquer pourquoi il lui avait emmené sa mère.

— Tout ce que je sais, c'est qu'elle était pressée de sortir de la maison et que personne n'a essayé de la retenir. À la limite, je te dirais même que ça avait l'air de faire leur affaire de s'en débarrasser, même celle d'Adrien. Je lui ai demandé ce qui s'était passé plusieurs fois pendant le voyage, mais elle n'a rien voulu dire. Je croyais pourtant que c'était l'amour fou entre vous…

Et Adjutor s'était mis en frais de lui raconter la dernière visite de leur mère et ce qu'il avait dû faire pour s'en débarrasser.

— Dans ce cas-là, avait ajouté Estrade pour détendre un peu l'atmosphère, tu as jusqu'à demain matin pour la convaincre de repartir avec moi.

— Même si j'avais un mois devant moi, je n'y arriverais pas. Mais fais-moi confiance, je vais trouver le moyen de m'en débarrasser.

Adjutor a imploré Dieu à genoux dans son église pendant des heures après qu'Estrade soit allé se coucher. Malheureusement pour lui, tout ce qui lui venait à l'esprit était le seul commandement de Dieu auquel est attaché pas une, mais deux promesses : celle de vivre longtemps et celle d'être heureux sur terre :

Honore ton père et ta mère, comme l'Éternel, ton Dieu, te l'a ordonné, afin que tes jours se prolongent et que tu sois heureux dans le pays que l'Éternel ton Dieu te donne.

Il se sentait pris au piège comme un vulgaire petit lièvre et ça n'avait rien pour lui plaire. Il se voyait à la place de la pauvre bête et il avait envie de hurler. Il était hors de question que lui, Adjutor Pelletier, redevienne la marionnette de Lucille de Minier. Elle voulait qu'il soit prêtre, et c'est ce qu'il était devenu à force de se faire ramener dans le droit chemin par elle, c'était déjà bien assez. Maintenant qu'il avait réussi à trouver la paix, et même un certain bonheur à exercer son sacerdoce, jamais plus il ne la laisserait lui empoisonner la vie. Il a fini par aller se coucher, mais c'est seulement après de longues heures de veille qu'il a reçu une illumination. C'était tellement fort qu'il s'en est fallu de peu pour qu'il se mette à rire aux éclats. Il n'a qu'à s'enrôler.

Lorsqu'Adjutor se pointe dans la cuisine, il est pâle à faire peur, mais un large sourire illumine son visage tout entier. Affairée à préparer le déjeuner malgré que le soleil vienne à peine de se lever, Lucille se demande bien ce qui se passe avec lui.

— Est-ce que tu vas bien, mon garçon ?

— Vous ne pouvez même pas vous imaginer à quel point je vais bien, répond-il aussitôt. D'ailleurs, j'ai une grande nouvelle à vous annoncer.

Devant le sérieux de son fils, Lucille s'avance jusqu'à la table pour attendre la suite.

— La nuit passée, j'ai eu une illumination. Je vais partir au front.

Il y a des mots qui vous déchirent le cœur rien qu'à les entendre et les derniers que vient de prononcer Adjutor en font partie. Lucille est prise de vertiges soudains et si Estrade ne l'avait pas soutenue, elle se serait étendue de tout son long sur le plancher.

— Venez vous asseoir, la mère, lui dit-il en la soutenant.

Puis à l'adresse de son frère, il ajoute d'un ton autoritaire :

— Dis-moi que c'est une blague. Tu sais bien que papa va refuser que tu ailles à la guerre.

— Je n'ai jamais été aussi sérieux, lui confirme Adjutor. J'ai enfin trouvé ma voie, et je suis assez vieux pour prendre mes décisions tout seul.

Avant aujourd'hui, jamais l'idée d'aller au front n'avait même effleuré l'esprit d'Adjutor. Il suivait la guerre de loin et il se félicitait d'être devenu prêtre, parce que jamais il ne serait obligé de s'engager. Mais ça, c'était avant que sa chère mère décide de veiller sur lui comme lorsqu'il était enfant. Aller à la guerre lui est vite apparu comme sa seule chance de salut et, à bien y penser, il commence à aimer l'idée de faire ce pour quoi il a étudié, c'est-à-dire aider véritablement ses semblables.

— Si tu pars, lance Lucille d'un air décidé, alors je pars avec toi.

Cette fois, c'en est trop pour Adjutor. Il se lève de table et dit à l'attention de son frère en frappant le poing sur la table :

— Bon, je vais aller écrire à monseigneur et tu iras lui porter ma lettre en ramenant la mère chez elle.

— Es-tu sourd ? s'écrie Lucille. Je viens de te dire que je vais partir avec toi.

Alors qu'Adjutor a la réputation de bien parler aux gens, il décide de ne pas mettre des gants blancs pour remettre sa mère à sa place.

— Plutôt mourir que de vous avoir dans les jambes en pleine bataille, lance-t-il d'un ton assuré. Vous allez retourner d'où vous venez avec Estrade, un point c'est tout.

— Si tu es assez vieux pour décider de ce qui est bon pour toi, riposte Lucille sur le même ton, alors moi aussi. Et j'ai décidé d'aller à la guerre.

— Voyons donc la mère, s'écrie Estrade, vous n'êtes plus d'un âge pour aller à la guerre. Allez faire votre valise au lieu de dire n'importe quoi.

— Ce n'est certainement pas deux petits morveux de votre espèce qui vont me dire quoi faire, plaide Lucille en pointant ses fils tour à tour de son index.

— Allez faire votre valise, lui ordonne Adjutor.

— Mais je…

— Il n'y pas de *mais,* ce n'est pas si difficile à comprendre, vous partez pour Jonquière et moi pour Québec.

Adjutor tourne les talons avant que Lucille ait le temps de réagir. Une fois seul dans son bureau, il sort une feuille de papier et sa plume et se met à écrire.

Monseigneur,

Je sais que j'ai dû vous paraître prétentieux et suffisant en refusant de rempla-cer le curé Légaré comme vous me l'aviez commandé, et je veux que vous sachiez que j'en suis profondément désolé. Je ne vous en ai pas parlé ce jour-là, mais si j'ai rejeté votre offre, c'était pour la simple et unique raison que je ne sentais pas que c'était ce que Dieu attendait de moi. Ce matin, j'ai eu une illumination et tout est soudainement devenu clair comme de l'eau de roche. Dans sa grande bonté, Dieu m'est apparu sous la forme d'un ange et m'a montré le chemin que je dois suivre. Comment refuser de le servir alors que j'ai promis de lui vouer ma vie? Il m'a dit que ma place était au front, avec nos valeureux soldats. Je me réjouis déjà à l'idée de leur apporter la parole de Dieu partout où ils se trouve-ront. Je suis prêt à braver tout ce qu'il mettra sur mon chemin si c'est pour le servir. Si je vous écris cette lettre, c'est pour vous demander de bien vouloir me trouver un remplaçant jusqu'à ce que je revienne.

J'espère que vous ne penserez pas que je me sauve comme un voleur, parce qu'en quittant demain à la première heure pour aller m'enrôler à Québec, je ne fais que répondre à l'appel de Dieu, cet appel qui me brûle la poitrine comme un feu ardent. Si ça peut vous rassurer, ma bonne Béatrice sera là pour instruire celui à qui vous confierez ma cure de tout ce qu'il doit savoir sur mes paroissiens.

C'est le cœur léger que je m'engagerai au nom de notre sainte mère l'Église. Je vous promets de vous écrire dès que je serai de l'autre bord. Priez pour moi, j'en aurai sûrement besoin. Et s'il vous reste un peu de temps, priez pour tous ceux qui risquent leur vie pour un monde meilleur.

Adjutor Pelletier

Chapitre 22

Si Gertrude n'avait pas promis à Mérée d'aller la voir aujourd'hui, elle aurait profité tranquillement de la paix qui règne dans la maison depuis le départ de sa mère. Hier, quand Camil a su que Lucille avait levé les feutres, il s'est mis à danser au beau milieu de la cuisine. Même si Gertrude est encore plus contente que lui, elle s'est vite sentie mal à l'aise que son mari fasse autant d'éclats devant son père.

— Camil, Camil, lui a-t-elle dit, papa est là.

Camil a figé sur place et il allait se confondre en excuses lorsque Joseph a lancé :

— Célébrez autant que vous voulez, les jeunes, parce qu'on ne sait pas combien de temps ça va durer. Déjà, qu'elle nous fasse cette fleur deux fois plutôt qu'une tient du miracle.

— Puisque c'est ainsi, je vous offre à boire, le beau-père.

Mais tu n'as pas encore mangé, plaide Gertrude.

— Je mangerai après avoir bu, pour une fois… Qu'est-ce que vous en pensez, le beau-père ?

— Je pense qu'il serait grand temps que tu m'appelles *papa*. Et apporte-le vite, ton petit boire, j'ai la gorge sèche.

— Et moi, ajoute Gertrude, je suggère qu'on s'installe au salon comme si on était de la grande visite.

Ils n'ont pas bu jusqu'à rouler par terre, mais on peut dire qu'ils n'ont pas apprécié beaucoup le souper que Gertrude avait préparé.

— Je n'en reviens tout simplement pas, s'exclame Mérée les baguettes en l'air, ta mère est encore partie chez Adjutor. Je le plains de tout mon cœur!

— Et tu n'es pas la seule, mais comme on dit chez nous, chacun son tour et là, c'est le sien.

— Tant qu'à ça, ce n'est pas toujours aux mêmes de souffrir. Je me suis toujours demandé comment tu faisais pour l'endurer alors que moi, après une heure je n'en peux plus.

— D'abord, je te rappelle que c'est ma mère et que c'est ce que j'ai toujours connu. Mais pour tout te dire, avant que Camil entre dans ma vie, je faisais ce que j'avais à faire sans trop me poser de questions. Et les rares fois où ça m'arrivait, je me disais que c'était impossible que les choses changent. Ma mère m'avait choisie comme poteau de vieillesse et je devais faire avec.

Mérée regarde sa belle-sœur en soupirant. Elle n'a pas eu la meilleure mère du monde elle non plus, mais c'était du bonbon à côté de celle de Gertrude. Outre quelques petites colères pour des peccadilles, sa mère était gentille et elle ne l'a jamais humiliée devant personne. Elle n'était pas non plus la mère la plus aimante que la terre ait portée, mais jamais elle n'aurait osé profiter de ses enfants pour se faire servir comme le fait sciemment Lucille.

— Je dis souvent à Wilbrod comment je te trouve bonne d'endurer tout ça.

— Ce n'est pas de la bonté, explique Gertrude, mais de l'innocence. Tant que j'étais dedans jusqu'au cou, j'arrivais même à me convaincre que c'était normal. C'est lorsqu'Adjutor m'a dit que la mère avait joué à la bonne chez lui que j'ai réalisé à quel point elle avait abusé de moi. Matin après matin, je me battais avec elle de toutes mes forces pour qu'elle finisse enfin par se lever, alors qu'elle l'avait fait sans l'aide de personne chez lui. J'étais tellement fâchée que ça m'a donné le courage de lui tenir tête. Mais ce qui m'a le plus aidée, c'est que papa soit de mon bord. Tu aurais dû le voir à l'œuvre avec l'histoire du piano.

Mérée la regarde les yeux en points d'interrogation.

— Qu'est-ce que tu attendais pour m'en parler ?

Appuyée sur le petit meuble qui lui tient lieu de comptoir, Mérée écoute sa belle-sœur avec grande attention. Seule l'arrivée d'une cliente interrompt son discours, mais elle le reprend très vite aussitôt la porte de l'épicerie refermée.

— Quand je vais parler de ça à Wilbrod, il va me dire d'arrêter de prendre mes rêves pour des réalités. Je n'en reviens tout simplement pas que ton père ait osé la défier de cette manière. Si je l'avais devant moi, je lui décernerais une médaille. Si tu veux mon avis, il était grand temps que ta mère trouve chaussure à son pied.

— Moi aussi, je suis contente que papa ne se laisse plus mener par le bout du nez par elle, mais tout ce que je peux te dire, c'est que c'est loin d'être plaisant quand l'orage passe, par exemple. Et d'après moi, la mère n'a pas fini de se débattre. Je n'ai jamais vu quelqu'un avoir la tête aussi dure.

— Tu n'as qu'à te rappeler tout ce qu'elle a fait pour que Wilbrod jette son dévolu sur une autre fille, alors qu'il avait déjà demandé ma main à mon père. Jamais je ne lui pardonnerai ce qu'elle a fait.

— Mais au fait, pourquoi tenais-tu tant à te marier avec mon frère alors que tu aurais pu avoir un tas d'autres hommes plus beaux et surtout plus riches que lui ?

À l'air qu'a Gertrude, Mérée voit tout de suite qu'elle ne pourra pas se défiler cette fois. Et elle plonge dans ses souvenirs tête première pour remonter jusqu'au jour où elle a rencontré Wilbrod.

— Sans vouloir me vanter, c'est vrai que j'aurais très bien pu être la femme de quelques notables de la ville, mais j'ai aimé Wilbrod à la seconde où j'ai posé mon regard sur lui. J'étais allée faire une commission pour mon père au magasin général et je l'avais croisé en sortant. Jamais je n'avais vu des yeux aussi bleus et un sourire aussi franc.

Mérée repart dans ses souvenirs. À cette époque, le fils du notaire déployait toute son artillerie pour qu'elle s'intéresse à lui, alors que celui du forgeron venait déposer un bouquet de fleurs des champs sous sa fenêtre chaque soir. Mais Mérée n'avait d'yeux que pour Wilbrod.

— J'ai marié ton frère parce que je l'aimais et que je savais qu'avec lui je ne courrais jamais aucun danger.

— C'est bien beau tout ça, argumente Gertrude, mais nous savons toutes les deux que mon frère est loin d'être parfait.

— Et je suis la première à me plaindre de lui quand il n'arrête pas de s'apitoyer sur son sort, mais en dehors de ça, il est l'homme de ma vie et je ne l'échangerais pas pour tout l'or du monde. Tu n'as même pas idée à quel point il est bon.

C'est au tour de Gertrude de fouiller dans sa mémoire. Wilbrod n'est pas son préféré, et elle ne s'en est jamais cachée. Quand ils étaient enfants, elle se faisait un malin plaisir à le prendre en défaut et même à le faire punir alors qu'il n'avait rien fait, mais pas une seule fois il ne s'en est pris à elle. Au lieu de ça, il la regardait avec ses grands yeux et il lui souriait.

— Quand vas-tu apprendre à te défendre ? lui hurlait-elle chaque fois.

— Je ne vais quand même pas te sauter dessus, objectait-il doucement, tu es ma sœur, pas mon ennemie.

Le départ de Wilbrod de la maison n'a pas créé un grand vide dans la vie de Gertrude. Certes, elle avait perdu son souffre-douleur, mais il lui restait toujours sa mère qui s'avérait de plus en plus difficile à satisfaire.

— Je pense que c'est ça qui m'a toujours dérangée chez lui, confie Gertrude. J'ai tout le temps eu l'impression que rien ne l'atteignait et je l'enviais de toutes mes forces. Alors que j'étais habitée par une immense colère, Wilbrod traversait les nombreuses sautes d'humeur de la mère sans sourciller d'un poil. Et c'est encore pareil aujourd'hui. Ne va pas croire que la mère le ménage depuis qu'il est marié. Elle ne manque pas de le rabrouer chaque fois qu'il se pointe à la maison, et parfois même de l'humilier au point que je me demande pourquoi il continue à venir la voir.

— C'est une question que je lui pose régulièrement et tu sais ce qu'il me répond? *Ce n'est pas comme si je ne savais pas à quoi m'attendre. Ma mère est ce qu'elle est et il y a longtemps que j'ai compris que ce n'est pas moi qui parviendrai à la changer. Elle peut dire ou faire tout ce qu'elle veut, car il y a longtemps qu'elle ne m'atteint plus. Mes visites chez elle me confirment à quel point j'ai de la chance d'être marié avec toi.*

Les deux femmes gardent le silence jusqu'à ce que le grincement de la porte les fasse sursauter.

— Oh! s'écrie joyeusement Wilbrod, je connais deux femmes qui n'ont pas l'esprit tranquille.

Pour la première fois de sa vie, Gertrude regarde son frère avec d'autres yeux, même qu'elle s'approche de lui et l'embrasse sur les joues sans aucune raison. Surpris, ce dernier se dépêche de lui rendre la pareille.

— J'ignore ce qui me vaut cet honneur, dit-il, mais moi aussi je suis content de te voir. Je disais justement à Mérée à quel point tu avais embelli depuis que tu étais mariée. Où as-tu caché mon neveu?

— Il dort dans votre chambre, bafouille Gertrude encore secouée par le compliment que vient de lui faire son frère, mais tu peux aller le voir si tu veux.

— Ce sera pour une prochaine fois. Je suis juste venu chercher une pelure de plus, parce que je suis trop gelé. Tu devrais venir manger avec Camil et le petit Jean un de ces soirs.

— Avec plaisir! confirme Gertrude.

Et Wilbrod sort aussi vite qu'il est rentré.

* * *

Perdu dans ses pensées, Joseph tire sur sa pipe sans vraiment s'en rendre compte. Depuis le départ précipité de Lucille, il revoit continuellement la scène en boucle dans sa tête et il a hâte de passer à autre chose. En fait, il ne se reconnaît plus. Alors qu'il a toujours tout accepté de sa part, voilà qu'il s'en prend maintenant à tout ce qu'elle fait et il n'en a aucun remords. Ce n'est pas d'hier que sa femme fait la pluie et le beau temps dans la maison, mais là elle a dépassé les bornes et c'est au-dessus des forces de Joseph de faire le mort pendant qu'elle prend plaisir à détruire Gertrude.

Joseph secoue sa pipe sur le bord du crachoir et se lève de sa chaise. Il enfile ensuite son manteau et ses bottes, puis il sort de la maison. Ce n'est qu'une fois sur la galerie qu'il se rend compte que les deux voitures sont parties. Adrien a conduit Gertrude chez Mérée alors qu'Arté est parti avec Marie-Laure et les enfants pour la journée. Joseph hausse les épaules et sourit. À moins de se faire ramasser par un voisin en chemin, ou de croiser Adrien, il n'a pas d'autre choix que de marcher pour se rendre en ville. C'est donc ce qu'il fait. Il y a un sacré bail qu'il n'a pas éprouvé sur une aussi longue distance la jambe qu'il s'est cassée il y a quelques années, mais ça devrait aller. Lorsqu'il arrive près de l'église, il s'arrête devant et il hésite pendant quelques secondes avant d'entrer. Lorsqu'il se décide enfin, il arrive face à face avec monsieur le curé.

— C'est justement vous que je venais voir, chuchote-t-il.

— Ça tombe bien, parce que je viens juste de finir de confesser mon dernier pécheur.

— Ah, mais je ne veux pas me confesser, objecte Joseph, je veux juste vous parler.

— Suis-moi, on sera plus à l'aise dans mon bureau.

Joseph se frotte nerveusement les mains, ce qui n'échappe pas au curé. Il se demande bien ce qu'il est venu faire ici, mais tant qu'à y être, aussi bien aller jusqu'au bout.

— As-tu fini de bûcher ? s'empresse de dire monsieur le curé pour détendre un peu l'atmosphère.

— Oui et, pour tout vous dire, je ne suis pas fâché. Mais ce n'est pas pour vous parler de bois que je suis venu vous voir ce matin.

Joseph baisse les yeux et se frotte à nouveau les mains ensemble avant de se jeter à l'eau.

— C'est Lucille.

— J'espère qu'il ne lui est rien arrivé de fâcheux !

— Rassurez-vous, elle est plus en forme que jamais. Je n'irai pas par quatre chemins, j'ai de plus en plus peur de lever la main sur elle un jour.

— Mais tu ne serais pas le premier à le faire et j'imagine que tu as tes raisons. N'oublie jamais que c'est toi le chef de la maison et qu'elle doit t'obéir au doigt et à l'œil.

— Vous ne comprenez pas, argumente Joseph, je n'ai jamais levé la main sur elle ni sur aucun de mes enfants d'ailleurs, et ce n'est pas mon intention de commencer à le faire non plus, mais ces temps-ci, elle n'arrête pas de braver mon autorité.

— Tu me vois très heureux de savoir que tu as enfin mis tes culottes. Bravo Joseph ! Je connais ta Lucille depuis toujours et je sais qu'elle n'est pas commode. En réalité, ça ne prenait que toi pour l'endurer.

— Si vous voulez savoir, monsieur le curé, elle est encore pire que tout ce que vous pourriez imaginer.

— Alors, fais-toi respecter.

Même si Joseph ne sait pas exactement pourquoi il est ici, il est au moins certain que ce que monsieur le curé vient de lui dire ne fait pas son affaire. Il ne se voit pas en train de lever la main sur Lucille, ça non. En même temps, il ne se voit plus en train de faire le petit chien savant à côté d'elle pendant qu'elle fait la pluie et le beau temps. En désespoir de cause, Joseph lui demande :

— Pourriez-vous lui parler ?

— Je veux bien, répond l'homme d'Église, mais je doute fort que j'aie de l'influence sur elle. Ta femme a plus de caractère qu'une armée.

C'est un regard rempli de désespoir que Joseph pose sur lui, tellement que monsieur le curé le prend en pitié.

— Dis-lui de venir me voir.

— Pour ça, il faudrait d'abord qu'elle revienne.

* * *

Camil passe chercher Gertrude chez Mérée avant de rentrer.

— Est-ce que tu pourrais passer devant notre terrain? lui demande-t-elle en posant les fesses sur le siège.

— J'allais justement te le proposer. Mon père est passé au magasin ce matin pour me dire que mon frère Rodrigue et lui allaient tracer le carré de la maison aujourd'hui.

Gertrude est tout excitée de savoir que les travaux de construction vont enfin débuter.

— Est-ce que je t'ai déjà dit à quel point j'ai hâte de déménager?

— Des centaines de fois, mais tu peux me le répéter autant que tu veux, parce que je suis comme toi. Je dois quand même avouer que lorsque ta mère n'est pas là, la vie est beaucoup plus douce.

— Je ne te le fais pas dire. J'ai une question à te poser: que dirais-tu d'avoir un autre enfant?

Camil arrête brusquement sa voiture et se tourne vers sa femme.

— Je serais le plus heureux des hommes, répond-il en l'embrassant tendrement.

— Tant mieux, parce qu'à l'âge que je suis rendue, ça risque d'être le dernier.

— Mais c'est déjà plus que j'aurais jamais pu espérer.

Puis Camil caresse la joue de son fils et s'écrie:

— As-tu entendu ça, Jean? Tu vas avoir un petit frère ou une petite sœur. Merci Gertrude, de me rendre aussi heureux.

Pendant ce temps-là, une voiture entre dans la cour de Joseph alors qu'il sommeille tranquillement dans sa chaise en attendant que Gertrude revienne avec ses deux hommes. C'est le hennisse-ment du cheval qui le réveille en sursaut. Il se lève pour aller voir qui ça peut bien être. Il est tellement surpris quand il aperçoit Lucille qu'il laisse échapper quelques jurons. Au lieu d'aller l'accueillir comme il se devrait, il retourne s'asseoir dans sa chaise et attend qu'elle fasse son entrée. Dès que la porte s'ouvre sur elle, il ironise :

— J'ignorais que tu aimais tant te promener en voiture. Comme on dit par chez nous, *c'est un voyage sans chier que tu as fait là.*

— Tu n'es pas drôle, Joseph Pelletier, riposte aussitôt Lucille et je n'ai vraiment pas envie de rire.

— Estrade ne rentre pas ?

— Tu vois bien que je suis seule. Pourrais-tu aller chercher ma valise sur la galerie ?

Au lieu de répondre à la question de sa femme, Joseph revient à la charge :

— Veux-tu bien me dire pourquoi tu es revenue aussi vite ? Je n'ai même pas eu le temps de m'ennuyer.

— Parce que…

Et Lucille se met à pleurer comme un bébé.

— Je te jure que j'ai tout fait pour l'en empêcher, pleurniche-t-elle.

Les seules fois où Joseph l'a vue pleurer, c'est lorsqu'elle a perdu deux de leurs enfants juste avant leur naissance, et tout récem-ment, pour ses manteaux de fourrure de même que son horloge. C'est pourquoi il se dit qu'il est sûrement arrivé quelque chose de grave.

— Arrête de pleurer et parle ! l'intime-t-il.

Mais au lieu de ça, Lucille pleure de plus belle, impatientant Joseph encore plus. Il se lève de sa chaise et lui tend son mouchoir.

— Prends sur toi, Lucille! Il n'y a quand même pas eu mort d'homme.

— Pas encore, soupire-t-elle, mais ça pourrait venir bien plus vite que tu penses.

— Mais vas-tu finir par parler, à la fin?

Lucille connaît parfaitement la position de Joseph par rapport à la guerre. Elle ne l'a pas entendu seulement une fois dire que jamais il ne laisserait un de ses garçons y aller. Elle sait aussi à quel point il est fier d'Adjutor, même s'il n'est pas le genre d'homme à dire ce genre de choses.

— Adjutor s'est enrôlé…

L'effet des paroles de Lucille sur Joseph est instantané. C'est comme s'il venait de recevoir un gros bloc de glace sur la tête. Et la colère monte en lui à une vitesse fulgurante.

— C'est pour se débarrasser de toi qu'il l'a fait! s'écrie-t-il. Jamais je ne te le pardonnerai. Tu m'entends? Jamais! Je ne sais pas ce qui me retient de te frapper jusqu'à ce que tu ne puisses plus bouger… À cause de toi, mon fils risque de se faire tuer dans une maudite guerre qui ne nous concerne même pas.

Prise soudainement d'un regain d'énergie, Lucille lui lance au visage:

— Rien de tout ça ne serait arrivé si tu n'avais pas vendu mes manteaux de fourrure et mon horloge. C'est de ta faute, Joseph Pelletier, si Adjutor s'est enrôlé et j'espère que ça va t'empêcher de dormir pour un sacré bout de temps.

Joseph lui jette un regard meurtrier. Voilà maintenant que Lucille veut lui faire passer ça sur le dos, mais cette fois il n'a pas l'intention de se laisser faire.

— Aie au moins le courage de reconnaître tes torts pour une fois, hurle Joseph.

— Va au diable, Joseph Pelletier ! lui crache-t-elle au visage.

Et la main de Joseph frappe brusquement la joue de Lucille sans qu'elle ait eu le temps de voir venir le coup. Ébranlée, elle passe à deux cheveux de perdre pied, mais elle se remet vite d'aplomb. Elle est tellement enragée contre Joseph qu'elle lui tombe dessus à bâtons rompus en se frottant la joue.

— Tu n'es qu'un bon à rien, il n'y a que les faibles qui frappent les femmes. Espèce de lâche ! Pourquoi t'es-tu réveillé soudainement alors que tu ne t'es jamais préoccupé de rien ? C'était moi qui dirigeais la maison et je ne te laisserai pas me voler ma place. Tu es le pire des hommes que…

Gertrude et les siens font leur entrée à ce moment.

— Voulez-vous bien me dire ce qui se passe ? On vous entend de dehors.

— Demande à ta mère ce qu'elle a fait, répond Joseph.

— Mais qu'est-ce que vous faites ici ?

— Aux dernières nouvelles, c'est chez nous. Je suis revenue avec Estrade parce que ton frère Adjutor est allé s'enrôler ce matin.

— Il faut l'empêcher de partir au plus vite, rétorque Gertrude.

— C'est trop tard, ma fille, l'informe Joseph d'une voix remplie d'émotions. À l'heure qu'il est, il est sûrement déjà en mer.

Décidément, plus elle en entend, moins Gertrude comprend.

— Mais ça n'a aucun sens! s'exclame-t-elle. Depuis quand Adjutor voulait-il s'enrôler? Le voyez-vous sur un champ de bataille, vous? Voyons donc, il a peur de son ombre.

— C'est tout ce qu'il a trouvé pour se débarrasser de ta mère, ajoute Joseph.

— Je t'interdis de dire ça, Joseph Pelletier. Adjutor n'est pas comme toi, il est bon.

C'est alors que Gertrude remarque que Lucille a une joue toute rouge et enflée.

— Qu'est-ce qui vous est arrivée, la mère?

— Tu n'as qu'à demander à ton père… Il est tellement lâche qu'il m'a frappée.

Il s'en faut de peu pour que Camil félicite Joseph. Il n'est pas pour la violence, mais depuis le temps que Lucille s'en prend au pauvre homme, il était temps qu'il lui montre qui est le chef.

Gertrude s'approche de sa mère pour mieux voir sa joue. Elle ignore ce qui lui a valu le coup, mais une chose est certaine, son père n'y est pas allé de main morte.

— Il faudrait mettre une débarbouillette d'eau froide dessus, je vous en apporte une.

— Occupe-toi plutôt de ton père parce que moi, je suis loin d'avoir fini avec lui.

Et Lucille prend le bord de sa chambre. Avant de fermer la porte, elle dit haut et fort:

— Je te conseille de dormir ailleurs que dans mon lit, si tu tiens à la vie.

Gertrude a du mal à croire que son père ait frappé Lucille. Pas parce qu'elle ne le mérite pas, s'il n'en tenait qu'au mérite, aucun doute qu'elle serait couverte de bleus à la grandeur du corps, mais parce que Joseph est bon et qu'il n'a aucune malice. Quant au refus de sa mère de se laisser aider par elle, ce n'est qu'un élément de plus à ajouter dans la colonne des méchancetés dont Lucille est devenue la spécialiste depuis que Gertrude a commencé à s'affirmer.

— Si ça ne vous dérange pas, dit Gertrude, je vais faire manger Jean et on soupera après.

— Fais comme tu veux, ma fille, répond Joseph, de toute façon ta mère m'a coupé l'appétit.

— Eh bien, lance Camil pour essayer de détendre l'atmosphère, si on ne mange pas tout de suite on va boire. Je vais chercher ma bouteille de whisky, papa.

Joseph a une boule dans l'estomac depuis qu'il a étampé sa main sur la joue de Lucille. Il a suivi le conseil du curé, mais il le regrette. Il n'ira pas jusqu'à s'excuser auprès de sa femme, mais c'était la première et la dernière fois qu'il levait la main sur elle.

— J'aurais dû l'empêcher d'aller chez Adjutor, dit doucement Joseph, mais je n'ai pensé qu'à moi.

— Vous n'allez quand même pas prendre le blâme, ça lui ferait trop plaisir. Je connais mon frère, s'il s'est enrôlé, c'est parce que ça lui convenait. Ah, je n'irai pas jusqu'à nier que l'arrivée de la mère n'a pas précipité sa décision de partir, mais croyez-moi, Adjutor ne fait jamais rien pour rien. De nous tous, c'est lui qui lui ressemble le plus, et c'est le moins tolérant avec elle. J'aimerais bien entendre la version d'Estrade.

— Il n'est même pas rentré dans la maison. D'ailleurs, la valise de ta mère doit être encore sur la galerie. Il faudrait que quelqu'un la rentre.

— Je vais demander à Camil de s'en occuper. Je suis désolée pour tout ce que la mère vous fait endurer ces temps-ci et je me sens un peu responsable.

— Ne répète plus jamais ça devant moi, dit aussitôt Joseph. Tu n'as rien à voir là-dedans. Ta mère n'accepte pas que je change les règles du jeu. Que veux-tu, elle a toujours tout contrôlé. Mais cette fois, je n'ai pas l'intention de baisser les bras, et son petit manège a bien assez duré.

Chapitre 23

Si Lucille s'attendait à trouver un allié chez le curé de la paroisse, elle s'est trompée royalement. Non seulement ce dernier lui a dit d'arrêter de se plaindre et de se contenter de remplir ses devoirs d'épouse, mais il s'est permis d'ajouter :

— Compte-toi chanceuse d'avoir affaire à Joseph plutôt qu'à moi, parce qu'il y a un sacré bout de temps que tu serais rentrée dans le rang.

Lucille aurait bien aimé rouspéter, mais il ne lui en a pas donné la chance.

— Je ne veux rien entendre ! s'est-il écrié avant même qu'elle ouvre la bouche. Ta place est aux fourneaux, un point c'est tout.

Puis sur un ton plus doucereux, il lui a demandé si elle aimerait se confesser. Là, Lucille a explosé.

— Votre soutane ne vous donne pas le droit de me parler comme vous venez de le faire. Et c'est bien mal me connaître, si vous pensez que je vais m'agenouiller devant vous et me confesser de péchés que je n'ai même pas commis. C'est vous qui devriez y aller, pas moi. Vous pouvez croire ce que vous voulez, mais je n'ai aucun remords pour ce que j'ai fait.

Pris de court par la sortie de Lucille, le curé se redresse dans sa chaise et respire bruyamment pour se donner une contenance.

— Et si vous voulez tout savoir, jamais je ne pardonnerai à Adjutor de s'être enrôlé.

La seconde d'après, Lucille se met à pleurer.

— Il n'avait pas le droit de me faire ça, dit-elle en reniflant. Il savait très bien que ça me tuerait de le savoir au front, et son père aussi. On n'a pas mis des enfants au monde pour qu'ils aillent se faire tuer dans un autre pays.

De gros sanglots secouent maintenant Lucille. Mal à l'aise, le curé l'observe sans rien tenter. Ce n'est pas parce qu'on voue sa vie à Dieu qu'on est capable de gérer la misère humaine plus facilement. Depuis le temps qu'il a été ordonné, jamais il n'a su quoi faire devant une femme en pleurs. Il doit vite retrouver son état normal, celui-là même où il est invincible, s'il veut que Lucille sorte de sa détresse, mais surtout de son bureau. Avec elle, il n'y a pas cinquante solutions, il doit frapper fort.

— Et ton René ? dit-il du bout des lèvres.

Lucille relève aussitôt la tête et lui jette un regard noir comme elle seule est capable de le faire. Elle s'essuie ensuite rageusement les yeux du revers de la main et lui crache au visage :

— Ça prend juste un curé pour dire de telles sottises. Je vous interdis de me parler de lui, parce que pour moi, il est mort depuis le jour où il a osé lever la main sur moi.

— Aurais-tu oublié, Lucille, qu'il n'y a pas qu'une seule façon de frapper quelqu'un ? René a peut-être levé la main sur toi, mais ton Adjutor a fait bien pire en s'enrôlant.

— Vous êtes le diable en personne et plus jamais je ne mettrai les pieds dans votre église.

C'est sur ces mots que Lucille sort sans se retourner. Sa colère est si grande qu'elle parvient à claquer la porte, alors que celle-ci pèse une tonne aux dires de tous les paroissiens qui défilent ici. Le curé sursaute, mais il reste là où il est. Seul l'avenir lui dira s'il a misé juste avec Lucille.

Au lieu de s'asseoir dans l'église pour attendre Adrien, Lucille décide d'aller le rejoindre au magasin général. Comme le temps est doux, elle s'assoit dans la voiture pour l'attendre.

— Vous auriez dû rentrer, lance Adrien en la voyant, je vous croyais à l'église.

— Conduis-moi immédiatement au bureau de l'armée.

Adrien se tourne vers elle et il la regarde tendrement. Les yeux encore larmoyants, Lucille fait pitié à voir. Elle a beau avoir tous les défauts du monde, la vie n'est pas tendre avec elle ces temps-ci. Devant autant de désespoir, Adrien prend son courage à deux mains et dit:

— C'est non, la mère. Je vais vous ramener à la maison comme prévu.

— J'irai à pied s'il le faut, mais je veux m'enrôler.

— Jamais je ne vous laisserai faire ça, même si vous étiez en âge d'y aller. Tenez-vous bien, on part.

Cette fois, Lucille n'a pas argumenté. Elle s'est calée sur son siège et, le regard perdu dans le vide, elle a pleuré jusqu'à la maison.

* * *

— Je viens de t'annoncer que je suis enceinte et c'est tout l'effet que ça te fait! tonne Charlotte.

Incapable de prononcer un seul mot, Laurier regarde sa femme avec de grands yeux.

— Ça fait des jours que je me morfonds de t'attendre pour t'apprendre ma grande nouvelle et tu ne réagis même pas. Dis-moi que je rêve…

Charlotte se laisse tomber sur une chaise et elle fond en larmes, mais encore là Laurier reste de glace.

— Dis quelque chose au moins, le supplie-t-elle en reniflant.

— Que veux-tu que je te dise, maintenant que c'est fait?

— Mais je ne comprends pas, tu disais toi-même que tu voulais des enfants, nos enfants.

— Est-ce que j'avais le choix? Tu n'arrêtais pas de m'achaler avec ça. Si tu veux connaître la vérité, je n'ai jamais voulu avoir d'enfants. Aussi bien te le dire tout de suite, tu risques de l'élever seule, parce que moi je n'ai aucune envie de jouer au père. Je ne veux pas me faire réveiller la nuit par un morveux. Je ne veux pas lui apprendre à marcher ni à parler et je ne veux pas l'avoir sur les talons chaque fois que je fais un pas.

Laurier sait à quel point ses paroles brisent le cœur de sa femme, mais il ne peut pas faire autrement. Il aimait tellement Charlotte qu'il a fini par endosser ses rêves. Mais plus le temps passait, plus il réalisait qu'au fond il n'avait jamais voulu avoir d'enfant. C'est ainsi que soir après soir, il remerciait le ciel d'exaucer ses prières. Après le passage de l'adoption, il s'est dit qu'il pourrait enfin dormir sur ses deux oreilles.

— Tu ne vas quand même pas m'abandonner alors que je porte ton enfant?

— Tout ce que je sais pour l'instant, c'est que je ne veux pas de cet enfant.

— Mais tu n'as pas le droit de le refuser, c'est Dieu qui nous l'a envoyé.

— Je suis assez vieux pour m'arranger tout seul avec Dieu. Ne m'attends pas pour dormir, je vais aller boire un coup avec les gars.

Laurier sort de la maison sans regarder derrière lui. Charlotte est anéantie par la réaction de son mari. Alors qu'elle se faisait une joie de lui apprendre son nouveau, elle vient de se heurter à un mur d'indifférence. Pire encore, elle risque de perdre l'homme de sa vie à cause de l'enfant qu'elle porte. Elle s'essuie les yeux et se passe un peu d'eau sur le visage avant d'aller se changer. Il est hors de question qu'elle passe sa journée à se morfondre ici. Au moins, à l'orphelinat, elle sera utile à quelqu'un.

Charlotte fait son gros possible pour ne pas penser à l'avenir pendant la courte distance qui sépare sa maison de l'orphelinat. Avant de descendre de la voiture, elle met ses mains sur son ventre et promet à son enfant de veiller sur lui peu importe ce que Laurier décidera. Elle repousse l'idée qu'il puisse l'abandonner de toutes ses forces en se disant qu'elle trouvera bien le moyen de le faire revenir à de meilleures intentions. Elle s'essuie les yeux de nouveau, elle relève la tête et fige un sourire sur ses lèvres avant de faire son entrée dans l'orphelinat.

* * *

Le petit Jean gazouille dans son berceau pendant que Gertrude s'affaire à tresser des guenilles pour faire un tapis. Elle ne voudrait pas s'inquiéter pour sa mère, mais c'est plus fort qu'elle. En fait, elle n'arrête pas d'y penser. Elle avait de la peine pour elle lorsqu'elle l'a vue partir ce matin.

Gertrude est tellement concentrée qu'elle sursaute en entendant la voix de Lucille.

— Tu as l'intention d'en faire encore combien, de tapis? se renseigne-t-elle d'un ton bourru. On en a au moins cinq d'avance.

— Vous m'avez fait peur.

— Alors?

— Tant que j'aurai des guenilles. Dans le pire des cas, ça vous laissera un peu d'avance pour quand je serai partie. Je vous ai fait des brioches, la mère.

Au lieu de la remercier, Lucille la dévisage avec dédain. Gertrude prend sur elle et lui lance :

— Ça ne vous tuerait pas d'être gentille, pour une fois.

— J'aime mieux celles de Marcella.

— Tout ce que je voulais, c'était vous faire plaisir. Il serait grand temps que je comprenne que peu importe ce que je fais, ce ne sera jamais à votre goût.

Gertrude se remet à tresser avec beaucoup plus d'ardeur que tout à l'heure. Elle trouve ça de plus en plus difficile d'avoir toujours tout faux avec sa mère, mais ce qui l'enrage encore plus, c'est qu'elle s'entête à faire l'impossible pour essayer de lui faire plaisir alors que rien n'y fait. C'est à ce moment qu'un éclair de génie passe par la tête de Gertrude. Quand les brioches seront cuites, elle ira en porter la moitié chez Arté et l'autre chez Adrien. De cette manière, elle n'aura pas à subir le supplice de la brioche que sa mère sait jouer à la perfection. Elle la revoit mordre dans une du bout des lèvres sans jamais lui faire le moindre petit compliment. Lucille prend tellement son temps que les hommes ont le temps d'en dévorer trois avant qu'elle ait fini la sienne. Camil et Joseph lui en voudront sûrement un peu de les priver de ce plaisir, mais elle leur expliquera pourquoi cette fois il ne reste que l'odeur des brioches.

— Où est ton père ? demande Lucille.

— Il est allé en ville avec Arté, mais c'est tout ce que je sais.

— Fais-moi un thé, la commande Lucille.

Gertrude lève la tête de son ouvrage et fixe sa mère sans dire un mot. Tant que Lucille ne changera pas de ton, elle pourra aller se faire son thé elle-même. Gertrude reprend son travail.

Quelle n'est pas sa surprise d'entendre sa mère s'adresser à elle sur un tout autre ton.

— Pourrais-tu me faire un thé, s'il vous plaît ?

— Avec grand plaisir, répond aussitôt Gertrude en souriant.

Lucille est subitement si gentille que Gertrude se demande si elle va mettre son plan pour se débarrasser des brioches à exécution. Elle a encore le temps d'y penser pendant qu'elles lèvent. Une fois le thé de Lucille servi, Gertrude va chercher une grosse boîte dans sa chambre et elle la dépose sur la table de cuisine. Elle va ensuite chercher un couteau et se dépêche de l'ouvrir.

— Vous pouvez vous approcher si vous voulez, dit Gertrude, c'est ce que j'ai commandé dans le catalogue.

Gertrude est aussi énervée qu'une enfant de dix ans à qui on vient d'offrir un cadeau. Depuis le temps qu'elle avait envoyé sa commande, elle a pratiquement oublié tout ce qu'elle avait demandé. Le sourire aux lèvres, elle sort les articles un à un : un batteur à œufs, une cuillère de bois, deux moules à gâteaux, un rouleau à pâte, une plaque à biscuits, un bol à mélanger, une tasse à mesurer, des ustensiles, des assiettes, un *set* de draps et des taies d'oreiller, enfin, un pot à fleurs en verre.

— Venez voir, la mère.

Cette fois, Lucille accepte son invitation. Debout devant les trésors de Gertrude, elle ramasse le batteur à œufs, la cuillère de bois et la tasse à mesurer et, sans crier gare, va les ranger dans les armoires.

— Hey ! Rapportez-les-moi, l'intime Gertrude.

— Eh bien, maintenant, ils sont à moi. Dans ma grande bonté, je te donne mes vieux, et ne t'avise surtout pas de les reprendre.

— Vous ne me faites plus peur, vous savez. Ou vous me les rapportez tout de suite ou je vais les chercher, c'est comme vous voulez, mais je vous jure devant Dieu qu'ils vont être dans ma boîte avant que j'aille la porter dans ma chambre.

Devant la détermination de sa fille, Lucille conclut qu'elle devrait faire profil bas, pour une fois. Sa visite au presbytère l'a tellement fatiguée qu'elle n'a pas la force de se battre pour quelques babioles, même si celles-ci appartiennent à Gertrude. Lucille se dit qu'elle aura tout le temps qu'il faut pour s'approprier les plus beaux morceaux avant que sa fille parte.

— Fais donc à ta tête, s'exclame Lucille en retournant s'asseoir dans sa chaise, je n'ai pas envie de me battre avec toi aujourd'hui.

Décidément, ce n'est pas demain la veille que Gertrude va comprendre sa mère. Comment peut-elle s'approprier ce qui ne lui appartient pas en faisant comme si c'était normal ? Gertrude va chercher ce que Lucille a pris et dépose le tout dans sa boîte avant de refermer celle-ci et d'aller la porter dans sa chambre. Gertrude a peut-être gagné cette manche, mais elle sait qu'elle est loin d'avoir gagné la partie. Aucun doute, Lucille va revenir à la charge au moment où elle s'y attendra le moins. Aujourd'hui, elle n'est pas dans son assiette, mais avec elle, ça ne dure jamais très longtemps et ça, Gertrude le sait très bien.

* * *

— Une chance que Gertrude est venue nous porter des brioches, dit Marie-Paule, parce qu'on n'aurait rien eu pour dessert.

— Il me semblait que tu devais faire des tartes à la rhubarbe, la questionne Adrien.

— J'en ai fait deux et, comme d'habitude, je les ai mises sur la galerie le temps qu'elles refroidissent, mais tout ce que j'ai retrouvé, ce sont mes assiettes non seulement vides, mais prêtes à être utilisées tellement elles étaient propres. J'aimerais vraiment mettre la main sur ce voleur. Cette semaine seulement, Marie-Laure s'est fait prendre une tarte au sucre et Gertrude, une pleine assiette de beignes.

— Peut-être qu'il ne faudrait plus rien mettre dehors, hasarde Adrien d'un ton ironique.

Marie-Paule regarde son mari de haut et ajoute sur le même ton :

— On n'a pas besoin de se faire dire quoi faire, à trois, on devrait finir par y arriver. Ce qu'on veut, c'est que vous trouviez le voleur.

Adrien se gratte la tête en réfléchissant.

— Tu me fais penser à quelque chose. Pas plus tard qu'hier, j'ai passé ma main sur le museau du chien et c'était tellement gommant que j'ai dû aller me passer les mains à l'eau avant de traire les vaches. Quand est-ce que Marie-Laure s'est fait voler sa tarte au sucre ?

— Hier !

— Tout à coup que ce serait lui, notre voleur, lance Adrien.

— Voyons donc Adrien, s'écrie Marie-Paule, ça n'a pas de bon sens ce que tu dis. Les chiens ne mangent pas de dessert.

— Ça ne coûte rien d'aller voir.

— Si tu y tiens autant que ça, je t'accompagne.

— Il vaudrait mieux qu'on emmène les enfants, parce que je n'ai aucune idée de l'endroit où il se cache.

André et Michel sont heureux comme des rois de partir à la chasse au chien. Quant à Georges, il babille dans les bras de sa mère. Ils n'ont pas besoin de chercher bien loin avant de mettre la main dessus. Étendu de tout son long, Prince somnole dans la grange. Il ne cligne même pas de l'œil à leur arrivée.

— Il m'a tout l'air d'un chien qui a trop mangé, dit Adrien en s'approchant à sa hauteur. Viens voir, le foin est tout collant autour de sa gueule.

Devant l'air interrogateur de sa femme, Adrien prend un brin de foin dans sa main et le porte à sa bouche.

— À moins que j'aie oublié le goût de ta tarte à la rhubarbe, et ça m'étonnerait beaucoup, on tient notre voleur. Veux-tu vérifier par toi-même ? lui demande Adrien en lui tendant un brin de foin.

— Ça va aller, riposte Marie-Paule en prenant un air sévère. Je trouvais, aussi, qu'il avait engraissé. Qu'est-ce qu'on fait, maintenant qu'on le tient ?

— Que veux-tu qu'on fasse à part de se mettre à rire ? On ne l'enverra quand même pas en prison, c'est un chien.

Adrien se met aussitôt à rire comme un malade. Même s'ils n'ont pas trop compris ce qui arrive, André et Michel lui emboîtent très vite le pas. Quant à Marie-Paule, elle les regarde en haussant les épaules. Une partie d'elle trouve que c'est très drôle alors que l'autre en veut à mort au chien d'avoir volé ses tartes et tout le reste. À force de voir rire ses hommes, elle finit par se laisser aller à son tour. Et ils rient à gorge déployée.

— Venez, dit Adrien lorsqu'il parvient à reprendre son souffle, on va aller dire aux autres femmes qu'on a trouvé notre voleur.

Chapitre 24

Camil a tenu sa promesse. Ses frères et son père l'ont tellement aidé que sa petite famille et lui pourront emménager au plus tard à la fin août, ce qui leur donne un bon mois d'avance sur la date prévue au départ. Gertrude est tellement contente qu'elle a l'impression de ne plus toucher à terre. Cette année, c'est avec le sourire qu'elle a fait le jardin et les conserves. Malgré sa bedaine qui grossit à vue d'œil, elle n'a pas senti la fatigue une seule fois, même à sarcler au gros soleil de juillet.

La guerre bat toujours son plein de l'autre côté de l'océan et la menace de la conscription flotte au-dessus de la tête des hommes d'ici comme d'ailleurs, mais Gertrude garde le moral. Sa vie n'a jamais été aussi belle que maintenant et elle profite de chaque seconde au maximum. Elle n'habitera pas un château, pas plus qu'elle n'aura des meubles à couper le souffle, mais elle aura sa maison et c'est tout ce qui compte pour elle.

Gertrude peut dire avec une certaine réserve que sa mère est un peu plus facile à vivre qu'avant, même lorsque les deux femmes sont seules. Lucille a fini par comprendre qu'elle n'obtiendrait plus rien si elle ne le demandait pas comme il faut, c'est-à-dire avec un minimum de respect. Gertrude joue du piano pour son père tous les soirs. Histoire de manifester son désaccord, Lucille se bouche les oreilles de la première à la dernière note. Gertrude le sait parce que sa mère ne se cache pas pour le faire devant Camil et Joseph, bien au contraire. L'autre jour, Camil a dit à Gertrude que ce n'était que de la poudre aux yeux.

— Je mettrais ma main dans le feu qu'elle ne perd aucune des notes que tu joues.

— Oui, mais elle ne peut rien entendre, elle se bouche les oreilles, a objecté Gertrude.

— Mets tes mains sur les tiennes, lui a dit Camil, et amuse-toi à les presser plus ou moins fort. Si tu veux, tu peux tout entendre alors que tu donnes l'impression d'être sourde. N'oublie jamais que ta mère est une ratoureuse.

— C'est loin d'être bête, ton affaire, mais veux-tu bien me dire pourquoi elle se donnerait autant de mal ?

— Pour ne pas perdre la face devant ton père, voyons.

— Tu sais quoi ? Plus j'essaie de la comprendre, moins j'y arrive. Au fond, elle peut bien se boucher les oreilles autant qu'elle veut, en autant que je puisse jouer pour papa.

Gertrude sait qu'elle ne deviendra jamais une grande pianiste, et ce n'est pas son but non plus. Par contre, lorsque Marcella lui dit qu'elle joue bien, ça lui fait un petit velours.

— Si tu continues, lui a encore dit Marcella lors de sa dernière visite, tu vas jouer mieux que moi.

— C'est normal, a répliqué Gertrude sans fausse modestie, tu ne joues presque plus depuis que tu es partie de la maison, alors que moi je pratique au moins une demi-heure chaque soir.

— Sérieusement, ma sœur, tu joues très bien.

Aujourd'hui est un grand jour pour les femmes Pelletier. Lucille a réussi à convaincre Joseph de lui payer une laveuse à tordeur. Évidemment, il faut l'actionner à bras, mais ce sera déjà beaucoup plus facile de tordre le linge. Depuis qu'Adrien et Arté sont partis la chercher que Lucille se promène d'une fenêtre à l'autre, de peur de manquer leur arrivée.

— Ils arrivent, s'écrie joyeusement Lucille en voyant venir une voiture au bout du rang.

Ce n'est que lorsque la voiture fait son entrée dans la cour que Lucille réalise qu'elle ne la connaît pas.

— Enlève vite ton tablier et replace-toi les cheveux un peu, crie-t-elle à Gertrude, on a de la visite.

— Qui ça peut bien être ? demande Gertrude.

— Comment veux-tu que je le sache ?

Lucille se dépêche d'aller s'asseoir dans sa chaise et elle passe ensuite les mains sur ses épaules pour enlever les poussières imaginaires qui auraient pu se déposer sur sa robe. Pour finir, elle se redresse et elle attend calmement que les visiteurs fassent leur entrée. Alors que pour Lucille ils mettent un temps fou à se manifester, Gertrude a à peine le temps de ranger son tablier avant que trois petits coups soient frappés à la porte d'en avant, signe annonciateur de la grande visite. Elle va vite ouvrir et c'est là qu'elle croit reconnaître l'évêque. Elle ne l'a jamais rencontré, mais elle a vu sa photo plusieurs fois dans le journal, par exemple. Ce n'est qu'à ce moment qu'elle se demande comment elle doit se comporter en sa présence. Avant même qu'elle s'en souvienne, l'évêque dit en mettant les pieds dans la maison :

— Bonjour, est-ce je peux entrer ? Je suis venu vous donner des nouvelles d'Adjutor.

En entendant ses mots, Lucille bondit de sa chaise.

— Venez vous asseoir au salon, monseigneur. Je suis Lucille, la mère d'Adjutor. Je n'en reviens pas que vous soyez venu jusqu'ici pour me donner de ses nouvelles. Il va bien au moins ?

L'évêque s'essuie le front avec son mouchoir avant de répondre, ce qui n'échappe pas à Gertrude.

— Boiriez-vous quelque chose ?

— Je prendrais un grand verre d'eau.

— Suivez-moi, ajoute Lucille.

L'évêque sur les talons, Lucille se sent plus importante que nature. Personne ne va la croire quand elle racontera que l'évêque est venu lui-même pour lui donner des nouvelles de son Adjutor. La présence du saint homme démontre à elle seule à quel point il est apprécié.

— Adjutor va très bien. Je peux vous faire lire la lettre qu'il m'a envoyée, si vous voulez.

Aussitôt que Lucille la tient dans ses mains, elle la met sur son cœur le temps de trouver le courage de la sortir de son enveloppe. Même si elle n'a toujours pas compris le geste de son fils et qu'elle a du mal à dormir depuis le jour de son départ, elle ne lui en veut pas pour autant. À vrai dire, elle passe le plus clair de son temps à prier Dieu pour qu'il veille sur lui et qu'il le lui ramène au plus vite, en un seul morceau.

Monseigneur,

Si les gens pensent que la vie est dure au Québec, et bien ils ont tout faux. Ici règne la désolation la plus totale. Il faut y être pour pouvoir imaginer autant d'horreur, mais surtout autant d'hommes pour défendre l'honneur de leur pays au prix de leur vie. Ce n'est pas compliqué, peu importe où on pose les yeux, c'est la souffrance qu'on voit et qu'on entend même lorsque celle-ci garde le silence.

Si Lucille a toujours admiré la facilité avec laquelle Adjutor organise les mots, cette fois c'est différent. Plus Gertrude lit, plus la vue de Lucille s'embue. Autant elle est contente d'avoir enfin des nouvelles de son fils, autant elle trouve insupportable de savoir quels dangers le guettent chaque seconde. Une douleur violente s'installe subitement dans sa poitrine.

— Vous êtes toute pâle, la mère, s'exclame Gertrude. Aimeriez-vous que je vous fasse un thé avant de continuer ?

Fidèle à ce qu'elle est, Lucille fait fi de la présence de l'évêque et la rabroue d'un ton sec comme elle seule sait le faire.

— Contente-toi de me lire le reste de la lettre de ton frère, c'est tout ce que je te demande.

Gertrude se garde bien de reprendre sa mère devant leur visiteur et elle s'exécute en se disant que c'est Lucille qui va avoir l'air le plus fou. Elle se dit aussi que ça prend un sacré culot pour se comporter de cette manière devant un évêque.

Depuis mon arrivée, j'ai sauvé des enfants des mains des attaquants, j'ai aidé à soigner les blessés, mais j'ai aussi accompagné de nombreux soldats jusqu'à la mort. Entendre leurs confessions dans les derniers moments de leur vie donne la chair de poule. Plusieurs ont pris plus de vies à la pointe de leur arme qu'un homme normal rencontrera de nouvelles personnes dans toute la sienne. Je commence à comprendre le vrai sens de ce pour quoi Dieu m'a appelé à devenir prêtre. Même le plus miséreux de mes paroissiens n'a rien à voir avec tous ceux que je croise sur ma route ici. On ne peut pas apprécier la paix à sa juste valeur tant qu'on ne la perd pas, même si c'est un choix de notre part. Ici, chacun fait ce qu'il a à faire, mais trop peu souvent ce qu'il souhaiterait.

J'ai toujours eu la réputation d'avoir peur de mon ombre dans ma famille, et c'était le cas. Ici, je ne suis plus le même homme, Dieu me commande et j'obéis. En moins de quelques jours au front, ma témérité m'a valu le titre de Curé Courage de la part des combattants. Je ne vous l'écris pas pour me vanter, mais pour que vous compreniez bien que je reviendrai chez nous transformé à la fin de la guerre, et je ne serai pas seul dans cet état. On ne peut pas traverser un champ de bataille sans garder des traces qui ne s'effaceront jamais de notre mémoire.

Seriez-vous assez bon pour donner de mes nouvelles à ma famille ? Dites à mon père que je n'ai pas eu le choix de m'enrôler.

Adjutor

— Si vous permettez, dit poliment Gertrude, j'aimerais la relire avant de vous la redonner.

— Allez-y, confirme l'évêque.

Recroquevillée dans sa chaise, Lucille pleure maintenant à chaudes larmes. L'évêque se tourne vers elle et lui dit :

— Vous devez être fière de votre fils madame, je ne connais pas beaucoup d'hommes d'Église de chez nous qui ont son courage.

Lucille s'essuie rageusement les yeux avec son mouchoir et fixe l'évêque avec intensité.

— Malgré tout le respect que je vous dois, monseigneur, je ne pourrai jamais m'empêcher de m'inquiéter pour lui. Je croyais qu'il serait à l'abri de tout danger en faisant un prêtre, mais je me suis trompée sur toute la ligne. Après le fou qui s'en prenait aux curés, voilà maintenant que la guerre me l'a pris. On peut guérir d'une maladie, mais on ne peut pas empêcher une mère de s'en faire pour ses enfants. J'en ai perdu deux et il ne se passe pas une seule journée sans que j'aie au moins une pensée pour eux.

En entendant ça, Gertrude se retient de toutes ses forces de lui demander s'il lui arrive d'en avoir une pour René. Avant de le revoir, elle avait pratiquement réussi à oublier jusqu'à son existence, mais maintenant, elle pense très souvent à lui et elle a toujours hâte de recevoir de ses nouvelles.

— Je comprends tout ça, madame, mais vous devez vous en remettre à Dieu puisqu'il a cru que la place d'Adjutor était d'aller aider nos valeureux soldats.

— Je vous en prie, laissez Dieu en dehors de tout ça ! S'il était aussi bon que vous le prétendez, il ne permettrait pas qu'il y ait des guerres et, pourtant, il y en a depuis que le monde existe. Adjutor n'avait pas le droit de s'enrôler, un point c'est tout.

Puis, sur un ton un peu plus doux, Lucille demande :

— Est-ce que je pourrais garder sa lettre ?

— Malheureusement, c'est à moi qu'elle est adressée et Adjutor m'a seulement demandé de vous donner de ses nouvelles, et c'est ce que je viens de faire. Vous allez m'excuser, mais je vais devoir y aller.

Offusquée, Lucille reste de glace alors que l'évêque se lève. Devant l'impolitesse de sa mère, Gertrude prend les choses en main.

— Venez monseigneur, je vais vous raccompagner jusqu'à votre voiture. Je vous remercie d'avoir pris la peine de venir jusqu'ici pour nous donner des nouvelles d'Adjutor. Comme je ne voudrais pas vous obliger à vous déplacer chaque fois, me permettez-vous d'envoyer un de mes frères aux nouvelles de temps en temps ?

— C'est très gentil, mais je m'acquitterai de ma tâche avec grand plaisir chaque fois que je recevrai une lettre d'Adjutor. Ne vous en faites pas pour moi, j'en ai vu d'autres. Je vous souhaite une très belle journée. N'oubliez pas de faire le message à votre père.

— Je n'y manquerai pas.

Gertrude attend que la voiture soit sortie de la cour pour rentrer. La lettre de son frère n'en fait pas un héros, mais disons qu'il a remonté dans son estime d'un cran. D'abord, en s'enrôlant et, ensuite, en devenant courageux.

Lucille est encore assise dans le salon. En voyant cela, Gertrude lui offre un thé.

— Garde ton thé pour toi, riposte-t-elle, c'est mon fils que je veux.

— Lequel ? lance Gertrude sans réfléchir. René ou Adjutor ?

Il n'en faut pas plus pour faire sortir Lucille de ses gonds.

— Je t'interdis de me parler de lui. Non seulement René est mort pour moi, mais il n'a jamais existé.

— Eh bien, au cas où ça vous intéresserait, il allait très bien la dernière fois que je l'ai vu.

Le visage de Lucille devient cramoisi en l'espace de quelques secondes seulement, mais Gertrude poursuit sans en tenir compte.

— Il vit à Québec depuis le jour où vous l'avez renié. Il travaille dans une manufacture de chaussures et il a même une maison. Il ne s'est jamais marié, mais peut-être est-ce parce qu'il est mort de peur à l'idée de tomber sur une femme comme vous.

— Arrête-toi tout de suite, l'intime Lucille, j'en ai assez entendu pour aujourd'hui.

Lucille ne fait ni une ni deux et elle sort du salon en prenant soin d'accrocher son châle au passage. Comme les hommes sont occupés à faire les foins, elle sort par la porte d'en avant et traverse chez sa cousine Étiennette. Même si celle-ci est loin d'être sa préférée, son caquetage vaudra encore mieux que celui de Gertrude.

Seule au milieu du salon, Gertrude se demande ce qui lui a pris de parler de René alors que sa mère était déjà très affectée par les nouvelles d'Adjutor. En même temps, elle se dit qu'elle a couru après. Lucille ne s'est pas gênée pour se vanter de la peine qu'elle a toujours à la seule pensée de ses deux enfants morts à la naissance, alors que jamais elle n'a prononcé le nom de René depuis qu'il a quitté la maison familiale. Si Gertrude a parlé, c'est parce qu'elle trouve ça trop injuste. Elle ramasse le verre vide sur la table basse et décide d'aller manger quelques framboises à même les pieds avant que Jean se réveille. Comme les fenêtres sont toutes ouvertes, elle l'entendra dès qu'il poussera son premier cri. Elle prend même le soin d'apporter une tasse, au cas où il y en aurait beaucoup à cueillir.

Gertrude aime tous les petits fruits, mais les framboises demeurent de loin ses préférés. Elle saute sur la première qu'elle voit et elle la savoure tranquillement. Elle est tellement concentrée qu'elle sursaute lorsqu'elle voit bouger les pieds. Elle se redresse aussitôt et s'écrie en voyant la tête de Marie-Paule :

— Hey ! Allez-vous au moins m'en laisser quelques-unes ?

— Venez me rejoindre, il y en a tellement que je ne sais plus où donner de la tête. J'avais même pensé à aller vous en porter un bol.

— Je dois dire que c'est une excellente idée, parce que j'en mange deux fois plus que j'en ramasse.

— Moi aussi ! Depuis le temps que j'en cueille, je n'ai même pas fait une seule tarte.

— Vous n'aurez qu'à vous reprendre avec les bleuets. Et la grossesse ?

— Rien de spécial, à part le fait que je grossis encore plus vite qu'à Georges.

La dernière fois que Marie-Paule a vu Charlotte, elles ont décrété que Marie-Paule était plus grosse malgré le fait qu'elle a un bon mois de grossesse de moins que sa sœur. Comme elle se l'était promis, Marie-Paule n'a pas manqué de la questionner sur l'explosion soudaine de sa foi.

— Ah, mais je ne suis pas plus croyante qu'avant, s'est empressée de répondre Charlotte d'un air détaché, c'est juste que je n'en parlais pas.

Loin de rassurer Marie-Paule, la réponse de sa sœur lui a confirmé que celle-ci lui cachait quelque chose, mais malgré son insistance elle n'a rien pu tirer de plus de Charlotte. Si Alida n'était pas revenue à la charge, Marie-Paule ne lui aurait pas parlé de ses doutes.

— J'ignore ce que Charlotte cache, lui a dit Alida, mais ça ne me dit rien de bon.

— Moi, a renchéri Marie-Paule, c'est surtout la réaction de Laurier qui ne passe pas. Comment un homme peut-il être aussi lâche ? J'ai toujours été sous l'impression qu'il voulait avoir des enfants autant qu'elle.

Et Alida de répondre :

— Tout ce que je souhaite, c'est qu'il ne l'abandonne pas.

— Vous croyez vraiment qu'il pourrait le faire ?

— S'il a été capable de cacher son jeu pendant autant d'années, je ne serais pas surprise qu'il se pousse, d'autant que c'est très facile pour lui avec le métier qu'il fait.

— J'aime autant ne pas penser à ce qui va arriver à Charlotte s'il le fait.

— Dans le temps comme dans le temps. La vie est assez difficile comme ça sans s'en faire avec ce qui n'arrivera peut-être jamais. C'est du moins ce que j'aime croire.

Pendant que Marie-Paule a redoublé d'ardeur à la tâche, c'est à peine si Gertrude a couvert le fond de sa tasse.

— Elles sont tellement bonnes, s'écrie-t-elle la bouche pleine.

— Moi aussi, j'aime les manger après les pieds, confie Marie-Paule, mais je les adore avec une bonne couche de crème et beaucoup de sucre.

— Et moi donc !

Il n'en faut pas plus pour qu'elles pouffent de rire. Même si elles habitent l'une au-dessus de l'autre, il est rare qu'elles prennent du temps pour s'asseoir ensemble. C'était pareil lorsque Marie-Paule habitait chez les Pelletier. Pourtant, après Mérée, Marie-Paule est sa préférée.

— Ça vous dirait qu'on aille s'asseoir sous les lilas avec les enfants après ? propose Gertrude.

— Je peux même fournir le sucre à la crème, répond Marie-Paule.

— Ce ne sera pas nécessaire pour moi, j'ai la dent tellement sucrée avec cette grossesse que je n'arrête pas de m'empiffrer de tout ce qui a apparence de sucre.

— Moi, c'est quand j'ai porté Georges. Je mangeais tout ce qui me tombait sous la main en autant que c'était sucré. Pendant que j'y pense, ajoute Marie-Paule, je voulais toujours vous remercier pour Adrien.

Gertrude regarde sa belle-sœur sans comprendre.

— De quoi parlez-vous, au juste ?

— Vous avez sûrement remarqué qu'il ne descend plus déjeuner le samedi et le dimanche, et ça me fait très plaisir.

— Je ne vous apprendrai rien en vous disant que je suis loin d'être toujours tendre avec lui, mais ceci étant dit, je n'ai absolument rien à voir là-dedans. Vous vous souviendrez qu'il n'est pas descendu une seule fois pendant que la mère était chez Adjutor, mais il faut dire que le père ne l'avait pas manqué. Si j'étais à votre place, je me dirais que c'est parce qu'il est en train de devenir un homme.

Puis, sur ton moqueur, Gertrude ajoute :

— Que voulez-vous, il y en a pour qui c'est beaucoup plus long et je pense que mon frère fait partie de cette catégorie.

Marie-Paule pourrait s'offusquer de la dernière réplique de Gertrude, mais au lieu de ça, elle riposte en essayant de garder son sérieux :

— Loin de moi l'idée de vous contester… À vrai dire, il y a un moment que j'ai remarqué que Lucille est très importante pour lui, quoique sa popularité est sur la pente descendante ces temps-ci.

— Vous ne trouvez pas qu'il était temps qu'il enlève ses lunettes roses ? La mère est loin d'être tendre avec nous. Vous auriez dû la voir avec l'évêque ce matin.

C'est au tour de Marie-Paule de froncer les sourcils.

— Depuis quand monseigneur vous rend-il visite ?

— Depuis qu'Adjutor s'en sert comme messager. Laissez-moi vous raconter.

Aussitôt que Gertrude arrive au bout de son laïus, Marie-Paule s'empresse d'ajouter :

— Je ne vous en ai jamais parlé, mais j'ai été la première surprise quand j'ai su qu'Adjutor s'était enrôlé. Après ce que vous venez de me dire, j'ai presque de l'admiration pour lui.

— Ne vous donnez pas cette peine, raille Gertrude, il y a déjà assez de la mère qui le vénère bien qu'il se soit débarrassé d'elle à deux reprises sans aucun remords. Adjutor a beau marquer des points, il n'en demeure pas moins qu'il a sûrement un plan en arrière de la tête, parce que mon frère ne fait jamais rien pour rien.

Chapitre 25

Aller à la messe le dimanche est devenu très compliqué pour les Pelletier depuis que Lucille boude le curé de Saint-Dominique. Joseph a tout essayé pour la raisonner sans qu'aucune de ses tentatives ne donne de résultat. Les trois premières semaines, elle est restée assise dans la voiture jusqu'à ce que la messe finisse. Les trois suivantes, elle est restée à la maison après plusieurs minutes d'obstination avec Joseph. Et la septième, elle a marché de l'église Saint-Dominique à celle de Sainte-Famille, et Joseph l'a cherchée partout en sortant. C'est ce jour-là qu'il a cédé à ce qu'il appelle «un nouveau caprice de bonne femme». Il se doute bien que ça a quelque chose à voir avec le curé de la paroisse, mais il n'est pas allé aux nouvelles parce que moins il en sait en ce qui concerne les fantaisies de sa femme, mieux il se porte. Le jour où il a enfin abdiqué, Lucille s'est empressée de revenir à la charge avec une nouvelle demande :

— Ce serait bien moins compliqué si on allait tous à la même église.

— Il n'est pas question qu'on change de place, a tranché Joseph. Nous sommes de la paroisse Saint-Dominique et c'est là que nous irons. Compte-toi chanceuse qu'on prenne la peine de t'emmener jusqu'à Kénogami.

— Comme tu veux, Joseph, a répondu Lucille avec une pointe d'ironie dans la voix. Tant que j'arrive à l'heure, mais pas trop d'avance par exemple, je n'ai pas à me plaindre.

C'est sous un soleil de plomb qu'ils reviennent à la maison ce matin d'août. Lorsque Joseph arrête son attelage à l'arrière de la maison pour faire descendre ses passagers et qu'il aperçoit René sur la galerie, il blêmit alors que Lucille devient rouge comme une pivoine.

— Qu'est-ce que tu attends pour le retourner d'où il vient, celui-là ? lance-t-elle avec rage.

En les voyant, René vient sans tarder à leur rencontre.

— Bonjour, la mère, dit-il en roulant nerveusement sa casquette entre ses mains.

— Je t'interdis de m'adresser la parole, lui crie-t-elle au visage, tu n'existes plus pour moi. Et éloigne-toi vite de moi, tu n'es plus mon fils.

Même si René se doutait que sa mère ne se jetterait pas dans ses bras en le voyant, il avale de travers en l'entendant.

— Ça suffit, Lucille, l'intime Joseph, arrête de crier comme une perdue. Je n'ai pas envie que les voisins débarquent ici pour savoir ce qui se passe.

Gertrude a eu le temps de descendre de la voiture et elle accourt jusqu'à la hauteur de son frère. Elle l'embrasse sur les joues et lui dit :

— Bienvenue à la maison, mon frère, je te présente ton neveu. Il s'appelle Jean, et Camil, mon mari. Suis-moi, je vais te préparer à manger.

— C'est mieux qu'on ne le voie pas avec nous, dit Joseph.

Puis il se tourne vers son fils et lui dit :

— Emmène la voiture à la grange et ferme la porte. Le temps de me changer et j'arrive. Je vais t'apporter à manger.

Camil n'a pas besoin qu'on lui fasse un dessin pour comprendre qu'il a René devant lui. Il ne connaît de lui que la scène qui lui a valu de se faire jeter dehors sans aucune chance de pardon et sa brève apparition dans le bois. Disons que de prime abord, il le trouve plutôt sympathique. Non seulement il a le regard franc, mais il a une bonne poignée de main, ce qui, pour Camil, ne ment pas.

— Est-ce que je peux vous être utile, papa, demande-t-il.

— Je te remercie, mon garçon, mais je refuse de te mêler à mes histoires.

Aussitôt que la porte de la maison se referme sur Joseph, Lucille repart de plus belle.

— Joseph Pelletier, que je ne te voie pas l'aider de quelque manière que ce soit, parce que tu vas avoir affaire à moi.

— Écoute-moi bien, Lucille, parce que je ne le répéterai pas. Que ça te plaise ou non, René est toujours mon fils et je vais l'aider autant que je peux pour qu'il ne soit pas obligé d'aller à la guerre.

— Mais tu n'as pas le…

— Tu ne trouves pas que tu lui as fait assez de mal comme ça… J'ai un fils à la guerre et c'est un de trop. Maintenant, je ne veux plus entendre un mot sortir de ta bouche tant que je serai dans la maison.

Lucille croise les bras et baisse la tête. Elle a accumulé plus de péchés au cours des dernières minutes qu'au cours de la dernière semaine tout entière, mais elle sait déjà qu'elle ne s'en confessera pas, parce que tout ce qui concerne René a cessé d'exister le jour de son départ. Elle n'a rien oublié de son geste et, si jamais il tentait de s'effacer, elle ferait tout pour le garder vivant. Un fils n'a pas le droit de lever la main sur sa mère, peu importe la raison qui l'a poussé à le faire.

— Pourrais-tu préparer à manger pour ton frère pendant que je vais me changer ? demande Joseph à Gertrude. Mets-en plus que moins, parce que je ne sais pas ce qui l'attend.

Lorsque Joseph sort de sa chambre, il prend la boîte que Gertrude a mise sur le comptoir et dit :

— Ne m'attendez pas pour manger ce soir. Ah oui, interdiction d'en parler à qui que ce soit. Et toi aussi, Lucille, ajoute-t-il d'un ton autoritaire.

Puis il sort de la maison sous le regard assassin que Lucille lui jette.

— Conduisez-moi chez Anna, commande-t-elle aussitôt la porte refermée.

— Ce serait avec plaisir, répond Camil, mais je n'ai pas à recevoir d'ordre de vous.

Si Adrien n'était pas chez sa belle-mère comme tous les dimanches midi, elle ne s'abaisserait certainement pas à reformuler sa demande. Elle prend une grande respiration et dit d'une voix qui trahit son mécontentement.

— Croyez-vous, le gendre, que vous pourriez me conduire chez Anna ?

Même si la demande de Lucille sonne faux à deux milles à la ronde, Camil entre volontiers dans le jeu et lui répond :

— Préférez-vous avant ou après le dîner ?

— Le plus tôt sera le mieux.

— Laissez-moi juste le temps d'aller atteler mon cheval et on part.

Gertrude n'a pas perdu un seul mot de la brève conversation entre son mari et sa mère. Elle le trouve bien bon de céder à ses caprices, mais en même temps elle se dit que ce n'est pas si cher payé pour ne pas avoir à l'entendre râler toute la journée.

— Vous ne trouvez pas que c'est impoli de s'inviter à dîner chez les gens, lance Gertrude.

— Pas chez Anna! riposte Lucille, elle est comme ma sœur.

— Voudriez-vous au moins partir avec un pot de poulet?

— Non! Elle est encore capable de me recevoir.

— Qu'est-ce que vous allez lui raconter, au juste? s'inquiète Gertrude.

— La vérité! Que je n'en pouvais plus d'être chez moi et que je suis venue passer la journée avec elle.

Il y a quelque chose dans l'attitude de Lucille qui inquiète Gertrude. Elle ne saurait expliquer pourquoi, mais elle a l'impression que sa mère va parler de René à Anna. Et si jamais elle le fait, elle risque de mettre sa vie en danger, et peut-être celle de Joseph par la même occasion. À voir sa réaction lorsqu'elle a vu René tout à l'heure, on peut s'attendre à tout de sa part. Gertrude se promet d'en glisser un mot à son père lorsqu'il reviendra.

***

— Le gouvernement est malade d'obliger le monde à s'enrôler alors que ce n'est même pas notre guerre, s'écrie Joseph une fois dans la grange.

— La population est loin d'être d'accord… Vous auriez dû voir le nombre de personnes qu'il y avait à la manifestation l'autre jour. Les journaux ont écrit qu'on était 10 000 et je n'ai pas de misère à le croire. On aurait dit une mer humaine.

— Je t'avoue que j'ai été un peu surpris de te voir alors que la loi vient tout juste d'être adoptée. À mon avis, ça va prendre encore un sacré bout de temps avant qu'ils la mettent en application. Si on est chanceux, la guerre va finir avant.

— Vous ne comprenez pas, papa, je suis prêt à passer le reste de mes jours caché dans le bois pour ne pas aller à la guerre. Ça m'inquiète tellement que je n'ai pas fermé l'œil depuis le 28. Ou je venais vous trouver ou je me barricadais dans ma maison jusqu'à ce que la guerre finisse.

Devant l'immense désarroi de son fils, le cœur de Joseph se serre. Il s'en veut tellement d'avoir coupé les liens avec lui pendant tant d'années qu'il serait à prêt à aller décrocher la lune pour lui, s'il la lui demandait. Si seulement c'était arrivé aujourd'hui, tout aurait été différent. Il aurait exigé que René s'excuse auprès de sa mère. Il aurait ensuite remis Lucille à sa place devant son entêtement et la vie aurait repris son cours comme elle seule sait le faire, malgré tout ce qui peut arriver.

— Je ne sais pas si tu es au courant, mais Adjutor est de l'autre bord.

— Vous voulez dire qu'il est allé se battre… Mais il a toujours eu peur de son ombre !

René est soudain pris de remords. Alors qu'il a toujours été considéré comme celui qui n'avait peur de rien par ses frères et ses sœurs, voilà qu'il est en train de quémander l'aide de son père pour ne pas aller à la guerre. Savoir qu'Adjutor, le plus fluet d'entre eux, a trouvé le courage de s'enrôler lui enlève toute envie d'aller se tapir dans le bois.

— Aux dernières nouvelles, ajoute Joseph, il ne se bat pas, mais il est toujours sur le champ de bataille pour aider les soldats.

— Avez-vous des nouvelles de lui ?

— Tout ce que je sais, c'est qu'il s'est enrôlé pour échapper à ta mère. Pour le reste, il paraît qu'il va bien.

René réfléchit un moment avant de reprendre la parole.

— Si Adjutor est là-bas, eh bien, je ne vois pas pourquoi je vivrais comme un criminel au fond des bois. Vous avez raison papa, ça peut prendre des mois avant que le gouvernement coure après les hommes pour les enrôler de force. En attendant que ce jour-là arrive, je vais retourner travailler comme le brave que je suis.

Joseph fixe son fils alors que de grosses larmes coulent sur ses joues. Devant le chagrin de son père, René s'approche et le prend dans ses bras.

— Je vous demande pardon, papa.

— Veux-tu bien arrêter de dire des niaiseries, l'intime Joseph en reniflant, ce serait plutôt à moi de te faire des excuses pour t'avoir laissé tomber. Viens, on va aller trouver les autres.

— Mais la mère ne voudra jamais que je mette les pieds dans sa maison.

— Jusqu'à preuve du contraire, c'est ma maison et non la sienne. Viens, je vais m'arranger avec elle. Mais au fait, comment vas-tu retourner à Québec?

— Je n'aurai qu'à passer voir le type avec qui je suis venu, il m'a dit qu'il retournerait à Québec demain après-midi. Il doit aller chercher deux personnes au magasin général près de la voie ferrée sur le coup de midi.

— Et ton emploi?

— Ne vous inquiétez pas pour moi, j'ai dit à mon patron que je prenais quelques jours de congé.

C'est en passant devant le hangar que Joseph a vu que Camil était en train d'atteler son cheval.

— Où t'en vas-tu comme ça ? lui demande Joseph.

— La belle-mère m'a demandé de l'emmener chez Anna.

Joseph pourrait dire à son gendre que Lucille n'ira nulle part puisque son fils est venu leur rendre visite, mais il n'a pas envie de perdre son temps à s'obstiner avec elle. Depuis le temps qu'il n'a pas vu René, il a bien l'intention d'en profiter au maximum, avec ou sans elle.

Lorsque Lucille voit René dans le cadre de la porte, elle s'écrie :

— Je ne veux pas qu'il mette les pieds dans ma maison.

— Entre mon fils, lui dit Joseph, tu es le bienvenu chez nous. Et ce soir, nous ferons une fête en ton honneur. Je vais demander à Camil d'aller avertir les autres qu'on les attend pour souper.

— Ça ne se passera pas de même, hurle Lucille, il va falloir me passer sur le corps pour que cet ingrat s'assoie à ma table.

Devant l'entêtement de sa femme, Joseph s'avance vers elle et lui dit à deux pouces du visage :

— Tu vas trop loin, Lucille. Va voir Anna et, si j'étais à ta place, j'apporterais ma valise, parce que René va dormir ici.

— Je ne voudrais pas... dit René.

— Reste en dehors de ça, mon garçon, c'est entre ta mère et moi. Ton exil a duré assez longtemps. Ou elle accepte de passer l'éponge, ou elle s'arrange pour être ailleurs le temps que tu seras là. Alors, Lucille ?

Elle le fusille du regard et elle respire bruyamment. Décidément, elle ne s'habitue pas à se faire remettre à sa place par Joseph. Qui plus est, elle est incapable de regarder son fils en face, tellement elle a de la rancune envers lui.

Devant le silence de Lucille, Joseph répète sa question.

— Jamais je n'aurais pensé que tu oserais me chasser de chez moi un jour, Joseph Pelletier.

— Ne me fais pas porter ton chapeau, Lucille. Si tu pars, c'est parce que tu le veux bien. Que décides-tu?

Lucille ne fait ni une ni deux et elle se tourne vers Gertrude.

— Mets-moi quelques affaires dans ma valise et viens me la porter dehors.

Gertrude est tellement mal à l'aise qu'elle dépose son fils par terre et elle se dirige aussitôt vers la chambre de ses parents.

— Arrête Gertrude! dit Joseph. Si ta mère veut apporter quelques vêtements, qu'elle s'en occupe elle-même.

— Aussi bien dormir tout habillée, riposte Lucille avant de sortir de la maison avec Joseph sur les talons.

Resté seul avec Gertrude et son fils, René s'approche de son neveu et lui tend les bras. Jean lui sourit et se jette par en avant sans aucune hésitation.

— Il est beau, ton fils, Gertrude.

— C'est le portrait tout craché de son père. Je suis contente que tu sois là, mais il me semblait que tu voulais aller te cacher dans le bois.

— C'était mon intention, mais quand j'ai su qu'Adjutor s'était enrôlé, j'ai bien vu que ça n'avait aucun sens. Je refuse toujours d'aller à la guerre, mais tant que le gouvernement ne fera rien pour faire respecter sa loi, je vais continuer ma vie comme avant.

— Il me semblait, aussi, que tu étais plus courageux que ça. Qu'est-ce que tu aimerais manger pour dîner?

Joseph rentre sur ces entrefaites. Il s'approche aussitôt de Gertrude et lui dit en mettant la main sur son bras :

— J'espère que tu ne m'en veux pas pour le souper.

— Mais non, voyons!

— Je suis même prêt à t'aider s'il le faut, ajoute Joseph.

— Moi aussi, ajoute René. Tu n'as qu'à me dire combien de poules tu veux que j'égorge et je vais le faire sur-le-champ.

— Laisse-moi compter.

René ne quitte pas sa sœur des yeux pendant qu'elle fait ses calculs. Il est très heureux à l'idée de revoir tout le monde. Il aurait aimé que sa mère accepte au moins de faire une trêve, mais d'après ce qu'il a vu tout à l'heure, ce n'est pas près d'arriver. Certes, son père a repris la direction de la maison, mais Lucille ne lâche pas prise aussi facilement. Le fera-t-elle un jour pour lui?

— Quatre! Et choisis les plus dodues.

— Je viens avec toi, confirme Joseph.

Chapitre 26

Les Pelletier viennent tout juste de terminer les récoltes. La grange regorge de foin et d'avoine et, d'après Joseph, il devrait leur en rester une bonne quantité au moment de sortir les vaches dehors, le printemps prochain. Trois habitants sont passés pour leur acheter du foin, mais ils sont tous repartis bredouilles.

— Ça nous aurait fait de la place, dit Adrien alors que Joseph vient de retourner le dernier acheteur, on a de la misère à rentrer la voiture tellement la grange est pleine.

— On en vendra l'automne prochain, si la récolte est aussi bonne que celle de cette année, répond Joseph.

À ce chapitre, Adrien ne pense pas comme son père. S'il n'en tenait qu'à lui, il vendrait tout ce qu'ils estiment avoir en trop et ils dormiraient sur leurs deux oreilles, puisque dans le cas où ils manqueraient de fourrage, ils n'auraient qu'à sortir les bêtes quelques jours plus tôt. Adrien sait que Joseph a raison, par contre c'est plus fort que lui. Il a du mal à le voir prévoir l'imprévisible. Pourtant, depuis le temps qu'il travaille avec son père, pas une seule fois ce dernier n'a pris une mauvaise décision quand il est question de la ferme.

Les hommes poursuivent le nettoyage de l'étable en silence pendant quelques minutes.

— Je voulais vous dire que je suis content d'avoir vu René, confesse Adrien entre deux coups de pelle.

Si Lucille a fait des siennes lors de la visite de René, Adrien n'a pas donné sa place non plus. Sa première réaction en le voyant a été de prendre la défense de sa mère. Il n'en finissait plus de ramener le passé et d'attribuer tous les torts à son frère.

Devant la soif insatiable d'Adrien de s'en prendre à René, Marie-Paule a tiré son mari par le bras et l'a intimé de la suivre sur la galerie, ce qu'il a fini par faire en bougonnant.

— Il me semblait que tu avais enlevé ta mère de sur son trône… Je n'étais évidemment pas là quand c'est arrivé et toi non plus, mais je doute fort que ton frère doive recevoir tous les torts dans cette affaire. Mets-toi un peu à sa place, ça fait des années qu'il ne t'a pas vu et tu lui tombes dessus comme s'il était un criminel alors que même ton père a passé l'éponge. Si c'est ta manière de lui dire que tu es content de le voir, j'aime autant te dire que tu ferais mieux de la changer : tu risques de finir avec son poing à la figure !

Et Marie-Paule était retournée dans la maison pour s'occuper de ses enfants. Adrien ne s'était pas excusé auprès de René – un homme n'a pas à s'excuser –, mais il lui avait offert de lui montrer tout ce qui a changé sur la ferme depuis son départ. Aussitôt que les deux frères se sont retrouvés seuls, Adrien s'est empressé de lui dire qu'il était content de le voir et il lui a demandé de lui parler de ce qu'il devenait.

— Je suis heureux de l'apprendre, confirme Joseph à Adrien, ce n'est pas ce que tu annonçais quand tu es arrivé.

Adrien se redresse et s'appuie sur sa pelle avant d'ajouter :

— C'est plus fort que moi, je suis toujours en train de défendre la mère, alors qu'elle s'en tire très bien toute seule. J'ai tendance à oublier tout ce qu'elle fait par-derrière pour nous pousser à bout avant de tout nous mettre sur le dos. René n'aurait pas dû lever la main sur elle parce que ça ne se fait pas, mais je peux vous dire que nous avons tous pensé à faire la même chose que lui à un moment ou à un autre, et pas seulement une fois, autant les filles que les gars. On a tous vécu, et on en a encore, des situations avec elle qui nous marquent au fer rouge.

Lorsqu'Adrien réalise ce qu'il vient de dire, il rougit et il se dépêche de s'excuser.

— Tu n'as pas à demander pardon, mon fils, je connais ta mère aussi bien que toi et je refuse de lui trouver des excuses pour la manière dont elle vous traite. Lucille est une coriace et elle pense qu'elle détient la vérité à propos de tout. Tu es assez vieux pour savoir ce que tu as à faire, mais je vais au moins te dire que tu aides ma cause lorsque tu lui tiens tête, tout comme Gertrude d'ailleurs. Elle a fini de faire la pluie et le beau temps dans ma maison. Je ne lui demande pas de changer, mais d'avoir un minimum de respect pour les siens. Et là-dessus, tu peux me faire confiance, jamais plus je ne baisserai les bras devant elle.

Si Adrien osait, il s'approcherait de son père et le serrerait dans ses bras. Au lieu de ça, il se contente d'ajouter :

— Merci papa !

— On ne remercie pas quelqu'un qui nous a abandonnés pendant autant d'années.

Joseph va porter sa pelle à sa place et sort de l'étable avant que deux petites larmes se pointent au coin de ses yeux. S'il y a une chose que Joseph déteste, c'est bien de verser dans la sensiblerie, et c'est pourtant ce qui lui arrive plus souvent qu'à son tour depuis qu'il s'est mis sur le cas de sa Lucille.

Resté planté là, Adrien jongle avec les dernières paroles de son père. Lorsqu'il arrive au bout de sa réflexion, il se dit qu'il fallait être fait fort pour survivre à sa mère, et encore plus pour l'affronter après autant d'années de silence.

* * *

Malgré son ventre qui s'alourdit au fil des jours, Charlotte rend visite aux enfants de l'orphelinat quotidiennement. Elle se sent de plus en plus inconfortable pour les bercer, mais elle s'est juré de le faire jusqu'à ce qu'elle accouche. C'est ça ou elle va virer folle, si elle reste toute seule dans sa maison. Laurier n'est toujours pas revenu à de meilleures intentions avec elle depuis le jour où elle lui a appris qu'elle était enceinte. Pire, depuis un mois, il ne fait même plus son devoir conjugal. Chaque fois qu'elle essaie de lui en parler, ou il change de sujet ou il sort carrément de la maison.

Il arrive à Charlotte de penser que son enfant est peut-être celui du vendeur de manteaux de fourrure. Il lui arrive aussi de penser que Laurier sait sans savoir et que c'est pour cette raison qu'il conteste sa grossesse avec autant d'acharnement. Elle aimerait avoir quelqu'un à qui en parler, mais elle ne voit personne de suffi-samment fiable. Elle n'ira certainement pas se confier au curé de la paroisse, pas plus d'ailleurs qu'à la mère supérieure de l'orphe-linat. Elle a pensé à Marie-Paule plusieurs fois, mais pour ça il faudrait que les deux sœurs passent un peu de temps seules et cela n'arrive jamais lorsque Charlotte va lui rendre visite. En même temps, elle n'est pas certaine qu'elle devrait lui en parler. En fait, elle ne se voit pas en train d'avouer à sa sœur qu'elle a trompé son mari avec un parfait inconnu et qu'en plus, elle croit que l'enfant qu'elle porte est de lui. Elle se sent piégée de toutes parts. Alors qu'elle est enfin enceinte, voilà que les remords l'envahissent un peu plus chaque jour. Parfois, dans ses rêves, elle jette la vérité au visage de Laurier sans aucun ménagement. Il la regarde et il sort en claquant la porte. Elle se réveille en sueur chaque fois qu'elle fait ce rêve. Si par hasard Laurier est près d'elle, Charlotte invente une histoire qui n'a rien à voir avec la vérité. Vivre dans le mensonge est nouveau pour elle et ça n'a rien pour lui plaire.

Charlotte aperçoit au loin des enfants qui jouent dans sa cour lorsqu'elle revient à la maison. Elle plisse les yeux pour essayer de voir qui ça peut bien être. Comme elle n'y arrive pas, elle commande à son cheval d'aller plus vite. Ce n'est qu'en entrant dans la cour qu'elle reconnaît ses neveux. Sitôt sa monture arrêtée, elle saute à terre aussi vite qu'elle peut et court embrasser André et Michel.

— Quelle belle surprise vous me faites! s'écrie-t-elle en les chatouillant. Mais vous n'allez quand même pas me dire que vous êtes venus seuls…

— Non! répond André, maman est dans la maison avec Georges. Tu ne sens pas l'odeur des galettes à la mélasse? Elle est en train d'en faire.

— J'aime autant vous avertir, je les aime tellement que je ne sais pas si je vais vous en laisser.

— Papa dit souvent à maman de ne pas trop manger si elle ne veut pas éclater, dit Michel.

Charlotte pince gentiment la joue de son neveu avant de filer dans la maison.

— Depuis quand tu ne sors pas pour me dire bonjour quand j'arrive? s'exclame Charlotte d'un ton rieur.

— Si je sortais te saluer, je brûlais les galettes, s'excuse Marie-Paule. J'espère que tu aimes la visite, parce qu'on est ici pour la semaine.

— Tu ne pouvais pas me faire plus plaisir! Approche vite que je t'embrasse.

La distance créée par leurs bedaines est si importante qu'elles ont du mal à s'effleurer les joues, ce qui les fait rire.

— Heureusement que la grossesse ne dure que neuf mois, raille Charlotte, parce que je suis à la veille de rouler. Qu'as-tu fait de Georges?

— Il dort à poings fermés sur ton lit depuis qu'on est arrivé.

— Dire que dans moins de trois mois, je tiendrai mon bébé dans mes bras… Il m'arrive encore d'avoir du mal à le croire.

— Je peux te confirmer que tu es bel et bien enceinte, lance Marie-Paule, parce que sinon tu souffres d'un drôle d'embonpoint. Comment ça va, ma sœur ?

Charlotte commence par se servir un grand verre d'eau et elle va s'asseoir.

— Bien parce que je vis un des plus beaux moments de ma vie. Et mal parce que Laurier ne lâche pas le morceau. J'ai peine à le reconnaître tellement il a changé. En tout cas, ce n'est plus l'homme que j'ai marié. Il a cessé de rire, il bougonne pour tout et pour rien et il ne me touche même plus. Une chance que j'ai les enfants de l'orphelinat pour m'occuper l'esprit…

Marie-Paule est déçue d'entendre ça alors qu'elle a même pris soin de faire brûler quelques lampions afin que les choses s'améliorent pour Charlotte.

— Il n'est pas violent avec toi, toujours ?

— Non, mais son manque d'intérêt pour moi est en train de me tuer à petit feu. Tu comprends, j'ai toujours cru qu'il voulait avoir des enfants autant que moi, alors que ce n'était pas le cas. Je n'en reviens pas qu'il m'ait menti pendant toutes ces années. Il m'arrive de me demander ce qui se serait passé si comme bien des femmes je lui avais donné un enfant par année depuis le jour de notre mariage. Dire que je pensais le connaître…

— Es-tu certaine qu'il ne partira pas ?

— Comment voudrais-tu que je le sache ? Il est là sans être là chaque fois qu'il débarque en ville, mais tu sais aussi bien que moi qu'il existe plusieurs façons d'abandonner quelqu'un sans jamais le quitter.

Charlotte hausse les épaules et les relâche aussitôt en respirant bruyamment. Elle a retourné la question tellement de fois dans sa tête qu'elle a fini par se dire qu'il valait mieux qu'elle prenne les choses comme elles viennent, puisque de toute façon elle n'a aucun pouvoir sur celles-ci.

De son côté, Marie-Paule observe sa sœur du coin de l'œil pendant qu'elle dépose des cuillerées de pâte sur la tôle. Elle a retourné la question de tous bords tous côtés depuis la dernière visite de Charlotte, mais elle ne comprend pas pourquoi son beau-frère agit ainsi. Avoir su ce qu'elle sait maintenant, Charlotte n'aurait pas pu empêcher la famille, mais elle aurait au moins pu se préparer. Quoique, peut-on vraiment se préparer à un tel coup du destin?

Alors que Marie-Paule glisse la tôle dans le four, Charlotte décide de lui confier son secret.

— Je vais te confier un secret que tout le monde ignore, dit-elle d'une voix à peine audible.

Sans prendre la peine de faire promettre à sa sœur de le garder pour elle, Charlotte poursuit:

— L'enfant que je porte n'est peut-être pas de Laurier.

Pendant que Marie-Paule accuse le coup, Charlotte se retient d'éclater de rire. La phrase qu'elle vient de prononcer lui oppressait la poitrine depuis le jour où elle s'est donnée à un pur étranger et depuis qu'elle l'a prononcée, elle se sent légère comme une plume malgré sa grosse bedaine. Les yeux rivés sur Marie-Paule, elle attend qu'elle réagisse.

— Je savais bien qu'il s'était passé quelque chose de pas ordinaire dans ta vie, mais jamais je ne me serais douté que c'était aussi grave.

Si l'intention de Marie-Paule était de la culpabiliser, elle n'a pas raté son coup. Charlotte se sent comme une moins que rien sous le regard accusateur de sa sœur.

— Est-ce que ça veut dire que tu vas arrêter de me parler ?

— Pourquoi je ferais ça ? Tu es ma sœur et je t'aime bien trop pour t'abandonner au moment où tu en as le plus besoin. C'est juste que je ne comprends pas.

— Laisse-moi t'expliquer.

Lorsque Charlotte termine son récit, Marie-Paule s'approche d'elle et la prend dans ses bras, enfin disons plutôt qu'elle essaie de trouver une position confortable pour le faire.

— Qu'est-ce que tu attendais pour m'en parler ? lui demande Marie-Paule.

— Que l'occasion se présente.

— Je n'en reviens tout simplement pas, mais ton geste n'explique pas pour autant le comportement de Laurier. Promets-moi de ne jamais lui dire la vérité même si ton enfant ne lui ressemble pas. Tu n'aurais qu'à dire que c'est comme dans notre famille, ce qui est vrai d'ailleurs, Ghislain ne ressemblait à aucun de nous, et c'est la même chose pour Gisèle.

Les yeux fixés sur sa sœur, Charlotte prend le temps de réfléchir avant de lui répondre.

— Tu as ma parole. Si ça peut te rassurer, jamais je ne m'en confesserai non plus. Comme on dit, je mourrai avec mon secret.

— Tout comme moi, d'ailleurs. Tu n'aurais pas quelque chose de fort à boire ? Il me semble que j'aurais bien besoin d'un petit remontant.

— Il reste sûrement un peu d'alcool ou du vin de cerises, laisse-moi vérifier.

Quelle n'est pas la surprise de Charlotte quand elle constate que le peu de bouteilles qu'ils avaient sont toutes vides!

— Quand je te dis que Laurier a changé… il s'est même mis à boire alors qu'il avait du mal à finir son verre au jour de l'An. Je fais un saut chez mon voisin et je reviens.

— Mais je ne veux pas boire un verre de lait, la taquine Marie-Paule.

— Rassure-toi, il fait le meilleur vin de gadelles de la ville.

Chapitre 27

Adrien avait promis d'être là pour aider au déménagement de Gertrude, mais personne ne l'a vu depuis deux jours.

— Ça ne le fera pas revenir plus vite même si on râle après lui, s'écrie Camil. Commençons si on veut finir, parce que j'ai bien l'intention de dormir chez nous ce soir.

— Et moi donc, le seconde Gertrude, mais j'en connais un qui va se faire parler quand il va se montrer la face, par exemple. J'ai toujours été là pour lui moi…

Camil ne se donne pas la peine de relever le commentaire de sa femme. Il la comprend parfaitement d'être fâchée contre Adrien, mais ils ont bien d'autres chats à fouetter pour le moment. En voyant Gertrude prendre une boîte de vaisselle, Camil accourt jusqu'à elle et la lui retire des mains.

— Laisse-nous tout ce qui est pesant, lui dit-il gentiment.

— Veux-tu bien arrêter de la materner, s'indigne Lucille qui est bien installée pour ne rien perdre du spectacle, ça ne la tuera pas de soulever quelques boîtes.

Gertrude a l'impression d'être prise entre deux feux. Le premier veut son bonheur alors que le deuxième n'a qu'une envie : la faire souffrir. Elle regarde autour d'elle et tout ce qu'il y a à transporter n'a rien de léger, à part quelques babioles. Gertrude va les chercher et elle lance :

— Je vais aller attendre dans la voiture.

— Ce n'est pourtant pas comme ça que je t'ai élevée, ma fille, crache Lucille.

— Peut-être, mais c'est comme ça que je suis maintenant.

Et Gertrude sort de la maison sans ajouter un mot. Dans ses rêves les plus fous, sa mère est contente pour ce qui lui arrive et elle lui offre son aide pour s'installer dans sa nouvelle maison. Elle lui remplit même une grande boîte de viande et de légumes en pots et elle prépare le souper pendant que Gertrude range sa vaisselle dans ses armoires. Mais cette mère-là n'existe pas. Gertrude a beau le savoir, il y a une partie bien enfouie au fond d'elle qui espère toujours qu'un miracle se produira.

Marcella lui a promis d'apporter à manger ce midi et pour le souper aussi. Quant à Joseph, il leur a dit qu'il devait absolument sortir, mais qu'il serait là pour le dîner. Gertrude a trouvé ça curieux qu'il s'éclipse le jour de son déménagement, surtout que ce n'est pas son genre de se sauver de l'ouvrage, mais elle n'a rien dit. Tout ce qu'elle sait, c'est qu'il a chuchoté quelque chose à l'oreille de Camil avant de partir et qu'elle se promet bien de le cuisiner à la première occasion pour en savoir plus. En même temps, elle sait d'avance qu'elle n'a aucune chance de le faire parler sans qu'il y consente.

Ils ont tellement peu de choses que leur maison ne risque pas d'être pleine à craquer, mais ils auront le nécessaire. Pour le reste, ils la meubleront à mesure qu'ils en auront les moyens. Faute d'argent, ils n'ont pu faire que la devanture en brique, mais ça fait toute la différence. Bien qu'elle n'ait rien d'un château, leur maison se démarque de toutes les autres par son rouge vif.

Gertrude est énervée comme une puce quand elle pense qu'elle s'en va enfin de chez ses parents. Son père lui manque déjà, ce qui est loin d'être le cas pour Lucille. Une chose est certaine, elle ne viendra pas la voir lorsque son père ne sera pas là. Elle a suffisamment subi ses foudres pour ne pas lui donner la chance de la frapper de nouveau. Elle ne s'inquiète pas à l'idée que sa mère lui rende visite très souvent et ça fait son affaire. De toute façon, pourquoi viendrait-elle ? Certainement pas pour voir son petit-fils, puisqu'elle fait comme s'il n'existait pas depuis qu'il est né. Encore moins pour la voir ou pour voir Camil. Lucille va devoir se trouver un nouveau bouc émissaire sur qui jeter sa hargne. Gertrude paierait cher pour voir l'air de sa mère quand elle va réaliser demain qu'elle n'a plus personne à commander. Tout comme elle plaint déjà son père de toutes ses forces d'avoir à la supporter.

— Dans quel sens veux-tu mettre notre lit? lui demande Camil en entrant dans leur chambre avec elle.

— Le long de la fenêtre, répond promptement Gertrude.

Elle a passé tellement de temps à se demander quelle serait la meilleure façon de placer leurs quelques meubles dans chaque pièce qu'elle sait exactement quel est l'endroit approprié pour chacun.

Joseph arrive en même temps que le dernier voyage.

— Vous n'auriez pas dû vous dépêcher autant, s'indigne-t-il, je voulais vraiment vous aider.

— Ne vous en faites pas avec ça, le rassure Camil, vous allez avoir le temps de vous reprendre. Il reste encore trois murs à briqueter et un garage à construire dès que j'aurai assez de bois.

C'est alors qu'une voiture remplie de briques rouges s'arrête devant la maison. En voyant ça, Camil fronce les sourcils.

— Ils se trompent sûrement d'adresse, parce que je n'ai rien commandé.

— Tu ne perds rien à aller vérifier, dit Joseph.

Camil suit son conseil et va voir l'homme qui commande les chevaux.

— Je suis bien chez Gertrude et Camil? lance-t-il.

— Oui.

— Où voulez-vous qu'on dépose tout ça?

— Mais ça ne peut pas être à nous, puisque je n'ai rien commandé, objecte Camil.

— Alors, c'est qu'il y a quelqu'un qui l'a fait pour vous.

— Est-ce qu'il y a des frais ?

— Non ! Tout a été payé.

Décidément, Camil ne comprend rien. Voilà qu'on vient lui livrer suffisamment de briques pour couvrir le reste de sa maison et il n'a rien à payer. Il se gratte la tête et il indique aux hommes l'endroit où ils doivent décharger leur cargaison. Il revient ensuite dans la maison. Il aimerait bien savoir qui est le gentil donateur.

— C'est pour qui, la brique ? s'inquiète Gertrude.

— Il paraît que c'est pour nous, répond Camil en haussant les épaules.

— Mais il me semblait qu'on n'avait pas les moyens de l'acheter, argumente Gertrude.

— C'est toujours le cas, confirme Camil.

— On ne peut quand même pas accepter quelque chose qu'on est incapable de payer, conteste Gertrude.

Fier de son coup, Joseph observe la scène avec un petit sourire en coin.

— J'ignore de qui ça vient, répond Camil, mais mes parents m'ont appris qu'on n'avait pas le droit de refuser un cadeau.

Les baguettes en l'air, Gertrude s'apprête à revenir à la charge lorsque Joseph prend la parole.

— Tu as raison mon garçon, on ne refuse pas un cadeau… C'est moi qui vous les offre.

Gertrude regarde son père d'un drôle d'air. Joseph n'est pas pauvre, mais il est loin d'être riche.

— On ne peut pas accepter, c'est un trop gros cadeau. Et puis, vous en avez déjà fait assez pour nous.

— Si je le fais, explique Joseph, c'est parce que j'en ai les moyens. Contentez-vous de me remercier, mes enfants.

L'explication de Joseph suffit amplement à Camil. Le sourire aux lèvres, il s'approche et lui tend la main.

— Merci papa, ça me fait très plaisir. Pire encore, j'aurais une faveur à vous demander : croyez-vous que vous pourriez m'aider à la poser avant de partir au bois ?

— J'y compte bien, mon garçon. On se mettra au travail dès que vous serez installés, je n'ai pas envie que vous passiez l'hiver à geler.

Comme Gertrude n'a pas bougé de sa place, Joseph s'approche d'elle et lui dit :

— Tu n'as pas à t'inquiéter pour moi. Je n'ai pas volé de banque et je n'ai pas vendu ta mère non plus !

La boutade de Joseph fait rire Gertrude, qui est très vite imitée par les hommes. Elle embrasse son père sur les joues et lui dit à l'oreille qu'il est le meilleur père du monde.

Marcella arrive sur les entrefaites.

— J'espère que vous avez faim, s'écrie-t-elle joyeusement, parce que j'en ai fait pour une armée.

Lorsqu'elle réalise ce qu'elle vient de dire, Marcella se met la main sur la bouche. Depuis qu'Adjutor s'est enrôlé, toute la famille évite de parler de la guerre, et même d'utiliser les mots qui s'y rapportent.

— Je voulais dire pour une colonie, se reprend Marcella.

— Ne t'en fais pas avec ça, la rassure Joseph, ce ne sont pas les mots reliés à l'armée qui me font peur, c'est ce qui se passe sur le terrain. J'ai beau me répéter qu'Adjutor y est allé de son propre chef, ça n'empêche pas que je suis mort de peur de le savoir sur un champ de bataille. C'est un curé mon gars, pas un guerrier.

La blessure de Joseph est toujours aussi vive que le jour où Lucille lui a appris qu'Adjutor s'était enrôlé. Chaque fois que l'image de son fils en sang lui apparaît, il fait tout ce qu'il peut pour la chasser loin de lui. Joseph a pour son dire que même s'il se morfond, ça ne le lui ramènera pas. C'est pourquoi il brasse l'air de sa main et ajoute :

— Laisse-moi deviner ce que tu nous as apporté à manger. Du ragoût ?

— Moi, lance Gertrude, je vote pour du bouilli.

— Et moi, renchérit Camil, je dis que c'est un poulet rôti.

— Aucun de vous n'a la bonne réponse, s'écrie Marcella en riant, je vous ai fait une grosse tourtière. Il vous en restera sûrement pour souper. Ça sentait tellement bon dans la maison quand on s'est réveillé que Léandre voulait en manger pour déjeuner. Et j'ai fait des tartes au sucre pour dessert.

— Je vais la chercher, dit Joseph.

— Et moi je me charge des tartes, lance Camil.

— C'est défendu d'y goûter ! le met en garde Gertrude.

Marcella est restée pour aider sa sœur à placer ses choses. Mais la vraie raison pour laquelle elle a fait garder ses enfants n'a pas tardé à se montrer sur le coup de deux heures. Pendant que les femmes papotent en travaillant et que les hommes sont partis chercher quelques outils dans la grange de Joseph, trois petits coups sont frappés à la porte d'en avant.

— Je me demande bien qui ça peut être, s'étonne Gertrude en allant ouvrir.

— Peut-être la mère, laisse tomber Marcella en riant.

— Si c'est elle qui vient nous aider, râle Gertrude, je promets de réciter un chapelet de plus par jour pendant au moins un mois.

Lorsque Gertrude voit le grand gaillard qui lui fait face, elle ne peut s'empêcher de s'écrier :

— Ouf ! On peut dire que je l'ai échappé belle.

— Que voulez-vous dire ? lui demande aussitôt son visiteur.

— Désolée, je parlais à ma sœur. Que puis-je faire pour vous ?

— J'ai un piano à livrer.

— As-tu entendu ce qu'il vient de dire ? s'écrie Gertrude à l'intention de Marcella. Si j'étais à votre place, je vérifierais mon adresse, parce que ce n'est sûrement pas ici.

— Voyez par vous-même, riposte l'homme en lui montrant l'adresse inscrite sur sa feuille. Si vous vous appelez Gertrude et que vous habitez ici, c'est pour vous.

Gertrude vérifie par deux fois. Ce matin, c'étaient les briques et maintenant, le piano. Décidément, la vie est généreuse avec eux aujourd'hui. Mais elle se demande bien de qui ça peut venir, cette fois.

— Mais je ne… commence-t-elle à dire.

— Mais oui tu peux, la coupe Marcella qui est venue la rejoindre à la porte, puisque c'est papa qui te l'offre. Je suis même allée l'aider à le choisir.

Cette fois, c'est trop pour elle. Énervée comme une puce, Gertrude est incapable de prononcer un seul mot.

— Alors, madame, dit l'homme, dans quelle pièce voulez-vous qu'on le mette?

Les mots se bousculent dans la tête de Gertrude, mais aucun son ne sort de sa bouche. En voyant ça, Marcella reprend le flambeau.

— Allez le chercher et je vous dirai où l'installer.

Puis elle met son bras autour des épaules de sa sœur pour l'inviter à la suivre à la cuisine. C'est seulement à cet instant que Gertrude sort de sa léthargie.

— Pourrais-tu me pincer pour être certaine que je ne rêve pas?

Marcella s'exécute sans se faire prier.

— Aie! Tu m'as fait mal. Alors c'est vrai? Je vais avoir un piano rien que pour moi…

— Tout comme moi!

— Tu veux dire que papa t'en a acheté un à toi aussi?

— Eh oui!

Gertrude n'a pas besoin d'en entendre plus pour se mettre à s'inquiéter pour leur père.

— Es-tu bien certaine que papa va bien?

— Mieux que jamais, répond Marcella, mais je lui laisse le soin de te parler de ce qui lui arrive lui-même.

— Ce n'est rien pour me rassurer.

Marcella la regarde et lui sourit avant d'aller ouvrir aux livreurs.

Chapitre 28

Même si Adrien avait voulu cacher à Marie-Paule qu'il s'est payé une petite virée pendant qu'elle était chez Charlotte, il n'aurait pas pu. D'abord, la maison était sens dessus dessous quand elle est arrivée avec les enfants tout à l'heure. Ensuite, il était blême comme une vesse de carême et il empestait le fond de tonne à dix milles à la ronde. Les premières fois que ça lui est arrivé de disparaître pour aller se saouler, Marie-Paule essayait de lui faire comprendre qu'il ne devrait pas faire ça, que ça la rendait malheureuse au point de l'empêcher de dormir, et que ça finirait par le détruire, mais elle s'est vite aperçue qu'elle parlait à un sourd. Elle avait à peine fini de prononcer sa première phrase qu'Adrien regardait ailleurs comme un enfant qui ne veut rien entendre. Maintenant, elle se contente de le repousser s'il s'approche pour l'embrasser et elle prie de toutes ses forces pour que ce soit la dernière fois. Il se passe parfois tellement de temps entre deux virées qu'elle arrive à oublier jusqu'à leur existence.

Marie-Paule ignore combien de jours Adrien s'est offert cette fois, mais à voir l'état des lieux, elle suppose qu'il est revenu de sa cuite il y a au moins deux jours. Elle installe les deux plus vieux à la table avec du papier et des crayons après l'avoir nettoyée et elle va coucher Georges pour qu'il fasse sa sieste. Elle se fait ensuite un café pour se donner du courage et elle se met en frais de nettoyer la place.

— Pourquoi notre maison est comme ça, maman ? lui demande Michel.

— Parce que votre père a oublié de faire le ménage pendant qu'on était partis.

— Je vais lui dire, moi, qu'il est obligé de le faire quand on n'est pas là! lance André.

— Peut-être qu'il t'écoutera, répond Marie-Paule en lui ébouriffant les cheveux.

Alors qu'elle était ravie de son séjour chez Charlotte et qu'il lui tardait de revoir Adrien, Marie-Paule se mettrait à pleurer comme une Madeleine si elle ne se retenait pas. Elle a beau s'être endurcie depuis qu'elle est mariée, il n'en demeure pas moins qu'Adrien la déçoit énormément lorsqu'il agit ainsi. Ce qui la dérange le plus, c'est qu'elle ne s'explique pas la raison qui le pousse à prendre la poudre d'escampette sans aucun préavis.

À peine une heure plus tard, l'ordre le plus total règne dans la place. Satisfaite, Marie-Paule s'assoit à la table avec ses fils et regarde leurs dessins. Même s'ils étaient mélangés dans une seule pile, elle devinerait sans problème qui a fait chacun d'eux. Alors que tout ce que dessine André est facilement reconnaissable, même le bonhomme allumette de Michel ne ressemble à rien.

— Regarde maman, dit Michel, j'ai dessiné un cheval.

Marie-Paule prend le bout de papier que lui tend son fils et elle essaie désespérément de reconnaître l'animal.

— Mais ce n'est pas un cheval, s'écrie André, ça ressemble à un chien!

— Non! lui objecte Michel, c'est un cheval, bon.

— Hey! Hey! les garçons, lance Marie-Paule, arrêtez tout de suite de vous chicaner.

— C'est à lui d'arrêter, s'exclame Michel les larmes aux yeux. Moi, c'est un cheval que j'ai dessiné.

— J'ai une idée, ajoute Marie-Paule, on va attendre que Georges se réveille et on va aller à la grange, pour voir les chevaux de grand-papa Joseph.

— Est-ce que je pourrai en dessiner un autre ? demande Michel.

— Bien sûr ! répond-elle.

L'estomac de Marie-Paule se met à gargouiller si fort que les enfants éclatent de rire.

— Oups ! Je crois que mon bébé a faim. Ça vous dirait que je fasse cuire des tranches de navet sur le poêle ?

La réponse de ses fils est instantanée. Non seulement ils adorent ça, mais comme tous les enfants, ils sont toujours prêts à manger, particulièrement en dehors des repas. Chaque fois qu'elle prend un navet dans ses mains, Marie-Paule sourit. Chez Alida, c'était la fête quand ses enfants la voyaient sortir un navet en plein cœur d'après-midi alors qu'ils étaient tous occupés à lire ou à jouer aux cartes. Elle le tranchait finement et déposait le tout directement sur le poêle pour retourner les tranches seulement une fois celles-ci bien dorées. Aucun ne manquait de mettre une bonne couche de sel avant de les déguster. Les tranches de navet s'envolaient plus vite que le poêle pouvait les cuire.

Alors qu'elle s'apprête à déposer les premières tranches sur la plaque, des coups de balai résonnent dans tout le logement, faisant sursauter tout le monde, même Georges qui se met à pleurer à fendre l'âme. Marie-Paule se dépêche d'aller le chercher pour le consoler avant même de changer sa couche.

— Est-ce que c'est tante Gertrude qui frappe comme ça ? s'enquiert André.

— Votre tante habite dans sa nouvelle maison maintenant.

— Quand est-ce qu'on va aller la voir ? s'inquiète André.

— Bientôt. Venez, on va descendre, voir si votre grand-mère a besoin de quelque chose et ensuite on ira voir les chevaux.

Marie-Paule se demande ce que Lucille peut bien avoir, mais ce qu'elle espère surtout, c'est que sa belle-mère ne passera pas son temps à cogner sur le plafond chaque fois qu'elle voudra qu'on descende la voir. Marie-Paule peut comprendre que le départ de Gertrude a bouleversé sa vie, mais il est hors de question qu'elle remplace sa belle-sœur de quelque façon que ce soit. Les années passées chez ses beaux-parents lui ont largement suffi.

— Je commençais à avoir hâte que vous reveniez de chez votre sœur, s'écrie Lucille en ouvrant la porte. Fermez vite la porte pour pas que les mouches rentrent.

Comme d'habitude, Lucille ne porte aucune attention à ses petits-fils, et eux non plus d'ailleurs. Alors qu'André et Michel restent près de leur mère, Georges se colle la face sur son épaule pour être certain de ne pas voir sa grand-mère. Marie-Paule est découragée par ce qu'elle voit. Peu importe où elle pose les yeux, c'est la désolation la plus totale dans la cuisine. En réalité, c'est deux fois pire que c'était chez elle avant son retour. L'évier est rempli de vaisselle sale et le comptoir de miettes de pain. La table de la salle à manger porte la même nappe depuis plusieurs jours, à voir l'état dans lequel elle est. Des journaux trônent sur la table à différents endroits.

— Je compte sur vous pour faire le ménage, lance Lucille.

Marie-Paule est soudainement prise d'un fou rire incontrôlable. Elle n'en revient tout simplement pas du front de bœuf de Lucille.

— Il n'y a pas de quoi rire, s'offusque Lucille. Allez porter vos enfants à Marie-Laure et revenez vite vous mettre au travail.

Cette fois, c'en est trop. Marie-Paule arrête de rire subitement et elle s'écrie d'un ton autoritaire :

— Je vous rappelle que je suis votre belle-fille et non votre fille, et que vous ne me faites pas peur. Quant à votre ménage, ne comptez pas sur moi. Vous n'avez qu'à faire la même chose que j'ai faite en arrivant dans mon logement. Retroussez vos manches et mettez-vous au travail. Vous allez nous excuser, mais on est attendus à la grange.

Lucille est insultée par ce que Marie-Paule vient de lui lancer au visage.

— Ça ne se passera pas comme ça, s'exclame-t-elle. Quand Adrien va savoir que vous avez refusé de m'aider, il va vous obliger à le faire.

— Aussi bien vous faire à l'idée tout de suite, parce que jamais je ne serai à votre service ! s'écrie Marie-Paule avant de sortir de la maison.

— C'est ce qu'on va voir ! hurle Lucille en la suivant sur la galerie.

Marie-Paule ne se retourne même pas. Elle pourrait ajouter bien des choses, mais ça n'aurait aucun effet sur Lucille. Quant à Adrien, si jamais il ose lui demander de l'aider, eh bien, il va en prendre pour son rhume.

— Pourquoi *la vieille grand-mère* est toujours de mauvaise humeur ? lui demande Michel, très à propos.

C'est à contrecœur que Marie-Paule reprend son fils :

— Je ne veux pas que tu l'appelles *la vieille grand-mère*.

— Mais elle est vieille, réplique André à la défense de son frère, et méchante aussi.

— Elle a le même âge que grand-maman Alida, leur explique Marie-Paule.

— Mais elle, elle est toujours gentille avec nous, dit Michel.

Ce n'est pas la première fois que Marie-Paule les reprend lorsqu'ils parlent ainsi de Lucille, mais elle n'a pas plus de chances de les convaincre de changer leur discours que de convaincre Adrien d'arrêter de boire des jours durant sans préavis.

* * *

Lucille est tellement enragée qu'elle va chercher le manteau de fourrure qu'elle a découvert dans la garde-robe de l'ancienne chambre de Gertrude avant-hier. Chaque fois qu'elle y pense, elle sent une vague de colère l'envahir. Elle n'en a pas encore parlé à Joseph, mais si c'est pour leur fille qu'il l'a acheté, et c'est ce qu'elle croit, eh bien, c'est aujourd'hui qu'il va savoir de quel bois elle se chauffe. Gertrude ne mérite pas de se pavaner dans un aussi beau manteau alors qu'elle l'a abandonnée pour aller vivre en ville. Qui plus est, jamais Lucille ne permettra à sa fille d'en avoir un pendant qu'elle gèle dans son manteau de drap. Lucille le met sur son bras d'un geste brusque. Elle prend des allumettes au passage et sort de la maison. Une fois devant le gros baril qui leur sert à brûler tout ce qui traîne sur le terrain, elle jette le manteau dedans et elle y met le feu sans aucun remords. Droite comme un piquet, Lucille savoure sa victoire sans sourciller. Elle est tellement prise par la colère qui gronde en elle qu'elle n'entend pas arriver la voiture de Gertrude qui s'arrête pourtant à quelques pas d'elle seulement.

En voyant sa mère devant le feu, Gertrude se dit que c'est la première fois que Lucille fait brûler quelque chose elle-même. Curieuse, elle s'approche jusqu'à elle et lui dit :

— Voulez-vous bien me dire ce que vous êtes en train de faire brûler en plein cœur d'après-midi ?

Sans même prendre la peine de se retourner, Lucille lui lance au visage :

— Ton manteau de fourrure!

Et Gertrude se met aussitôt à rire comme une malade. Elle rit tellement qu'elle en pleure. Déçue de la réaction de sa fille, Lucille revient à la charge.

— C'est tout l'effet que ça te fait?

Gertrude fait son gros possible pour arrêter de rire et lui dit d'un souffle en se tenant le ventre à deux mains:

— Vous êtes en train de brûler votre manteau.

Les paroles de Gertrude mettent quelques secondes à se rendre au cerveau de Lucille. Elle devient rouge comme une forçure lorsqu'elle réalise ce qu'elle est en train de faire, et elle se met à hurler de toutes ses forces:

— Non! Pas mon manteau neuf!

À bout de force, elle se laisse tomber à genoux sur la pelouse. Au lieu de l'aider à se relever, Gertrude lui dit:

— Je suis venue chercher les ustensiles de cuisine que vous m'avez pris. Quand je vais raconter ce que vous avez fait à Camil, il ne me croira pas.

Alertée par les cris de Lucille, Marie-Paule vient aux nouvelles aussi vite qu'elle peut. Lorsqu'elle voit Lucille par terre, elle accourt jusqu'à elle et pose la main sur son bras pour l'aider à se relever.

— Enlève tes sales pattes de sur moi! ordonne Lucille d'un ton hargneux.

— Veux-tu que je te parle de ce que ma chère mère vient de faire? renchérit Gertrude en sortant de la maison avec un sac rempli de tout ce que Lucille lui avait dérobé.

* * *

Joseph peut comprendre que Lucille n'a pas levé le petit doigt depuis le départ de Gertrude parce qu'elle trouve toutes les meilleures raisons du monde pour ne rien faire. Mais là, il commence à en avoir assez de vivre dans une porcherie en plus d'être forcé de s'ouvrir un pot de viande et un de légumes s'il veut manger alors que madame se contente de beurrées de beurre avec de la confiture. Marie-Laure et Marie-Paule seraient bien venues leur porter à manger, mais l'une comme l'autre, elles refusent de faire plaisir à Lucille. Elles ont fait faire le message suivant à Joseph par leur mari respectif : débarquez chez nous à l'heure des repas chaque fois que vous en avez envie, mais seulement vous. Depuis le départ de Gertrude, Joseph les a honorées de sa présence à tour de rôle pour au moins un repas par jour.

— Je connais peut-être quelqu'un qui pourrait aider la belle-mère, lui a dit Marie-Laure hier soir. J'ai entendu dire qu'Anita, une de mes cousines de Roberval, vient s'installer à Jonquière. Peut-être qu'elle accepterait de s'occuper de votre maison et des repas en échange du gîte et du couvert. Si j'ai bien compris, elle est supposée faire quelques heures par semaine chez notre cousin Léopold qui est dentiste, en attendant de trouver mieux. J'aime autant vous avertir, par exemple, elle est très vaillante, mais elle ne s'en laisse imposer par personne.

— Vous savez aussi bien que moi qu'il ne faudrait pas que je laisse entrer un agneau dans la maison, parce que Lucille le dévorerait tout rond en deux temps trois mouvements, confirme Joseph. Pouvez-vous lui écrire ?

— Je vais faire mieux que ça, je dirai à ma mère de me l'envoyer aussitôt qu'elle arrivera. Je pense que vous allez l'aimer.

Joseph sait d'avance que peu importe qui il choisira, Lucille va se faire un malin plaisir de lui pourrir la vie autant qu'à celle qu'il lui imposera tant et aussi longtemps que la nouvelle venue n'aura pas pris sa place. D'après ce qu'il vient d'entendre, cette Anita a du caractère et c'est ce que ça prend pour affronter sa femme.

Bien que Joseph ne soit pas du genre à se plaindre, il est particulièrement fatigué lorsqu'il rentre à la maison, tellement qu'il a déjà décidé de ne pas ressortir pour aller manger chez Adrien. La vue du désordre le met tellement en rogne qu'il ne peut pas s'empêcher de s'en prendre à Lucille qui somnole dans sa chaise.

— Ça ne peut plus durer comme ça, Lucille! tonne-t-il en frappant le poing sur le bout du comptoir.

Évidemment, Lucille sursaute, mais elle ne s'accorde même pas le temps de se frotter les yeux et elle s'en prend aussitôt à lui comme si elle avait attendu ce moment toute la journée.

— Tu savais aussi bien que moi que Gertrude était notre poteau de vieillesse et tu l'as quand même laissé partir. Eh bien, maintenant, endure.

— As-tu réfléchi un instant à ce qu'Anna penserait de nous si elle débarquait ici? Il me semblait que tu étais plus fière que ça. Allez, remue-toi et prépare le souper.

— Ah parce que monsieur pense à m'honorer de sa présence, ce soir… Eh bien, j'ai des petites nouvelles pour toi, mon Joseph, tu n'as qu'à te servir si tu veux manger.

— Ou tu te lèves par toi-même ou c'est moi qui le fais. À partir de maintenant, tu vas faire comme lorsque tu étais chez Adjutor. Je veux que ma maison brille comme un sou neuf et que mes repas soient prêts quand je rentre. M'as-tu bien compris, Lucille?

— Dans tes rêves, Joseph! riposte Lucille sans aucune retenue, et ne t'avise surtout pas de toucher à un seul de mes cheveux parce que…

Cette fois, Joseph en assez entendu. Il ne fait ni une ni deux et sort de la maison comme un coup de vent. Le temps de faire un aller-retour au hangar et il revient avec le vieux manteau de fourrure de Lucille. Il le jette à ses pieds et lui dit :

— Libre à toi si tu veux passer un autre hiver avec ton manteau de drap.

Le regard posé sur son vieux manteau de fourrure, Lucille sent une nouvelle vague de colère monter en elle à la vitesse de l'éclair. Elle lui en veut de toutes ses forces de l'avoir laissé geler pendant une bonne partie de l'hiver alors qu'il n'avait qu'à lui rendre son manteau.

— Je t'accorde exactement une minute pour te lever et commencer à préparer le souper. Et après, tu rangeras et tu nettoieras la maison de fond en comble, comme tu le faisais si bien quand on s'est marié.

Lucille soutient le regard de Joseph. Elle sait qu'elle n'est pas en bonne position, mais c'est plus fort qu'elle, il faut qu'elle le provoque.

— Sinon quoi ? lui demande Lucille de son air pincé.

Joseph soupire un bon coup avant de répondre.

— Regarde ton manteau comme il faut, parce que ce sera la dernière fois que tu le verras. J'ai justement quelques cochonneries à faire brûler dans le baril après le souper. D'après ce qu'on m'a dit, ça brûle plutôt bien…

Joseph n'a nul besoin d'ajouter quoi que ce soit pour que Lucille comprenne qu'il est sérieux. Si Anna était là, elle lui dirait de sauter à pieds joints sur l'occasion parce que Joseph a beau être un bon garçon, mais ce n'est pas demain la veille qu'il va lui racheter un nouveau manteau de fourrure. Anna ajouterait qu'elle devrait s'assouplir un peu si elle veut vivre encore longtemps.

— Tu es tellement bornée, lui a-t-elle dit la dernière fois que Lucille lui a rendu visite, que ça va finir par te perdre. Compte-toi chanceuse que Joseph t'aie laissé faire la pluie et le beau temps pendant autant d'années et plie l'échine un peu, ça ne te fera pas mourir, je te le promets. Et tu ne casseras pas en deux non plus.

Pendant que les secondes s'écoulent, Lucille se demande sérieusement si son vieux manteau de fourrure vaut la peine qu'elle s'abaisse au nettoyage, au rangement et à la cuisine. C'est vrai qu'elle n'a rien fait depuis le départ de Gertrude et elle n'a aucune intention non plus de se transformer en fée du logis. Elle retourne la question une dernière fois dans sa tête et elle dit au moment où Joseph s'empare du manteau :

— Je t'avertis, Joseph Pelletier, ne t'avise plus jamais de toucher à mon manteau de fourrure parce que tu vas avoir affaire à moi. Et ne te réjouis pas trop vite, parce que tu es loin d'avoir gagné la partie.

Sur ces mots, Lucille se lève et va ranger son manteau de fourrure à sa place. Elle revient ensuite dans la cuisine et met son tablier.

— Tu as fait le bon choix, Lucille, lui dit Joseph. Si tu veux, je peux aller chercher des patates en bas.

— Va chercher ce que tu voudras en autant que tu me fiches la paix pendant que je travaille.

— Je disais ça seulement pour t'aider, laisse tomber Joseph en allant s'asseoir dans sa chaise, au fond je ne demande pas mieux que de te regarder travailler.

Un petit sourire en coin, Joseph sort sa pipe de sa poche de chemise et se met en frais de la bourrer.

— Au cas où tu te demanderais où j'ai bien pu prendre mon argent pour t'acheter un nouveau manteau de fourrure, un piano à Marcella et un à Gertrude, la brique pour couvrir les trois autres murs de la maison de Camil, la libération de la dette d'Adrien et d'Arté, une nouvelle voiture pour Léandre et une pour Estrade, deux chevaux pour Alphonse et un montant d'argent pour René et Adjutor...

Joseph fait une petite pause. Heureusement pour lui que Lucille a le dos tourné parce qu'il figerait sur place s'il voyait son air.

— Eh bien, quand j'étais jeune, mon père avait fait acheter des actions du chemin de fer par un de ses cousins qui restait à Montréal. Le cousin en question est mort un mois plus tard et personne n'a plus jamais entendu parler des fameuses actions jusqu'au mois passé. J'ai reçu une lettre d'un notaire de Montréal. Apparemment, il me cherchait depuis des années. La bonne nouvelle, c'est que le père avait inscrit mon nom comme bénéficiaire de ses actions. Elles ont tellement rapporté que je n'en reviens toujours pas.

Lucille épluche les patates la rage au cœur. Au final, Joseph a fait des cadeaux à tout le monde sauf à elle. S'il lui avait donné son manteau au lieu de le ranger dans la garde-robe de l'ancienne chambre de Gertrude, jamais au grand jamais elle ne l'aurait brûlé. Perdue dans ses pensées, Lucille se plante le couteau dans la paume de la main et elle se met à saigner comme un cochon. Elle lâche aussitôt sa patate et enroule le torchon à vaisselle autour de sa main. Alerté par le bruit de la patate qui est tombée par terre, Joseph se tourne vers elle et quand il voit le torchon rempli de sang, il s'approche et lui demande de lui montrer sa plaie. Devant la longueur de l'entaille, il s'écrie :

— Je vais atteler le cheval et je t'emmène à l'hôpital de Kénogami avant que tu te vides de ton sang. Vas t'asseoir et serre ton linge autour de ta main en attendant, je vais faire aussi vite que je peux.

***

Ce qui se passe en mer reste en mer. Comme bien des marins, Laurier a une fille à chaque port et depuis le temps que ça dure, aucune ne lui a annoncé qu'elle était enceinte de lui, aucune sauf Charlotte. Il a fait sa petite enquête autour de lui depuis qu'il sait qu'il va être père, mais tous ses voisins s'entendent pour dire que sa femme est un ange de bonté et de droiture et que tous les jours, elle quitte la maison à la même heure et ne revient qu'à l'heure du souper. Leur voisin de droite lui a dit qu'elle avait reçu la visite de sa sœur la semaine passée et qu'à part ça, elle recevait tout comme lui quelques colporteurs ou vendeurs, mais qu'aucun ne s'était attardé chez elle plus longtemps qu'il le faut. Loin de contenter Laurier, tout ce que ces notes parfaites du comportement de Charlotte l'obligent à croire, c'est aux miracles. Il remercie le ciel de ne pas lui avoir donné d'enfant jusqu'à ce jour et il allume un lampion dans toutes les églises qu'il croise sur sa route pour ne pas en avoir d'autres. Le seul moyen qu'il a trouvé pour l'éviter, c'est de ne plus honorer ses femmes, Charlotte comprise. C'est une des raisons pour lesquelles il reste de moins en moins longtemps à la maison quand il vient à terre. Il sait que ça lui fait de la peine, mais il ne peut pas faire autrement. Et, pourtant, Dieu seul sait à quel point il aime Charlotte. C'est rendu qu'il reste à bord la plupart du temps lorsque son navire accoste et qu'il lit, alors que la lecture ne l'avait jamais vraiment intéressé jusqu'à maintenant.

Évidemment, Charlotte n'est pas à la maison lorsqu'il se pointe. Il aurait pu se faire conduire à l'orphelinat pour la surprendre, mais il s'en est bien gardé. Loin de lui l'idée d'avoir la sœur supérieure en face de lui et de subir ses sermons. Il rentre et trouve un mot sur la table de cuisine.

Ne me cherche pas, je suis allée passer quelques jours chez ma cousine Jeannine à Roberval. Je prévois revenir au plus tard dimanche.

Laurier chiffonne le bout de papier et le met dans le poêle avant d'allumer ce dernier. Non seulement on est dimanche, mais la noirceur est bien à la veille de tomber, ce qui fait que Charlotte devrait être là d'une minute à l'autre. Il fouille dans la réserve pour trouver quelque chose à se mettre sous la dent et il met des patates à cuire.

Il est passé neuf heures lorsque Charlotte arrive. Contre toute attente, il sort à sa rencontre. Elle le regarde et lui fait un petit sourire. Si seulement il savait à quel point elle s'ennuie de lui, il lui tendrait les bras pour l'inviter à venir s'y blottir. Au lieu de ça, il lui dit pour toute salutation :

— Tu ne devrais pas t'aventurer sur les routes aussi tard dans ton état.

— Depuis quand te préoccupes-tu de ma sécurité ? lui demande-t-elle du tac au tac.

— Mais je n'ai jamais cessé de m'inquiéter pour toi depuis le jour de notre mariage. Rentre, je m'occupe de tout.

Au lieu de le remercier, Charlotte descend de la voiture et entre dans la maison sans rien dire. Une partie d'elle est contente de le voir et lui sauterait au cou pour lui quémander un peu d'affection, alors que l'autre lui crierait les pires bêtises de la terre jusqu'à en perdre le souffle. Étant donné qu'aucun des deux cas de figure ne la satisferait totalement, Charlotte garde profil bas.

Lorsque Laurier la rejoint dans la maison, elle finit de manger sa soupe aux gourganes.

— Tu es ici pour combien de temps ? lui demande-t-elle.

— Je repars dans trois jours.

Laurier lui sourit. Il l'a toujours trouvée belle, mais depuis qu'elle est enceinte, elle l'est encore plus et il doit se faire violence pour rester loin d'elle.

— Ne me regarde pas comme ça, je t'en prie, se plaint Charlotte.

— Mais je ne peux pas faire autrement, tu es ma femme et je te trouve tellement belle.

— Au point de ne plus me toucher… Garde tes belles paroles pour toi, veux-tu…

— Il faut qu'on parle, Charlotte.

Même si elle attendait cet instant depuis longtemps, elle le craint encore plus maintenant qu'il est en train de se passer.

— Il faut que je t'explique pourquoi je me conduis aussi mal avec toi. Je suis mort de peur à l'idée d'avoir un enfant et par-dessus tout, de t'en faire un autre, et c'est pour ça que je me tiens loin de toi.

La voix brisée par les larmes, Charlotte ne porte aucune attention à la première partie de la réponse de Laurier et lui dit :

— Comment veux-tu que je tombe enceinte alors que je le suis déjà ?

Et Charlotte se met à pleurer à chaudes larmes. Sa peine est tellement grande et réelle que Laurier s'approche d'elle et l'attire à lui. Cette proximité suffit à rallumer le feu en lui et il pose aussitôt ses lèvres sur les siennes. Le moment d'intimité qui s'ensuit n'efface pas à lui seul toute la souffrance des mois passés, mais il fait un bien immense aux deux époux. Serrés l'un contre l'autre, ils s'endorment sans prononcer une seule parole de peur de briser le charme.

***

Lorsque Joseph ramène Lucille à la maison, il sait pertinemment que le désordre y régnera comme au moment de partir pour l'hôpital. Il sait aussi que ce n'est pas demain la veille que sa femme va pouvoir mettre la main dans l'eau, et encore moins faire le ménage. Étant donné qu'il ignore combien de temps il faudra avant de savoir si la cousine de Marie-Laure va accepter son offre, il commence à penser qu'il va devoir collaborer s'il ne veut pas que les choses continuent à empirer.

Joseph ne mettrait pas sa main à couper, mais il croit déceler un petit sourire de satisfaction sur le visage de Lucille. C'est pourquoi il lui dit avant d'arrêter sa voiture près de la galerie d'en arrière :

— Tu as peut-être gagné cette manche, mais tu n'as pas gagné la partie.

Lucille descend de voiture sans rien dire et va s'asseoir sur la galerie en l'attendant. Déjà que la porte est difficile à ouvrir quand elle a ses deux mains, elle n'a pas l'intention de rouvrir sa plaie, en tout cas pas aujourd'hui.

Aussitôt qu'il les entend arriver, Adrien vient aux nouvelles.

— Et puis, la mère, allez-vous survivre ?

— Tu devrais savoir que ça en prend plus que ça pour me tuer, répond-elle sèchement.

Adrien ne prend pas ombrage de la réponse de sa mère et ajoute :

— J'imagine que vous avez faim…

— Qu'est-ce que ça peut bien te faire que j'aie faim, puisque de toute façon je vais devoir me contenter d'une beurrée de beurre avec de la confiture, et ça c'est à la condition que ton père veuille bien me la préparer.

Alors qu'il voulait lui dire que Marie-Paule leur a préparé à manger, Adrien hausse les épaules et décide d'attendre que son père arrive. Il va à sa rencontre dès qu'il l'aperçoit.

— Il y a tout ce qu'il faut pour manger sur le poêle, dit-il.

— Je te remercie, mon garçon.

— Ah je n'ai rien à voir là-dedans, c'est ma femme qu'il faut remercier. Et Marie-Laure a tout nettoyé pendant ce temps-là.

Joseph a l'impression qu'il vient de lui pousser des ailes. Il accélère le pas et monte les quelques marches pour accéder à la galerie en courant. Il ouvre la porte de la maison et quand il voit comment tout est en ordre, il sourit.

— J'irai les remercier personnellement demain, confie Joseph. Tu ne peux pas savoir à quel point ça me fait du bien de retrouver ma maison comme du temps de Gertrude.

Alors que les deux hommes avaient pratiquement oublié la présence de Lucille, elle s'empresse de décocher sa première flèche à l'égard du travail de ses brus :

— Depuis le temps qu'elles viennent ici, il me semble qu'elles devraient savoir où vont les choses.

Adrien et Joseph se jettent un coup d'œil, mais aucun des deux ne se donne la peine de réagir.

— Et j'espère que ce n'est pas du ragoût qu'il y a à manger parce que…

Cette fois, Lucille s'attire les foudres de son fils et de son mari en même temps.

— Taisez-vous ! s'écrient-ils en chœur.

Chapitre 29

— Vous auriez dû emmener les enfants, s'écrie Gertrude en accueillant Wilbrod et Mérée.

— Ils sont assez vieux pour se garder tout seuls, dit Mérée, et ça nous fait du bien de sortir tranquilles de temps en temps.

— Ma femme oublie un petit détail, ajoute Wilbrod d'un ton moqueur, elle a demandé à la voisine d'aller faire son tour.

Mérée sourit à son mari et se croise les doigts pour qu'il n'en dise pas plus, parce qu'au moment de sortir de la maison elle se demandait encore s'ils ne seraient pas mieux de les emmener. Comme ils en avaient discuté en long et en large avant de prendre la décision de les laisser se garder seuls, Wilbrod a tenu son bout et ils ont fini par partir juste tous les deux.

— Je la comprends tellement, s'accuse Gertrude. Chaque fois que je laisse Jean à ma belle-mère, je n'arrête pas de me demander si tout va bien.

— C'est normal, lance Camil, ma mère a élevé seulement douze enfants, après tout! Aimeriez-vous visiter notre château?

— Certain! s'enthousiasme Mérée. En tout cas, elle est très belle de l'extérieur.

— Attends de la voir quand elle sera tout en brique, s'exclame Camil. Si tout va comme on veut, ce sera fait d'ici deux semaines.

Gertrude et Camil font faire le tour du propriétaire à leur visite pendant que Jean s'amuse par terre. Tant Mérée que Wilbrod ne tarissent pas d'éloges. La maison n'a rien d'exceptionnel, mais elle a un charme fou. Pendant que Mérée s'attarde aux rideaux et aux parures de lit, Wilbrod remarque la finesse des boiseries et les planchers.

— Je ne suis pas du genre à jalouser les gens, avoue Wilbrod, mais notre maison a l'air d'une niche à chien, à côté de la vôtre. Tout est à l'équerre ici, alors que chez nous il n'y a pas un seul mur droit.

— Donne-lui quelques hivers et ce ne sera plus pareil, dit Camil. Le bois est loin d'avoir fini de travailler.

— Peut-être, mais on voit qu'elle a été bien construite, argumente Wilbrod.

— Je n'ai pas tellement de mérite, confesse Camil, je ne suis rien de plus qu'un bon deuxième. Sans l'aide de mon père et de deux de mes frères, je n'y serais jamais arrivé.

— Tu vois, moi je me débrouille plutôt bien avec le bois, mais je ne peux rien faire de plus pour améliorer ma maison. Quand je me mets à l'examiner, je me console en me disant qu'on a de la chance d'avoir un toit sur la tête.

Mérée savait que Joseph avait offert un piano à Gertrude, mais le voir dans son salon lui donne un coup. Même si elle ne sait pas jouer, elle a toujours rêvé et elle rêve encore d'en avoir un. Elle s'assoit sur le banc et passe ses mains aller-retour sur le boîtier qui protège le clavier.

— Tu peux jouer quelques notes si tu veux, dit Gertrude.

— Est-ce que tu pourrais m'apprendre ? demande Mérée à brûle-pourpoint.

— Je peux te montrer ce que je sais, mais ça ne fera jamais de toi une grande musicienne. Tu en apprendrais bien plus avec Marcella.

— J'aimerais mieux commencer avec toi. Tu n'as qu'à me dire quel jour et à quelle heure et je serai là. Je pourrais même t'apporter une pleine boîte de pièces musicales.

Gertrude ouvre grand les yeux en entendant ça. Elle en a emprunté quelques-unes à Marcella, mais elle adorerait en apprendre de nouvelles.

— C'est vrai ? s'écrie Gertrude. Est-ce que je vais pouvoir les montrer à Marcella ?

— Tant que tu me promets de ne pas allumer ton poêle avec, tu peux en faire ce que tu veux. Elles appartenaient à une vieille tante de ma mère et va donc savoir pourquoi, j'en ai hérité à sa mort alors que tout ce que je sais faire, c'est chanter. Je ne te cacherai pas que j'ai voulu m'en débarrasser plus d'une fois, mais je n'ai jamais été capable de le faire. J'aime tellement la musique que je suis toujours la première à rouspéter quand les musiciens rangent leurs instruments. Pour moi, il n'y a jamais assez d'occasions pour s'amuser au son de la musique et chanter.

— Demain soir à sept heures.

— Je te promets d'être une bonne élève, répond joyeusement Mérée.

Les deux amies terminent leur visite avant d'aller rejoindre leurs maris et Jean à la cuisine. Gertrude est ravie à l'idée de montrer ce qu'elle sait à Mérée. Depuis qu'elle vit ici, sa vie n'arrête pas de s'améliorer. D'abord, elle n'a plus à subir les foudres de sa mère, ce qui lui enlève un énorme poids sur les épaules. Ensuite, elle est libre de tous ses mouvements et elle n'a pas de compte à rendre à personne si son ouvrage est fait et les repas sont prêts quand Camil arrive de travailler. Elle peut tricoter, coudre, lire sans que personne ne la dérange si Jean est couché. Jamais elle n'aurait pu rêver d'une meilleure vie. Elle se réveille avec le sourire et elle s'endort dans les bras de son homme de la même manière. La présence de son père est la seule chose qui lui manque. Il vient régulièrement faire son tour comme il l'avait promis. Il est fou de son petit-fils et Jean de son grand-père. Le petit garçon se met à crier dès qu'il le voit, ce qui remplit le cœur de Joseph de bonheur. Gertrude est allée visiter sa mère seulement deux fois depuis qu'elle est déménagée. Elle voudrait dire que Lucille lui manque, mais elle en est incapable. En s'éloignant d'elle, Gertrude s'en est détachée au point qu'elle a dû se forcer pour lui dire quelque chose de gentil pour la blessure que Lucille s'est faite à la main. Gertrude a même dit à Camil qu'elle ne serait pas surprise que sa mère l'ait fait exprès juste pour tenir tête à Joseph.

— Je ne sais pas ce que tu nous as fait pour souper, la sœur, dit Wilbrod, mais ça sent vraiment bon.

— Camil a eu un beau morceau d'orignal en cadeau et il cuit depuis le matin, l'informe Gertrude.

— Tu n'as pas ton pareil pour cuire la viande sauvage, la complimente Wilbrod, je me régale rien qu'à y penser.

Depuis que Mérée lui a parlé de son Wilbrod, Gertrude ne le voit plus avec les mêmes yeux. Le seul petit compliment qu'il vient de lui faire le distingue de ses autres frères. Ce n'est certainement pas Alphonse, Estrade ou Adrien qui lui auraient fait cet honneur. Leur vision des femmes est bien trop étroite pour qu'ils veuillent leur faire plaisir. Quant à Arté, même si elle est proche de lui, il n'a pas la délicatesse de Wilbrod. D'ailleurs, quand ils étaient jeunes, Arté était toujours le premier à le faire étriver.

— Je te remercie, dit Gertrude, reste à voir maintenant si j'ai bien réussi mon coup. Ça vous dirait qu'on passe à table ? Je ne sais pas pour vous, mais moi je suis affamée.

— Une chance qu'elle va accoucher bientôt, se plaint Camil en riant, parce qu'elle finirait par me ruiner. Ce n'est pas mêlant, elle mange pour deux, ma Gertrude.

***

Joseph trouve les soirées bien longues depuis que Gertrude est partie. Assise à l'autre bout de la cuisine, Lucille lui adresse la parole seulement lorsqu'elle a besoin de lui. Seul le craquement du plancher sous les châteaux de leurs chaises berçantes met un peu de vie dans la maison. Bien que Joseph ne soit pas le plus grand parleur que la terre ait porté, il a fait plusieurs tentatives pour lancer la discussion avec Lucille, mais elle s'empresse d'y mettre un terme aussi vite que possible chaque fois qu'il tente le coup. Il lui a offert de jouer aux cartes, mais encore là, elle l'a très vite reconduit.

La maison brille comme un sou neuf grâce à toutes les femmes Pelletier. Lorsqu'elles ont su ce qui était arrivé à Lucille, elles se sont entendues ensemble pour qu'il y ait toujours à manger et que le ménage soit fait au moins tous les deux jours. Joseph ne tarit pas d'éloges à leur égard et il se promet bien de les remercier à sa manière dès que Lucille va pouvoir reprendre du service. D'après ce qu'il a vu la dernière fois que Marcella est venue changer son pansement, tout porte à croire qu'elle en a encore pour une bonne semaine avant de pouvoir vaquer à ses occupations. Si tout va comme prévu, Anita fera son entrée à peu près en même temps. Joseph l'a beaucoup appréciée alors que Lucille a levé le nez sur elle comme il s'y attendait, mais au moins pour une fois elle a gardé ses commentaires désobligeants pour elle jusqu'à ce qu'Anita soit sortie de la maison.

— Elle est grosse et je n'aime pas les grosses. Et elle n'a pas l'air propre. Je t'avertis, je n'avalerai pas une seule bouchée de ce qu'elle va cuisiner.

Joseph l'a regardée en secouant la tête. Malgré sa position, Lucille essaie encore de tout contrôler et ça commence sérieusement à le mettre de mauvaise humeur.

— Écoute bien ce que je vais te dire, Lucille, parce que je ne le répéterai pas deux fois. C'est elle ou tu reprends du service dès la semaine prochaine.

— Mais on n'a pas besoin d'elle, nos filles et nos brus s'en tirent très bien.

— Tu ne penses vraiment qu'à ta petite personne. Tu n'as jamais remarqué qu'elles en ont déjà toutes plein les bras avec leur propre famille ?

— Pas Gertrude !

Joseph en aurait tellement long à dire sur le sujet qu'il décide de s'en tenir à celui qui les intéresse en ce moment. Lucille en veut de toutes ses forces à Gertrude et il y a de grandes chances qu'il en soit encore ainsi au moment où elle fermera les yeux. Gertrude lui appartenait et son départ la met hors d'elle chaque fois qu'elle y pense ou qu'elle va dans son ancienne chambre. Et lorsqu'elle voit le piano dans le salon, elle se retient à deux mains de ne pas le détruire à coups de marteau. En réalité, trop de choses lui rappellent Gertrude pour qu'elle puisse l'oublier et ça l'enrage au plus haut point.

— Tu devrais les remercier au lieu d'attendre encore plus de leur part.

— Pourquoi je les remercierais alors que c'est tout ce qu'il y a de plus normal de s'entraider dans une famille ? Veux-tu bien me dire dans quel monde tu vis, Joseph Pelletier ! Pourquoi aurait-on mis autant d'enfants au monde si ce n'est pas pour nous faire aider par eux quand on a besoin ?

Discuter avec le mur ou avec Lucille, c'est du pareil au même. Elle n'entend que ce qu'elle veut et elle tourne toujours tout à son avantage. Devant autant d'assurance, il devient très vite inutile d'argumenter.

— Revenons à nos moutons, dit Joseph. Alors, c'est oui ou c'est non pour Anita ?

Lucille sait parfaitement qu'elle n'a pas d'autre choix si elle veut continuer à se la couler douce. Depuis le temps qu'elle n'a qu'à claquer des doigts pour que les choses se fassent, ce n'est pas demain la veille qu'elle va retourner sur le plancher des vaches. Elle ne se voit pas en train de servir Joseph comme une esclave jusqu'à sa mort, et encore moins de se mettre à quatre pattes à terre pour laver les planchers. Le regard fixé sur son mari, elle serre les dents et renifle un bon coup avant de répondre :

— Puisqu'il le faut…

— Rien ne t'y oblige, Lucille, et je te permets même de changer d'idée si tu décides de t'occuper toi-même de ta maison et de ton mari.

— Tu devrais savoir depuis longtemps que je ne retourne jamais en arrière, siffle-t-elle.

Joseph pourrait dire qu'elle a au moins fait un pas de côté entre son retour de chez Adjutor et le départ de Gertrude, mais pour ce que ça donnerait, il décide de ménager sa salive. Lucille bouge seulement quand elle a un couteau sous la gorge.

— Puisque c'est comme ça, Anita va venir s'installer ici comme prévu vendredi.

— Mais pas dans la chambre de Gertrude.

— Bon, encore une autre affaire, s'impatiente Joseph. Qu'est-ce que ça peut bien te faire, qu'elle s'installe là ?

Au lieu de répondre simplement à la question de Joseph, Lucille impose son choix.

— Elle prendra la chambre qu'Ernest occupait.

— Non! s'oppose Joseph. Elle va s'installer dans l'ancienne chambre de Gertrude et je ne veux plus en entendre parler.

Chaque fois que Joseph se retrouve seul avec Lucille, il regrette de ne pas savoir lire. Il tourne bien les pages du journal, mais une fois qu'il a regardé les quelques photos qu'il contient, il le referme encore plus déçu. Il a bien vu que la partie centrale du pont de Québec avait finalement été hissée avec succès, mais comme il est curieux de nature, il aurait aimé en savoir plus sur le sujet, surtout qu'ils en étaient à leur troisième tentative pour le remettre en place. Il se promet toujours de demander à Gertrude de lui lire l'article lorsqu'il va la voir, mais soit il l'oublie, soit elle n'a pas le temps. Sa fille lui manque, mais sa lecture quotidienne lui manque plus que tout le reste. Plus les jours passent, plus il se sent à l'écart du monde. Ça le dérange tellement qu'il a même demandé à Anita si elle accepterait de lui faire la lecture du journal une fois de temps en temps.

— J'ai bien mieux à vous proposer, lui a-t-elle répondu, je pourrais vous montrer à lire et à écrire, si vous voulez. J'ai appris à mon père l'année dernière. Je ne vous mens pas, ce n'est plus le même homme depuis ce temps-là. Il lit son journal d'un bout à l'autre et il est fier comme un paon quand il participe aux discussions au magasin général. Vous devriez voir son air chaque fois qu'il signe son nom au bas d'une page au lieu de faire un X.

Joseph a été très touché par l'offre d'Anita et il s'est dépêché de l'accepter avant qu'elle change d'idée. Lucille ne s'est pas gênée pour rire de lui, mais il l'a laissée parler. La dernière fois qu'il est allé au magasin général, Joseph a acheté des cahiers et des crayons à mine en prétextant que c'était pour ses petits-fils. Il les a rangés précieusement dans le premier tiroir de sa commode sans les montrer à Lucille.

— Je n'en reviens pas de voir à quel point c'est magique, l'électricité, dit Joseph. Regarde toutes les lumières de la ville au loin.

— Cher Joseph, riposte Lucille, ça ne t'a jamais pris grand-chose pour t'émerveiller.

— La preuve, je t'ai mariée.

La réplique de Joseph est tellement cinglante que Lucille se lève de sa chaise et va se coucher alors qu'il n'est pas encore huit heures. Resté seul dans la cuisine, Joseph se met à rire tout seul. Il bourre sa pipe et va chercher le jeu de cartes avant de s'installer à la table pour jouer à la patience.

Chapitre 30

Monseigneur,

Promettez-moi de ne jamais parler de cette lettre à personne avant que je revienne de la guerre. Vous vous souviendrez qu'avant de traverser de l'autre bord, je vous avais écrit que c'était à la demande de Dieu que j'avais accepté de partir. Eh bien, ce n'est pas tout. Après deux jours à courir d'un soldat à l'autre sur le champ de bataille, j'ai vite réalisé que Dieu attendait plus que ça de moi. Ce jour-là, j'ai pris les armes comme tous ceux à qui j'offre mon aide. Je sais que je n'ai pas été formé pour ça et que ce n'est pas le propre d'un homme d'Église de se battre, mais je ne peux pas me contenter de les regarder se faire tuer sans au moins apporter ma petite contribution à cette guerre qui s'éternise.

J'espère que vous ne serez pas trop sévère à mon égard et que vous n'en profiterez pas pour m'excommunier parce que je ne fais que mon devoir de citoyen.

Adjutor

Mgr Labrecque ne compte plus le nombre de fois qu'il a lu cette lettre et elle le perturbe toujours autant. Ce n'est pas qu'il en veuille à Adjutor, c'est qu'il est mort d'inquiétude à l'idée de savoir qu'il se bat comme tous les autres alors qu'il ne connaît rien à la guerre. Et ce n'est pas tout, le secret que lui a confié Adjutor lui oppresse la poitrine depuis sa première lecture, mais il n'a pas l'intention de le trahir pour autant. Il a bien trop d'admiration pour son courage pour lui faire de l'ombre.

Après l'accueil que lui a fait la mère d'Adjutor, il s'est bien promis de ne plus mettre les pieds chez les Pelletier. Hier, il a reçu une nouvelle lettre de son protégé et il a mandaté son secrétaire de se présenter chez eux en son nom au courant de la semaine.

Monseigneur,

J'aurais voulu vous écrire plus tôt, mais il y a tellement à faire ici que je tombe de sommeil avant d'avaler ma dernière bouchée. Je vais aussi bien que possible dans les circonstances. J'ai maigri un peu, mais je ne me suis jamais senti aussi bien, et surtout aussi utile. C'est la première fois que je me sens autant à ma place.

Dieu ne devrait pas permettre que la guerre existe. J'imagine qu'il a ses raisons, mais jusqu'à maintenant, je n'ai trouvé aucune explication plausible pour justifier autant de souffrance humaine, et de pertes de vie. Venir à la guerre est une des choses les plus difficiles que j'ai faites dans toute ma vie, mais c'est bien peu si je me compare à ceux qui vivent au cœur de celle-ci sans rien pouvoir faire pour s'en sauver. La guerre est partout ici. Que vous regardiez à gauche ou à droite, devant ou derrière, tout n'est que désolation. Imaginez une terre brûlée par un grand feu de forêt en plein cœur du Lac-Saint-Jean et c'est ce que j'ai sous les yeux dès que je les ouvre. Même mes rêves sont devenus gris. Pour tout vous dire, je n'arrive plus à me souvenir de quoi a l'air une prairie remplie de fleurs des champs en bordure du fleuve Saint-Laurent. Pas plus d'ailleurs que je me rappelle le fumet d'une soupe aux gourganes qui cuit sur le poêle.

Ma contribution est bien petite, mais c'est avec la plus grande humilité que je l'offre à Dieu matin après matin. Dites à mes parents de prier pour moi et pour tous ceux qui croisent ma route, nous en avons grandement besoin. Dites à ma sœur Gertrude que je m'ennuie de sa tarte au sucre.

Adjutor

Mgr Labrecque range la première lettre dans le tiroir du haut de son secrétaire et le ferme à clé. Il range ensuite la nouvelle dans son enveloppe et va la porter à son secrétaire en lui rappelant de ne pas oublier de ne lui rapporter. Au lieu de retourner à son bureau pour finir de lire son courrier, il se rend à l'église. Il se glisse dans le dernier banc, s'agenouille sur le prie-Dieu, joint les mains et ferme les yeux avant de se mettre à prier pour Adjutor comme il le fait tous les jours.

* * *

Adrien commence par aller saluer Camil en entrant dans le magasin général.

— C'est le monde à l'envers, dit Adrien, c'est rendu que c'est papa et moi qui préparons à déjeuner à la mère.

— Et elle ne doit même pas s'en plaindre, tu sais aussi bien que moi que ta mère est une ratoureuse.

— Encore plus que tu penses. Entre toi et moi, des fois, je me demande même si elle n'a pas fait exprès de se blesser pour se faire servir.

— Voyons donc, s'indigne Camil, jamais je ne croirai qu'elle est assez folle pour faire ça.

— Moi je pense que oui. Elle est bien depuis que les femmes de la famille la servent comme une reine.

— Oui, mais tu sais comme moi que ça ne peut pas durer éternellement. La moitié d'entre elles sont sur le bord d'avoir leur bébé. En tout cas, Gertrude achève d'y aller, je n'ai pas envie qu'elle accouche au beau milieu du chemin pour servir sa mère. Si Lucille n'avait pas le choix, elle ferait comme tout le monde et elle se débrouillerait. Tant qu'à moi, elle est bien trop gâtée.

— Si ça peut te rassurer, papa m'a dit qu'une cousine de Marie-Laure va venir s'installer chez eux vendredi. En principe, nos femmes devraient être libérées.

— Viens faire ton tour à la maison, un de ces soirs, et emmène papa avec toi.

Les dernières paroles de Camil glacent le sang d'Adrien, tellement qu'il perd l'usage de la parole momentanément. Heureusement pour lui, Camil doit le quitter brusquement pour aller répondre à un client impatient. Adrien n'en revient tout simplement pas que Camil ait appelé Joseph *papa*. Il avait cru l'entendre lors de la visite de René, mais il n'était pas assez certain pour en faire plus de cas, mais là il n'a aucun doute. Perdu dans ses pensées, il sursaute en entendant son nom.

— Ça tombe bien, Pelletier, s'écrie l'homme en lui tendant la main, je voulais justement arrêter te voir.

C'est à peine si Adrien a le temps de secouer la tête pour redescendre sur terre avant que son voisin reparte de plus belle :

— On dirait bien que le voleur de tartes a repris du service depuis une couple de semaines. Ma femme s'en est fait chiper une trois jours de suite la semaine passée.

— Pas chez nous, répond Adrien le plus naturellement du monde, mais il faut dire que nos femmes ont arrêté d'en mettre dans la dépense. Ça a réglé le problème d'un coup.

— Moi, c'est le voleur que je veux pincer. Je suis justement venu acheter un piège à souris, je vais le mettre en plein milieu de la tarte. Comme ça, on va au moins l'entendre se plaindre. Aurais-tu une idée de qui ça peut être ?

— Tout ce que je sais, c'est qu'il aime le sucre en maudit, parce qu'il ne touche jamais à rien d'autre qu'aux tartes, aux galettes, aux beignes et aux gâteaux.

— En tout cas, si tu as vent de quelque chose, fais-moi signe et je ferai de même si j'arrive à mettre la main dessus. Au nombre de tartes qu'il nous a volées, pas juste chez vous et chez nous, il est temps que ça cesse.

— Sais-tu jusqu'où il va ?

— Il paraît qu'il fait le rang au grand complet. À la prochaine, Pelletier !

Aussitôt que son voisin s'éloigne, Adrien repense aux paroles de Camil et il sent à nouveau la colère l'envahir. Il commande tout ce qu'il y a sur la liste de Marie-Paule et, au moment de signer pour confirmer ses achats, il fait ajouter une grande chaîne pour attacher leur chien. Il salue poliment quelques habitants au passage et il sort au plus vite. Il passe ensuite chez le cordonnier et en ressort avec un collier de cuir pour Prince. À voir la détermination du voisin pour prendre le voleur en flagrant délit, Adrien s'est dit qu'il était mieux de prendre les choses en mains s'il voulait garder son chien vivant.

Adrien est tellement rouge quand il rentre chez lui que Marie-Paule lui demande s'il se sent bien.

— Tu ne devineras jamais ce que Camil, mon charmant beau-frère, vient de me dire. Imagine-toi donc qu'il appelle mon père *papa*.

Marie-Paule fronce les sourcils, mais c'est plus pour la forme que parce que ça la dérange.

— Joseph n'est pas son père, à ce que je sache, c'est le mien. Et puis, aux dernières nouvelles, le sien est encore vivant.

— Je ne comprends pas pourquoi ça te dérange autant que ça, dit tout bonnement Marie-Paule.

Adrien fixe sa femme comme si elle venait de dire la pire des bêtises.

— Voyons donc, c'est pourtant facile à comprendre. Il n'a pas le droit de l'appeler comme ça, un point c'est tout.

Marie-Paule se gratte le front pendant quelques secondes. Si elle avait pensé qu'Adrien serait aussi perturbé par si peu, elle lui en aurait glissé un mot lorsque Gertrude lui en a parlé. Comme c'était entre Joseph et Camil, elle n'avait pas cru bon de le faire. Et puis, ce n'est pas la première fois qu'elle entend un gendre appeler son beau-père ainsi. C'est une manière de dire à quelqu'un qu'il fait vraiment partie de la famille. D'ailleurs, il y a bien des brus qui appellent leur belle-mère *maman*, mais ça ne risque pas d'arriver à Marie-Paule. À voir l'air d'Adrien, elle se dit qu'elle aurait peut-être dû préparer le terrain.

— Mais ce n'est quand même pas toi qui vas dicter sa conduite à ton père. Si Camil l'appelle *papa*, c'est parce que Joseph le lui a demandé.

— C'est impossible que papa ait fait ça. As-tu déjà entendu Léandre l'appeler *papa*?

— Non, mais ton père est loin d'avoir la même relation avec Léandre qu'avec Camil. Le mari de Marcella n'est pas l'homme le plus chaleureux que la terre ait porté. Tu n'as qu'à penser au nombre de fois qu'il nous a invités à aller manger chez eux depuis qu'on est mariés. Je n'aime pas parler en mal des autres, mais Léandre n'est pas le préféré de ton père. N'oublie pas une chose, Camil et Joseph sont restés dans la même maison pendant près de deux ans et Camil a toujours été là pour lui.

— Pas plus que moi!

Marie-Paule a l'impression d'avoir un petit garçon devant elle. Adrien refuse de se faire piquer sa place par Camil alors qu'en réalité il ne court aucun danger que ça arrive.

— Tu te fais du mal pour rien. Ton père n'est pas en train de mesurer qui de Camil et de toi l'aide le plus. Il a fait cette demande à Camil pour lui dire qu'il est fier qu'il fasse partie de sa famille et ça s'arrête là.

La tête baissée, Adrien se tord les doigts comme il a l'habitude de le faire lorsqu'il est mal à l'aise. Devant son désarroi, Marie-Paule ajoute :

— Tu n'as peut-être jamais remarqué, mais j'ai deux de mes belles-sœurs qui appellent ma mère *maman* alors que la leur est toujours vivante.

— Et ça ne te dérange pas ?

— Pourquoi ça me dérangerait ? Ma mère restera toujours ma mère. Si elle était ici, elle te dirait qu'on ne peut pas empêcher un cœur d'aimer.

Marie-Paule laisse passer quelques secondes avant de revenir à la charge sur un tout autre sujet.

— J'ai oublié de te parler de quelque chose hier. Quand je suis allée nourrir les poules, je les ai comptées comme à chaque fois et d'après mes calculs, il en manque au moins trois. Je me suis peut-être trompée parce que les enfants n'arrêtaient pas de courir après les pauvres bêtes pour les obliger à rentrer, mais je ne pense pas.

— Tu ne crois quand même pas que le père Demers aurait osé reprendre du service ?

— On ne sait jamais ! Arrêter de voler n'est peut-être pas aussi simple que d'arrêter de manger du sucre à la crème.

— Parle pour toi ! Depuis le temps que j'essaie, je suis toujours au même point. Dès que j'en vois un morceau, je saute dessus avant que quelqu'un d'autre le prenne. Si tu veux, je les rentrerai avec toi ce soir.

— Tu n'auras qu'à venir me chercher quand tu seras prêt.

***

Lucille n'a pas ouvert la bouche depuis qu'Anita est arrivée au début de l'après-midi. Pire que ça, elle n'a pas répondu à une seule de ses questions. Devant son mutisme qui commence à lui taper drôlement sur les nerfs, Anita va se planter devant elle et lui dit en la regardant droit dans les yeux :

— Marie-Laure m'avait avertie que vous n'étiez pas commode, mais là vous dépassez les limites. Je suis ici pour vous aider et tout ce que vous trouvez à faire c'est de m'ignorer, j'avoue que je ne vous comprends pas. Si vous espérez que vos brus et vos filles vont revenir vous aider, eh bien, c'est manqué. Votre mari a été très clair là-dessus, c'est moi ou bien vous remettez votre tablier, et je ne suis pas venue pour partir avant même d'avoir défait ma valise.

Si Anita croyait que son petit plaidoyer allait faire réagir Lucille, elle s'est mis un doigt dans l'œil jusqu'au coude. La tête haute, celle-ci pose un regard noir sur l'intruse, et elle se demande bien de quel droit cette grosse femme vient lui faire la leçon dans sa propre maison. Lucille n'a eu qu'à lui jeter un coup d'œil pour savoir qu'elle ne s'entendra jamais avec elle. C'est Gertrude qu'elle veut et personne d'autre.

— Puisque vous le prenez comme ça, dit Anita, je vais commencer à préparer le souper et vous devrez vous accommoder de ce que je cuisinerai.

Lucille a espéré jusqu'à la dernière minute que Joseph ne lui assigne pas l'ancienne chambre de Gertrude, mais il a osé faire à sa tête. Lorsque Lucille l'a vu l'inviter à le suivre en portant sa valise, elle s'est retenue de ne pas se mettre à hurler comme une perdue. Elle est revenue à la charge, mais elle s'est vite fait remettre à sa place.

— Occupe-toi de tes affaires ! lui a dit Joseph sans aucun ménagement.

Si Adjutor était là, il y a longtemps qu'elle se serait réfugiée chez lui. À cause de cette maudite guerre, elle n'a aucun endroit où aller. Marcella l'a bien invitée à aller passer quelques jours chez elle, mais ça ne lui dit rien qui vaille. D'abord, elle n'aime pas beaucoup son Léandre. Ensuite, elle trouve que leurs enfants sont mal élevés. Les rares fois où elle les visite, c'est à peine s'ils la regardent. Et enfin, elle n'a pas envie de dormir dans la chambre des filles. Lucille se sent prise au piège comme une vulgaire petite souris et c'est loin de lui plaire.

— Alors, est-ce que vous allez finir par me dire ce que je dois faire ?

Pour toute réponse, Lucille fait la moue et se berce avec encore plus d'ardeur en fixant toujours Anita.

— J'ai compris, tranche Anita en enfilant le tablier qui est accroché près du poêle.

Elle ne fait ni une ni deux et ouvre la porte de la glacière pour voir ce qu'elle contient. Elle ouvre ensuite toutes les portes des armoires pour savoir de quoi elle dispose pour préparer le souper. Elle réfléchit ensuite pendant quelques secondes et s'écrie :

— Ce sera des patates fricassées avec des fèves jaunes. Et si je fais vite, j'aurai le temps de faire un gâteau blanc avec une sauce au sucre à la crème. Est-ce que ça vous va ?

Étant donné qu'Anita a posé sa question plus pour la forme que pour avoir une réponse, elle se met à chantonner en coupant le morceau de lard en fines tranches :

Un Canadien errant,
Banni de ses foyers,
Parcourait en pleurant
Des pays étrangers.
Un jour, triste et pensif,
Il…

S'il y a une chose que Lucille déteste, c'est bien d'entendre chanter, et encore plus cette maudite chanson. Elle se lève de sa chaise comme une furie et se retrouve à côté d'Anita avant que cette dernière réalise ce qui se passe.

— Arrêtez de chanter tout de suite ou je vous frappe, hurle-t-elle à deux pouces de ses oreilles avec la main dans les airs.

Les yeux sortis de la tête, Anita se tourne et lui saisit le poignet qu'elle ne se gêne pas pour serrer.

— Aussi bien vous y faire, je chante toujours lorsque je cuisine et je vous interdis de lever la main sur moi parce que moi aussi je peux être méchante.

— Lâchez-moi, s'écrie Lucille en se débattant.

Anita la fixe dans les yeux pendant quelques secondes encore avant de lâcher prise et elle se remet aussitôt à chanter à l'endroit même où Lucille l'a interrompue. Offensée, Lucille va s'enfermer dans sa chambre en prenant soin de claquer la porte de toutes ses forces. En entendant cela, Anita dépose calmement son couteau. Elle s'essuie ensuite les mains et entre dans la chambre de Lucille sans frapper.

— Vous pouvez me faire la vie dure, je suis capable de me défendre, mais vous n'avez pas le droit de vous en prendre aux choses, parce qu'elles n'y sont pour rien.

Et Anita retourne d'où elle vient en prenant soin de refermer la porte de la chambre de Lucille avec toute la douceur dont elle est capable.

Quelques minutes plus tard, Joseph fait son entrée. Il s'empresse de lui demander comment ça s'est passé avec Lucille.

— Comme je m'y attendais, répond Anita en lui souriant. Elle ne m'a pas adressé la parole, sauf une fois pour me dire d'arrêter de chanter. Elle m'a menacé de me frapper si je ne lui obéissais pas et elle est allée s'enfermer dans sa chambre quand elle a vu que j'avais la tête aussi dure que la sienne.

Joseph n'est pas surpris de ce qu'il entend. C'est plus fort que lui, il est toujours là à souhaiter comme un enfant que Lucille change pour le mieux un jour et ça n'arrive jamais.

— J'avais espéré qu'elle se comporterait mieux que ça, mais c'est du Lucille tout craché. Chaque fois que quelque chose ne fait pas son affaire, elle s'organise pour le faire savoir.

— Croyez-moi, elle a réussi.

— Vous n'êtes pas en train de me dire que vous allez partir, vous là?

— Rassurez-vous, ça m'en prend plus que ça. Je vous ai promis de rester pendant au moins deux mois, et je tiens toujours mes promesses. Si vous voulez, après le souper, je pourrais vous apprendre au moins une lettre.

— Deux si vous voulez.

— Ah oui, votre femme a eu la visite du secrétaire de monseigneur et j'étais gênée de voir comment elle l'a reçu. Même mon père qui déteste les colporteurs pour s'en confesser est plus poli avec eux que votre femme l'a été avec le représentant du clergé.

Joseph n'a pas envie d'en savoir plus sur le manque de manières de Lucille envers le secrétaire de l'évêque. Ce dernier lui avait fait l'honneur de venir lui porter des nouvelles d'Adjutor en personne la première fois et, pour Lucille, c'était ni plus ni moins qu'un engagement à continuer à le faire aussi longtemps que nécessaire. Joseph comprend très bien que monseigneur a d'autres choses à faire que de venir à Jonquière pour se faire malmener par sa femme. Ce qu'il ne comprend pas, c'est que Lucille refuserait catégoriquement d'admettre que c'est à cause d'elle qu'il ne viendra plus.

— Il va bien, j'espère.

— Oui, mais si vous voulez je peux vous réciter la lettre que votre fils Adjutor a envoyée à monseigneur, c'est moi qui l'ai lue à Lucille.

— Veux-tu dire que le secrétaire te l'a laissée ?

— Non, c'est juste que j'ai une excellente mémoire. Quand je lis quelque chose, je peux pratiquement le réciter d'un bout à l'autre.

Décidément, Anita ne cesse pas d'impressionner Joseph.

— Est-ce que tu vas pouvoir me montrer comment faire, quand je saurai lire ?

— J'aimerais bien, mais ça se fait tout seul sans que j'aie rien à faire ou à penser. Vous êtes prêt ?

Chapitre 31

— Venez vite, Adjutor, s'écrie un de ses compagnons d'armes, les Allemands vont être là dans quelques minutes et on n'est pas assez nombreux pour se défendre.

— Il est hors de question que j'abandonne le curé, objecte-t-il en gonflant le torse. Et il faudra d'abord qu'ils me passent sur le corps s'ils veulent détruire son église.

— C'est beau d'être courageux, mais cette fois, vous dépassez les bornes. Suivez-moi, Adjutor !

Déterminé à rester là peu importe le danger qu'il court, Adjutor lui dit de se dépêcher d'aller rejoindre les autres.

— Mais vous allez vous faire tuer ! argumente le soldat en désespoir de cause devant son entêtement.

— Ça fait longtemps que j'ai fait la paix avec Dieu.

Aussitôt que l'homme disparaît de sa vue, Adjutor ouvre la porte de l'église et va rejoindre le curé.

— Vous auriez dû partir, lui dit-il en le voyant, on n'a aucune chance de s'en sortir vivants.

C'est bien mal connaître Adjutor que de penser qu'il est prêt à mourir sans au moins essayer de s'en sortir.

— Laissez-moi réfléchir un peu, ajoute-t-il en regardant autour de lui.

C'est alors qu'il pose les yeux sur le grand crucifix qui est fixé au mur au-dessus du bénitier.

— D'après ce que je sais, les Allemands sont croyants, eh bien, c'est l'occasion de vérifier jusqu'à quel point. Vous allez revêtir vos plus beaux vêtements et je porterai la croix.

— Mais vous allez au moins porter une de mes soutanes ! s'écrie le curé.

— Je vais me présenter à Dieu en habit de soldat et en col romain et je n'ai pas peur.

À cet instant, une voix rauque se fait entendre du fond du confessionnal avant qu'un homme effrayé en sorte.

— Je peux vous aider si vous voulez, dit ce dernier.

— Mais qui êtes-vous ? demande Adjutor en apercevant le col romain porté par le gros et grand bonhomme qui se tient maintenant devant lui.

— Je suis un ami du curé de la place. J'étais venu prendre de ses nouvelles et me voilà coincé ici, ce qui est loin de faire mon affaire. Je ne sais pas pour vous, mais pour ma part, je suis trop jeune pour mourir.

Vu que le temps presse, Adjutor n'allonge pas le sujet inutilement.

— Parfait, on ne sera pas trop de trois, confirme Adjutor. Allez vite enfiler vos habits, messieurs, parce que les Allemands n'attendront pas après nous et assurez-vous que votre col romain soit bien en vue.

Sitôt habillés, les trois hommes sortent sur le parvis de l'église et suivent les ordres d'Adjutor à la lettre.

La place est tellement silencieuse qu'ils entendent le bataillon allemand bien avant de le voir. Le seul claquement des bottes des soldats sur les pierres donne la chair de poule aux hommes d'Église, mais ils continuent tout de même à réciter leurs psaumes.

Ce n'est que lorsque les Allemands se retrouvent devant l'église avec leurs armes pointées dans leur direction qu'Adjutor fait signe à ses compagnons d'arrêter. Le grand crucifix entre les mains, il fait quelques pas dans leur direction, s'installe pour leur faire face et il les regarde droit dans les yeux en leur présentant la croix. Quelques secondes plus tard, tous les hommes du bataillon, leur commandant compris, s'agenouillent et font le signe de croix. Une fois l'effet de surprise passé, leur commandant les somme de se relever et il s'approche d'Adjutor. Loin de se laisser intimider, Adjutor soutient courageusement son regard sans sourciller d'un poil. Devant sa bravoure, le commandant se retourne vers ses hommes et leur ordonne de se remettre en rang, ce qu'ils font sans hésiter.

— *Bon chance, monsieur !* lance-t-il dans un mauvais français avant de rejoindre son bataillon.

De grosses gouttes de sueur se mettent aussitôt à couler sur le front d'Adjutor et, avant que le bataillon ait tourné le coin de la rue, il se met à trembler comme une feuille, tellement qu'il a du mal à tenir sur ses jambes. Figés comme s'ils étaient pris dans la glace du fleuve Saint-Laurent au printemps, ses deux comparses n'osent pas se retourner de peur de constater que leur dernière heure est arrivée et qu'un soldat va se mettre à leur tirer dessus jusqu'à ce qu'ils tombent sous ses balles. Adjutor prend plusieurs grandes respirations et il leur dit :

— On a réussi, mais attendez qu'on soit dans l'église pour émettre un son.

Une fois à l'abri des regards, les trois hommes se laissent tomber à genoux au beau milieu de l'allée en même temps, alors que de grosses larmes coulent sur leurs joues. Ils joignent ensuite les mains et remercient Dieu de les avoir épargnés. Lorsqu'ils se relèvent, celui qui est sorti du confessionnal dit avec un fort accent :

— Qui que vous soyez, vous nous avez sauvé la vie et je vous en serai éternellement reconnaissant. Je me présente, je suis l'archevêque Arnolfo Agati.

Adjutor se contente de lui tendre la main. La guerre lui a appris que ce n'est ni l'endroit ni le moment de se perdre en courbettes. Sur le champ de bataille, il n'y a plus aucun titre qui tienne, à part ceux de l'armée bien entendu.

— Adjutor Pelletier, j'avais une cure dans une petite paroisse au Québec avant de décider de m'enrôler.

— Et vous avez pris les armes? le questionne l'archevêque.

— Je n'avais pas d'autre choix, c'était ça ou je n'aurais plus jamais pu me regarder dans un miroir.

— Ce n'est pas pour rien que tout le monde l'appelle le «curé courage», s'exclame le curé du village.

— Il ne te resterait pas un peu de vin de messe par hasard, demande l'archevêque à son ami.

— Suivez-moi, j'en ai toujours quelques bouteilles en réserve, mais j'ai bien mieux que ça à vous offrir.

* * *

— Papa? Quelle belle surprise! s'exclame Gertrude. Venez vous asseoir au salon, je m'apprêtais justement à jouer une nouvelle pièce que je viens d'apprendre pour Camil.

— Avec plaisir, mais avant, il faut que tu me dises où est mon petit-fils.

— Vous auriez ri, il est tombé endormi dans son assiette au souper. Je viens d'aller le voir et j'ai bien peur qu'il soit parti pour la nuit. Il a passé l'après-midi à jouer avec le plus jeune de Marcella.

— Tant pis, je reviendrai le voir demain.

Joseph donne une poignée de main à Camil en entrant dans le salon. Pendant ce temps, Gertrude ouvre le banc du piano pour prendre sa partition.

— Mais veux-tu bien me dire ce que tu fais avec autant de partitions ? lui demande son père en voyant qu'elle a peine à le refermer.

— C'est Mérée qui me les a données. Je vous demande de ne pas être trop sévère avec moi, parce que ça fait seulement quelques jours que j'ai commencé à l'apprendre.

— Laisse-moi juste le temps de servir un petit verre à papa avant de commencer, dit Camil.

La performance de Gertrude est loin d'être parfaite, mais compte tenu du temps qu'elle a investi sur la pièce, elle s'en tire plutôt bien. À peine joue-t-elle sa dernière note que Joseph et Camil se mettent à l'applaudir, ce qui la fait sourire.

— C'est gentil, s'écrie-t-elle, mais ça ne méritait pas autant. Je vous promets de la pratiquer jusqu'à ce que je sois complètement à l'aise pour la jouer. Mais si vous voulez encore m'écouter, je vais vous jouer les pièces que je connais mieux.

— Joue aussi longtemps que tu voudras, ma fille, ça me change du radotage de ta mère.

— Êtes-vous en train de nous dire que ma belle-mère fait encore des siennes ? demande Camil d'un ton moqueur.

Joseph sourit en entendant la boutade de Camil. Le jour où Lucille cessera de se plaindre, ce sera parce qu'elle aura quitté ce monde. Déjà, quand il l'a rencontrée, elle ne donnait pas sa place. Dans ce temps-là, ça l'amusait de l'entendre donner son avis sur tout, mais disons qu'elle le faisait avec beaucoup plus de finesse qu'aujourd'hui. Elle était tellement ratoureuse et drôle qu'il ne voyait pas la méchanceté qu'elle avait en elle. Ce n'est que lorsqu'ils ont été mariés qu'il a compris avec quel genre de femme il devrait passer sa vie, mais il était trop tard pour faire marche arrière. Lucille n'a pas de demi-mesure, elle aime ou elle n'aime pas, et tout le monde y passe, y compris ses enfants. Comme on dit, quand elle vire le cul à la crèche, il n'y a pas moyen de la faire changer d'idée. René en est la preuve vivante. Quoi qu'il fasse ou qu'il dise, jamais il ne parviendra à se rapprocher d'elle alors qu'Adjutor peut tout faire sans qu'elle lui en tienne rigueur.

— Au cas où vous ne le sauriez pas, répond Joseph, elle n'aime pas Anita.

— Au nombre de fois qu'elle est débarquée ici depuis qu'Anita habite chez vous, je me doutais bien que ce n'était pas l'amour fou entre elles, confie Gertrude. Pour qu'elle préfère ma compagnie à la sienne, c'est parce que ça ne va vraiment pas. Mais en même temps, ça n'a rien de nouveau, la mère ne s'entend avec personne quand ce n'est pas elle qui a décidé.

— Je ne sais pas comment vous faites pour l'endurer depuis si longtemps, lance Camil.

Joseph regarde son gendre avec un petit sourire en coin avant de soupirer un bon coup. Il se demande quoi répondre alors qu'il a les mains et les pieds liés à Lucille jusqu'à sa mort, que ça lui plaise ou non.

— Mon père t'aurait dit que je suis marié pour le meilleur et pour le pire, et comme tu peux le voir, pour moi il y a plus de pire que de meilleur.

Joseph laisse passer quelques secondes avant d'ajouter :

— Mais vous savez, ma vie avec elle n'a pas toujours été noire, on a eu de bons moments ensemble.

Devant l'air surpris de Camil et de Gertrude, Joseph poursuit sans attendre :

— C'est vrai que ça date un peu, mais je me souviens entre autres d'un jour où on était allés pique-niquer sur le bord du lac au bout de la terre de son père. Lucille s'était étendue sur un nid de fourmis. Elle en avait tellement sur elle que le violet de sa robe avait tourné au noir en quelques secondes seulement. Elle criait comme une perdue. Je l'avais prise par la main et l'avais tirée jusque dans l'eau. Elle s'était aussitôt immergée complètement pour se débarrasser des fourmis. Et quand elle était remontée à la surface, elle s'était mise à rire et à m'arroser. On était revenus chez les parents détrempés, mais heureux.

Joseph parle tellement peu souvent des bons moments avec Lucille que ses propos touchent Gertrude plus qu'elle le voudrait. Elle aurait beaucoup aimé connaître cette femme, plutôt que celle qui s'est emparée de sa vie alors qu'elle n'était encore qu'une enfant sous prétexte qu'elle ne pouvait se passer de son aide. La blessure que Lucille lui avait infligée ce jour-là ne s'était jamais refermée. Même si Gertrude n'est pas du genre à vivre dans le passé, elle n'a jamais pu oublier son dernier jour d'école.

— Ça me fait du bien de savoir que la mère pouvait être différente, mais je vous avoue que j'ai du mal à l'imaginer heureuse. Elle a toujours été si exigeante avec nous que j'ai l'impression que vous parlez de quelqu'un d'autre. Les seuls moments où je l'ai vue rire, c'est lorsqu'on n'était pas chez nous ou qu'on avait de la visite. Mais j'ai toujours trouvé que son rire sonnait faux.

— Je ne pourrais pas le contester même si je le voulais. Et je serais menteur de te dire que je pourrais vous entretenir toute une soirée avec ses bons coups, mais il y en a quand même eu quelques-uns. Pour revenir à Anita, j'ai beaucoup d'admiration pour elle. Si vous voyiez avec quelle méchanceté Lucille la traite, vous n'en reviendriez pas. Et elle réussit à garder le sourire. C'est rendu que je prie pour qu'elle tienne le coup, parce que j'aime autant vous dire que je commence à en avoir plus qu'assez des manigances de Lucille pour arriver à ses fins. Lucille n'en démord pas que ses brus et ses filles doivent reprendre du service chez nous au plus vite. J'ai beau lui expliquer que vous en avez toutes plein les bras, elle ne veut rien comprendre.

— C'est pour ça qu'elle m'a dit que je n'étais pas aussi occupée que vous le prétendiez. Mais vous allez faire quoi si Anita s'en va ?

— À part de chercher quelqu'un d'autre, je ne sais vraiment pas ce que je pourrais faire. Je ne vais quand même pas sortir le fouet pour qu'elle fasse son ouvrage elle-même. Et il n'est pas question non plus que je vive dans une porcherie. Je suis coincé entre le mur et la brique. Tout ce que je peux vous dire, c'est que j'ai très hâte d'aller bûcher. En même temps, je suis mort d'inquiétude à l'idée de laisser Anita seule avec elle.

Gertrude plaint son père de toutes ses forces, mais pas au point de revenir en arrière. Déjà qu'elle frémit chaque fois qu'elle aperçoit sa mère à sa porte, elle ne peut envisager sous aucune considération revivre dans la même maison qu'elle ne serait-ce qu'une seule seconde. Maintenant qu'elle est sortie de ses griffes, Gertrude compte bien s'en tenir le plus loin possible. D'ailleurs, la dernière fois qu'Adrien a plaint sa mère devant elle, Gertrude s'est empressée de lui dire :

— C'est plus facile à régler que tu penses, vous n'avez qu'à aller vous installer en bas…

— Mais Marie-Paule ne voudra jamais, et moi non plus d'ailleurs. Je l'aime bien, la mère, mais à petites doses.

— Eh bien, moi aussi !

Si ce n'était pas de Lucille, Joseph n'irait certainement pas se faire geler au bois cet hiver, surtout qu'il aurait à présent les moyens de rester au chaud. Mais il ne se voit pas enfermé avec elle dans la maison à longueur de journée à l'entendre critiquer tout ce qu'il fait et ce qu'il ne fait pas.

— Et ça, c'est en autant qu'elle soit encore là, dit Camil. On peut dire que vous êtes vraiment mal pris. Mais la belle-mère n'a pas une amie, une cousine, je ne sais pas moi, quelqu'un qui pourrait la raisonner.

— La dernière fois que j'ai vu sa cousine Anna, elle m'a dit pour la centième fois que j'avais bien du mérite d'endurer Lucille et qu'elle avait tout essayé pour lui faire comprendre qu'il était plus que temps qu'elle se prenne en mains, mais qu'elle ne voulait rien entendre. Comme Anna est sa seule amie, la seule personne sur qui je peux encore compter pour la ramener, c'est moi.

Depuis que Camil est entré dans la famille Pelletier qu'il essaie de comprendre pourquoi sa belle-mère prend autant de plaisir à malmener tous ceux qu'elle est censée aimer. Et il s'est mis à l'observer chaque fois qu'il le pouvait sans être capable de mettre le doigt sur ce qui l'a poussée à devenir ce qu'elle est.

— Tout ce que je peux vous dire, ajoute Gertrude, c'est que je vais faire mon gros possible pour vous aider.

— C'est très gentil, ma fille, mais tu en as déjà fait beaucoup trop. Et maintenant, est-ce que tu pourrais nous jouer quelques airs ?

***

Alida ne se plaint jamais, et encore moins quand elle est souffrante. Dans ces moments, on dirait même qu'elle s'anime encore plus. Alors qu'elle a mal au ventre à en avoir des nausées, elle fait la lecture à André et à Michel pendant que le petit Georges dort dans ses bras. Assis autour de la table de cuisine, Marie-Paule et Adrien jouent aux cartes avec Gisèle et une cousine en visite chez Alida. Comme Adrien gagne, il ne pense pas à s'en aller, malgré l'heure qui passe.

— Il faudrait partir, dit Marie-Paule, Georges dort depuis au moins une heure et les garçons ont du mal à garder les yeux ouverts, tellement ils sont fatigués.

— On joue une dernière partie et on y va, lance Adrien en brassant les cartes.

— Tu es pire qu'un enfant, s'écrie Marie-Paule, pas moyen de t'arrêter quand tu gagnes.

Avant qu'Adrien finisse de passer les cartes, André arrive en courant dans la cuisine et s'écrie :

— Venez vite, grand-maman Alida est morte.

Marie-Paule et Gisèle accourent aussitôt près d'elle.

— Elle est brûlante, décrète Marie-Paule en posant la main sur le front de sa mère. Elle a perdu connaissance, apportez-moi vite une débarbouillette d'eau froide. Maman, c'est moi Marie-Paule, je vous en prie, revenez avec moi.

Mais Alida a toujours les yeux fermés lorsque Gisèle tend la débarbouillette mouillée à Marie-Paule, qui la passe aussitôt sur le visage de sa mère. Ce n'est qu'au bout de quelques secondes qu'Alida revient enfin à elle.

— J'ai tellement mal au ventre que je ne me possède plus, se plaint-elle.

— Il faut l'emmener à l'hôpital au plus vite, dit Marie-Paule à Adrien. Ma mère est tellement dure à la souffrance que lorsqu'elle commence à se plaindre, c'est parce qu'elle n'en peut vraiment plus.

— Je vais rester avec les enfants, suggère Gisèle, et je peux même les coucher si tu veux.

— Ce serait mieux. Je ne suis pas certaine qu'elle va être capable de marcher.

C'est bien mal connaître Alida que de penser qu'elle va se laisser porter jusqu'à la voiture par son gendre sans avoir au moins essayé de marcher.

— Supportez-moi chacun de votre bord, tranche Alida, et je devrais y arriver.

Marie-Paule remercie Dieu que sa mère n'habite pas dans un deuxième étage comme ses trois logements précédents. Elle l'aide à mettre son manteau et se place à gauche d'elle pendant qu'Adrien la prend par le bras droit. Le visage tordu par la douleur, Alida fait des efforts surhumains juste pour mettre un pied devant l'autre. Aussitôt assise dans la voiture, elle perd à nouveau connaissance.

Chapitre 32

— Le maudit chien, s'écrie Adrien en entrant dans la maison, il a encore réussi à se détacher.

Marie-Paule se met à rire en entendant ça. Depuis qu'elle sait que c'est lui leur voleur de tartes et que son territoire s'étendait sur toute la longueur du rang, elle ne le regarde plus avec les mêmes yeux. Elle n'ira pas jusqu'à prétendre qu'il est plus intelligent que bien des humains, mais disons qu'elle lui voue une certaine admiration.

— J'aimerais bien le voir à l'œuvre.

— Quand il se détache ou quand il mange une tarte? blague Adrien.

— Les deux! confirme Marie-Paule. C'est un fin finaud, ce chien.

— Je veux bien croire, mais j'ai peur de ne pas pouvoir faire grand-chose pour lui s'il se met le nez dans le piège à souris de Laberge. Je te garantis qu'il va lui faire la peau si jamais il en a la chance.

— Mais il va bien voir son collier.

— Tout va dépendre du temps qu'il va prendre pour charger son fusil. En tout cas, personne ne pourra me reprocher de n'avoir rien fait pour lui.

Adrien va se servir une tasse de café. Marie-Paule l'observe en plein travail, mais elle se garde bien de dire quoi que ce soit pour ne pas briser le charme. Depuis que son mari a goûté à la médecine de Joseph pour mettre Lucille au pas, il a emprunté quelques petits comportements tout à son avantage au passage. Ainsi, il lui arrive de plus en plus souvent de se servir son café lui-même, de porter le panier à linge jusque sur la galerie pour l'aider. Dimanche dernier, il a été jusqu'à préparer le déjeuner avec ses fils. Là, Marie-Paule n'en croyait pas ses yeux. Ses petits gestes sont des gouttes d'eau dans l'océan de toute la besogne que Marie-Paule doit abattre dans une seule journée, mais ils suffisent à mettre un peu de baume sur les traces laissées par la dernière cuite d'Adrien, et ça n'a pas de prix pour elle.

— Veux-tu aller voir ta mère, aujourd'hui ? lui demande Adrien.

— Je vais d'abord demander à Marie-Laure si elle peut garder les enfants parce que maman fatigue très vite.

— On va faire mieux que ça, je les emmènerai faire un tour chez Gertrude pendant que tu iras voir ta mère.

Si Marie-Paule ne se retenait pas, elle sauterait au cou de son mari. Au lieu de ça, elle choisit de mettre l'accent sur ses fils. Sa mère lui a appris qu'il valait mieux ne pas trop remercier un homme pour ses finesses, si on veut qu'il continue à nous en faire.

— Là, tu vas leur faire plaisir.

— Changement de sujet, ajoute Adrien, j'ai oublié de te dire que j'ai croisé Léandre au magasin général hier. J'ai été très surpris quand il m'a dit jusqu'où il allait pour vendre ses manteaux. Tu savais qu'il va jusqu'à Roberval d'un bord et jusqu'à La Baie de l'autre ?

Depuis qu'Adrien a commencé à parler de Léandre, Marie-Paule a une drôle d'impression. Charlotte ne lui a pas dit le nom de son mystérieux visiteur puisqu'elle l'ignorait, mais elle lui a dit qu'il passait par les maisons pour vendre ses manteaux. Est-ce que

Charlotte avait précisé qu'il s'agissait de manteaux de fourrure ? Ça, Marie-Paule ne saurait pas le dire et, sincèrement, elle espère de toutes ses forces que ce n'est pas le cas.

— Tu veux dire qu'il va jusque chez ma sœur Charlotte ?

— Oui, j'ai pris la peine de le lui demander. Et pour une fois, il m'a fait rire. Il n'arrêtait pas de se vanter que les petites mères qu'il va visiter lui font un plus bel accueil qu'au curé de la paroisse. D'après ce qu'il m'a dit, il ne se passe pas une semaine sans qu'il ne se fasse pas faire des offres. Quand je lui ai demandé ce que Marcella en pensait, il s'est dépêché de me dire qu'il aimait sa femme et qu'il ne lui ferait jamais ça.

Malgré les bonnes paroles de Léandre que vient de lui rapporter Adrien, un doute vient de s'installer dans la tête de Marie-Paule. La prochaine fois qu'elle verra Charlotte, elle ne manquera pas de lui décrire son beau-frère. *Mon dieu, s'il fallait que son enfant soit de Léandre…*

* * *

Lucille saute sur l'occasion à pieds joints pour s'en prendre à Anita lorsqu'elle voit son quêteux préféré entrer dans la cour en plein orage. Comme Anita ne reviendra pas de travailler avant l'heure du souper, elle a tout le temps qu'il faut pour lui préparer une petite surprise qu'elle va détester alors que le quêteux, lui, va être fou de joie. Lucille se précipite à la porte d'en arrière et lui ouvre avant même qu'il n'ait le temps de frapper.

— Entrez, mon pauvre vieux, s'écrie-t-elle en se tassant pour lui libérer la place, et venez vous réchauffer. C'est tout droit. Ce n'est pas un temps pour être dehors.

Le pauvre homme avance prudemment jusqu'au poêle à bois et il met aussitôt les mains au-dessus pour essayer de se réchauffer un peu. Il a marché sous la pluie tout l'avant-midi et il est gelé jusqu'aux os.

— Vous êtes bien bonne, Madame Lucille, Dieu vous le rendra au centuple.

Savoir que Dieu la récompensera est le cadet des soucis de Lucille pour le moment. Tout ce qu'elle veut, c'est préparer un cadeau empoisonné pour Anita et c'est ce qu'elle est en train de faire.

— Je vais vous sortir des vêtements secs avant que vous attrapiez votre coup de mort et je vais vous faire chauffer une bonne soupe aux légumes pendant que vous allez vous changer. Je reviens tout de suite.

En fouillant dans les vêtements de Joseph, Lucille s'est dit qu'elle pourrait faire d'une pierre deux coups… elle prend rien de moins que sa tenue du dimanche. Elle imagine la tête qu'il fera quand il verra le quêteux dans ses plus beaux habits.

De retour dans la cuisine, elle s'avance jusqu'à son invité et lui dit :

— Venez avec moi, je vais vous installer dans la petite chambre pour que vous puissiez vous changer de vêtements.

Lorsque le quêteux sort de la chambre, Lucille est prise d'un fou rire incontrôlable.

— Est-ce que j'ai mis quelque chose à l'envers ? s'inquiète le pauvre homme.

— Non ! C'est juste que je trouve que les vêtements de mon mari vous vont mieux qu'à lui. Venez vous asseoir à la table, la soupe est prête.

Et Lucille le sert comme un roi. Pour être bien certaine qu'Anita va laver ses vêtements, elle va les chercher et les dépose sur la laveuse dans un tas. Ils ne sont pas seulement trempés, ils empestent la charogne.

— Et ce soir, vous dormirez dans un vrai lit, dit Lucille le plus sérieusement du monde. Quand la bonne arrivera, elle lavera vos vêtements et les mettra à sécher derrière le poêle. Elle pourra même vous préparer un bain si vous voulez.

Ce n'est qu'en s'écoutant parler que Lucille réalise que le quêteux porte les vêtements du dimanche de Joseph par-dessus sa crasse. Aucun doute, Joseph va vouloir la tuer quand il va s'en apercevoir, ce qui la fait sourire. Après tout, c'est lui qui a commencé. Il n'avait pas le droit de lui imposer Anita sous prétexte que leurs filles et leurs brus ne pouvaient pas les aider éternellement. C'est aussi sa faute si elle fait tout ce qu'elle peut pour pourrir la vie à cette grosse fille, parce qu'au fond, elle ne la déteste pas, même qu'elle pourrait l'apprécier assez facilement. Elle est propre, elle travaille vite et bien, puis elle a la langue aussi bien pendue qu'elle, ce qui n'a rien pour lui déplaire.

Évidemment, Lucille ne se donne pas la peine de tout ranger quand le quêteux finit de manger, pas plus qu'elle ne l'a fait d'ailleurs après qu'elle et Joseph ont fini de dîner. Moins elle en fait, mieux Lucille se porte. Elle pousse même la gentillesse jusqu'à offrir à son invité d'aller faire une petite sieste dans la chambre qu'elle lui a assignée pour enlever ses vêtements mouillés.

Elle s'installe ensuite dans sa chaise berçante et elle pique un petit somme en rêvant à la réaction d'Anita et à celle de Joseph. C'est l'arrivée d'Anita qui la réveille en sursaut. Elle se frotte les yeux avec énergie et prend son air de bœuf habituel alors qu'elle a juste envie de rire en pensant à ce qui s'en vient.

— Ça sent donc bien mauvais ici, s'écrie la jeune fille en s'avançant vers elle.

— Nous avons un invité, l'informe Lucille en prenant son air pincé, et il faut que tu laves son linge.

— Ma foi du Bon Dieu, est-ce qu'il dort dans les égouts? Ça sent la charogne jusque dehors.

Cette fois, Lucille doit se pincer la lèvre inférieure pour ne pas éclater de rire. Le quêteux est aveugle, mais il n'est pas sourd. Tant pis pour Anita, c'est elle qui passera pour une sans-cœur quand il sortira de la chambre.

— Vous auriez pu les laver vous-mêmes, vous aviez rien que ça à faire. Il faut que je prépare le souper avant que monsieur Joseph arrive.

— Commence par le lavage, lui ordonne Lucille d'une voix sèche en pointant l'index dans sa direction. Tu ne vas quand même pas nous faire endurer cette odeur encore longtemps.

— Elle ne devait pas vous déranger tant que ça, puisque vous m'avez attendue. Je sais ce que j'ai à faire et si vous trouvez que ça ne va pas assez vite à votre goût, levez-vous et venez m'aider. Autrement, je me passerai de vos commentaires. Et où il est, votre fameux invité?

— Anita? dit une voix d'homme en provenance du couloir.

La jeune femme se retourne aussitôt et lorsqu'elle reconnaît le vieux quêteux, elle va à sa rencontre et le prend doucement par le bras pour le guider.

— Il me semblait bien, aussi, qu'il n'y avait que vos vêtements pour empester autant. Je suis contente de vous voir. Comment allez-vous?

— Je vais très bien, mais tu n'es pas obligée de les laver, tu sais.

— Vous ne pensez quand même pas que je vais vous les redonner dans cet état. Venez vous bercer à côté de madame Lucille pendant que je prépare le souper. Avez-vous vu mes parents dernièrement?

— Ils allaient bien la semaine passée. Ta mère m'avait dit que tu restais à Jonquière, mais j'ignorais que c'était chez cette bonne dame.

Anita jette un regard furtif à Lucille. Celui qui va lui faire croire qu'elle a fait tout ça par charité chrétienne n'est pas encore né. C'est à ce moment qu'Anita reconnaît les vêtements de monsieur Joseph sur le dos du quêteux. Il n'en faut pas plus pour la conforter dans ce qu'elle pense, Lucille a traité son visiteur aux petits oignons rien que pour les embêter, elle et monsieur Joseph.

— Je ne sais pas où votre bonne dame avait la tête, laisse tomber Anita le plus naturellement du monde, mais elle vous a donné les vêtements du dimanche de monsieur Joseph. Si ça ne vous dérange pas, je vais aller vous en chercher d'autres.

Lucille bout en entendant cela. Non seulement elle n'a pas réussi à faire enrager Anita plus d'une minute, mais Joseph ne verra même pas ce qu'elle a fait. Elle se lève brusquement de sa chaise et entre dans sa chambre au moment où Anita en sort avec les vieux vêtements de Joseph, en faisant exprès d'accrocher la jeune femme au passage.

— Ayoye! s'écrie Anita. Vous devriez faire attention, vous m'avez pratiquement cassé le bras sur le cadrage de la porte.

Mais Lucille ne daigne pas lui répondre et elle s'enferme dans sa chambre le temps de mettre quelques affaires dans un sac et de ressortir avec son manteau sur le dos. Elle enfile ses bottes et sort par la porte d'en avant sans dire un mot. Quand elle voit ça, Anita court à la fenêtre et la regarde traverser chez sa cousine en se demandant ce qu'elle peut bien transporter dans son sac.

Lucille rentre chez Étiennette sans frapper.

— J'ai besoin que quelqu'un m'emmène en ville tout de suite, dit-elle sans plus de manière.

— Tu tombes bien Lucille, lui dit le mari de sa cousine, j'ai justement affaire chez ma fille. Viens-t'en.

Quelques minutes plus tard, Lucille frappe à la porte de Gertrude.

— La mère, s'écrie Gertrude en l'apercevant sur sa galerie. Est-ce qu'il y a quelque chose qui ne va pas ?

— Rien ne va plus, ma fille, au point que j'ai décidé de venir m'installer chez vous parce qu'il n'y a qu'avec toi que je suis bien.

Lucille enlève ses bottes sans y être invitée par Gertrude qui est encore sous le choc. Elle retire ensuite son manteau et lui met dans les bras avant d'ajouter :

— Ne te dérange pas, je connais le chemin.

Et Lucille se dirige tout droit dans la chambre de Gertrude et de Camil. Elle dépose son sac sur le pied du lit et s'écrie :

— Vu que c'est ici que je vais dormir, tu devrais sortir vos affaires de la chambre.

— Mais…

— Il n'y a pas de *mais* qui tienne. Maintenant, viens m'aider, je vais mettre les choses à ma main dans les armoires. Et arrête cet enfant de crier avant que je le fasse moi-même.

***

Pendant ce temps-là, chez les Pelletier, Joseph essaie de comprendre quelle mouche a piqué Lucille cette fois. Il compte aller aux nouvelles chez Étiennette après le souper, mais pour le moment, il profite des quelques heures de paix qui lui sont accordées. Il a demandé à Anita de mettre les vêtements du quêteux à tremper pour enrayer un peu l'odeur. Malgré que cette dernière prenne encore au nez, elle est encore moins dommageable que la moutarde au nez provoquée par Lucille.

— Venez vous asseoir à table, dit Joseph à leur invité.

— Je ne voudrais pas abuser de votre hospitalité.

— Si monsieur Joseph vous l'offre, confirme Anita, c'est parce que ça lui fait plaisir. Venez.

— Il y a longtemps que vous connaissez Anita ? lui demande Joseph pour faire la conversation.

— Depuis toujours. C'est chez eux que je me réfugie quand je suis dans le coin et que le mauvais temps est parti pour plusieurs jours. Et Anita, c'est ma meilleure.

Au moment où Anita sert le dessert, la porte s'ouvre sur Arté.

— Entre, mon garçon, et viens manger une pointe de tarte avec nous. Qu'est-ce qui t'arrive, tu es pâle comme une vesse de carême…

Arté s'approche de son père et lui tend une lettre.

— Je suis allé la chercher au bureau de poste hier, mais je viens juste de l'ouvrir. C'est pour René.

Joseph sort la lettre de l'enveloppe et la remet à Anita pour qu'elle la lise. À peine a-t-il entendu la première phrase que de grosses larmes se mettent à couler sur les joues de Joseph. Il met la main sur le bras d'Anita et lui dit d'une voix sourde :

— Ne t'arrête pas de lire.

Lorsque la jeune femme arrive au bout de sa lecture, Joseph reprend la lettre, la remet dans l'enveloppe et la tend à Arté avant d'aller s'installer sur sa chaise berçante. Et là, il se met à pleurer comme un enfant.

Remerciement

Je tiens à souligner le travail remarquable de Lucas Paradis tout au long de l'écriture de ce roman.

De la même auteure

La nouvelle vie de Mado Côté, retraitée (roman)

Un voisinage comme les autres – tome 1: Un printemps ardent (roman)

Un voisinage comme les autres – tome 2 : Un été décadent (roman)

Un voisinage comme les autres – tome 3 : Un automne sucré-salé (roman)

Un voisinage comme les autres – tome 4 : Un hiver fiévreux (roman)

Souvenirs de la banlieue – tome 1 : Sylvie (roman)

Souvenirs de la banlieue – tome 2 : Michel (roman)

Souvenirs de la banlieue – tome 3 : Sonia (roman)

Souvenirs de la banlieue – tome 4 : Junior (roman)

Souvenirs de la banlieue – tome 5 : Tante Irma (roman)

Souvenirs de la banlieue – tome 6 : Les jumeaux (roman)

Maria Chapdelaine – Après la résignation (roman historique)

La noble sur l'île déserte – L'histoire vraie de Marguerite de Roberval, abandonnée dans le Nouveau Monde (roman historique)

Le roman de Madeleine de Verchères – La passion de Magdelon (roman historique)

Le roman de Madeleine de Verchères – Sur le chemin de la justice (roman historique)

Le roman de Madeleine de Verchères – Les héritiers de Verchères (roman historique)

Je veux divorcer de mon fils (roman)

Les dessous d'une V.-P. (roman)

Sous le couvert de la passion (nouvelles)

Histoires célestes pour nuits d'enfer (nouvelles)

Ça m'dérange même pas ! (roman jeunesse)

Ça s'peut pas ! (roman jeunesse)

Ça restera pas là ! (roman jeunesse)

À paraître à l'hiver 2016 :

Souvenirs d'autrefois – tome 2

MARQUIS

Québec, Canada